Lynda Gratton
リンダ・グラットン
著
池村千秋
訳

# WORK SHIFT

## ワーク・シフト

孤独と貧困から自由になる
働き方の未来図〈2025〉

プレジデント社

# プロローグ　働き方の未来は今日始まる

すべての始まりは、ティーンエージャーらしい素朴な問いだった。ある朝、朝食のテーブルで考えごとに耽っていると、息子の声で現実の世界に引き戻された。長男のクリスチャンは当時一七歳。進路を考えずにいられない年頃だ。「ぼくは、本気でジャーナリストになりたい」と、クリスチャンは言った。

お兄ちゃんの言葉に刺激されたのだろう。二歳年下の次男のドミニクも続けた。「ぼくは、医者になろうかな」

すでに決めた方針をきっぱり宣言するというより、ものを尋ねるような口ぶりだった。

息子たちが私の助言にろくに耳を貸さないことは、私自身が誰よりもよく知っていたが、それでもなにか役に立つことを言ってやる必要があると思った。ビジネススクールで教えていて、さまざまな企業のコンサルタントを務めるようになって三〇年近くになる。「働き方」というテーマには、それなりに詳しいという自負があった。しかし、息子たちにアドバイスできることはほとんどなかった。この朝、私がどうにか示せたのは、中途半端でありふれた予測と、救いようもなく古いうえに不完全なデータの断片だけだった。

私は息子たちの問いについて考えはじめた。同じ頃、家庭の外でも未来の仕事の形態に関して意見を求められることが多くなった。ロンドン・ビジネススクールのＭＢＡプログラムで一、二を争う優秀な男子学生は、こう尋ねた——家庭で父親として過ごす時間をもっと増やすには、どうすればいいのでしょうか？　自分の父親と違って、これから生まれてくるわが子と長い時間一緒にいてやりたいのだと、この男性は言った。

どこで働けば、いちばん稼げるのか？　未来に備えて、どういった能力を磨けばいいのか？　どのようなキャリアの道筋を描けばいいのか？　そんな問いを投げかける若い学生も多かった。

現役企業幹部たちに尋ねられたのは、いつの時点で仕事を退くべきなのか、退職後はどうやって過ごせばいいのか、どうやってキャリアの途中でサバティカル（長期間仕事を離れて、学校に通ったり、ボランティア活動などをしたりして過ごす骨休め休暇）を取ればいいのか、勤務先の会社に対してなにを主張すべきなのか、といったことだった。

同じ時期、私の研究チームは家庭用品大手ユニリーバのスタッフと共同で、一〇歳未満の子どもたちを集めて、「仕事」に関する意識調査をおこなった。すると、子どもたちは、ロボットやトランスヒューマン（科学技術により能力を拡張された未来の人類）、コンピュータ、地球温暖化について語った。一〇歳にして早くも、こうした未来のシナリオを思い描きはじめていたのだ。

ロンドン・ビジネススクールで私が教えている企業の人事担当幹部たちは、自社の未来に不安を感じているように見えた。会社があまりにピラミッド型の組織になっていて、官僚体質に毒されていて、変化への対応が遅いので、いま生まれつつある新しいトレンドに乗り遅れるのではないかと恐れていたのだ。

このような不安や問いを人々がいだいている一因は、二〇〇九〜一〇年の世界的な景気悪化にあるのだろうと、最初は考えた。私自身、金融危機の衝撃を肌で感じていた。

二〇〇〇年、私はロンドン・ビジネススクールの同僚だった故スマントラ・ゴシャール教授と共同で、四つの企業の本格的なケーススタディを執筆した。私たちが選んだ四社とは、商業銀行のロイヤル・バンク・オブ・スコットランド（RBS）、工業（エネルギー）のBP、投資銀行のゴールドマン・サックス、テクノロジー（携帯電話）のノキアである。四社とも、それぞれの業種の上位五社に名を連ねていて、評判のいい企業だった。しかし二〇一〇年半ば、状況は一変していた。RBSは金融業界の歴史上有数の莫大な損失を計上。ゴールドマン・サックスは巨額の罰金を科されていた。BPはメキシコ湾で原油流出事故を起こして厳しい批判を浴び、唯一大きな傷を負っていなかったノキアも株価が絶好調とは言いがたかった。

私が所長を務めていたロンドン・ビジネススクールの「リーマン・ブラザーズ女性ビジネスセンター」は、金融危機でスポンサーの投資銀行リーマン・ブラザーズが破綻したあおりを食い、二〇〇九年に閉鎖に追い込まれた。象牙の塔の中にいる学者にも、火の粉が降りかかっていた。

しかし、実用化目前の新しいテクノロジーについてノキアや通信社のロイターの幹部たちの前で講演し、差し迫ったエネルギー問題を石油大手シェルの面々と語り合い、社員が企業に対する不信と怒りをつのらせはじめていることをほかの研究者たちと議論するなかで、私は気づいた——いま起きつつある変化は、景気後退だけで説明がつくものではない、と。毎年二回のインドとアフリカへの訪問を通じてわかったこともあった。これらの国々は、私が経験したことがない大きな変化を遂げようとしていた。

これまでの常識が覆されようとしているのだと感じた。絶え間ない変化の時代が訪れ、社会のあり方が土台から変わるかもしれない。それなのに、人々が知りたい問いに、私は十分に答えられなかった。あいまいで根拠の乏しい印象論ではなく、未来の仕事のあり方について深く掘り下げた専門的な分析が必要だった。

人々が投げかけている問いが非常に重要なものであることはわかっていた。仕事は、私たちの人生に大きな影響を及ぼす要素の一つだ。その点は、昔もいまも変わりない。私たちは仕事を通じて友達と触れ合い、心の高ぶりを感じ、創造性とイノベーション精神を最も発揮する。同時に、仕事の場ほど、苛立ち、疲労困憊し、自分がないがしろにされていると感じる場はほかにないかもしれない。私たち一人ひとりにとっても、家族や友人にとっても、地域のコミュニティや社会にとっても、仕事は重要な要素なのだ。

過去二〇年間の働き方や生き方の常識が多くの面で崩れようとしている。朝九時から夕方五時まで勤務し、月曜から金曜まで働いて週末に休み、学校を卒業してから引退するまで一つの会社で勤め上げ、親やきょうだいと同じ国で暮らし、いつも同じ顔ぶれの同僚と一緒に仕事をする——そんな日々が終わりを告げ、得体の知れない未来が訪れようとしている。

その得体の知れない未来について、私は知る必要があった。それは、私に問いを投げかけた人たちにも、そして、この本を読んでいるあなたにも必要なことだ。確かなことはわからなくても、未来がどうなるかというおおよその方向を知り、自分の志向と価値観に沿った一貫した視点を得る必要がある。あなたが、私が、私の息子たちが、私たちにとって大切なすべての人たちが、働き方の未来を理解しなくてはならない。自分のために、そして大切な人たちのために未来に備えるうえで、それが不可欠なのだ。

そこで私は、どのような未来が訪れる可能性が高いかを極力精密に描き出すために、探求の旅に乗り出した。私が知ろうとしたのは、私たちの日々の生活に関わる次のような問いの答えだった。

二〇二五年に、
私と私の友達、私の子どもたちは、どのような人生を送っているのか?
朝の一〇時には、どういう仕事をしているのか?
ランチは、誰と一緒に食べるのか?
どのような業務をおこなっているのか?
どのようなスキルが高く評価されるようになるのか?
私たちは、どこに住んでいるのか?
家族や友人と過ごす時間と仕事との関係はどうなるのか?
私たちは、誰から仕事の報酬を受け取るのか?
私たちは、いつ仕事を退くのか?

私たちの考え方や願望がどう変わるのかも知りたかった。具体的には、次のような問いに答えたいと考えた。

二〇二五年に、
私たちは、どのような仕事観をもっているのか?
私たちは、どのような仕事をしたいと思うのか?
私たちは、どのような希望をいだくのか?
私たちは、なにが原因で夜眠れないほどの不安を感じるのか?
私たちは、自分のために、そして未来の世代のために、なにを必要と感じるのか?

このような日常の行動と考え方は、私たちの働き方に大きな影響を及ぼす。これらの問いを通じて未来の世界を精密に描き出すことによってはじめて、働き方の未来がどうなるかが理解できる。一見すると単純に思える問いだが、答えを出すのは簡単でなかった。過去から現在へ、そして未来へと、一本の道がまっすぐ続いているわけではない。どのような未来が訪れるかという点に関しては、いくつもの可能性がある。現在から未来に向けて、いくつもの道が枝分かれしているのだ。どの道に進むかは、私たちが自分で選択できる。

では、具体的にはどのような道が枝分かれしているのか。未来のさまざまなシナリオを正確に描き出すには、どういう方法を用いるのが最適なのか。

私の母親は、パッチワークキルトの名人だ。私が子どもの頃、母は長い年月をかけて、布切れをたくさん集め、箱にため込んでいた。昔使った布の残りや、友達からもらった布もあれば、わざわざ買ってきた布もあった。箱がいっぱいになると、母は中身を取り出して丁寧に点検した。

そのとき母は、布の山の中に、一つの図柄を見いだそうとした。どの布を組み合わせれば、スムーズに溶け合って一つの意味ある図柄が出来上がるかを見極めていたのだ。どの布を使うかが決まると、あれこれと布を並べ替えて、どういう配列で縫い合わせれば一枚のキルトになるかを考えた。

この段階で母は、ベッドルームの床にたくさんの布切れを並べた。そうやって、キルトの大ざっぱな設計図を描いたのだ。次は、すべての布をとりあえず簡単に縫い合わせるという気が遠くなる作業に取りかかった。その作業が終わると、布の配列を最終調整して、いよいよ一枚一枚の布切れを手作業で縫い合わせていった。

さまざまな素材をもとに、働き方の未来について一冊の本を書き上げる過程で思い出したのは、キルトをつくっているときの母の姿だった。私が目指したのは、能天気にバラ色の未来を描くことなく、しかし前向きな気持ちになれる未来像を示し、特定のシナリオを押しつけることなく、しかし具体的なイメージのわきやすい本を書くことだった。

母のキルトづくりを手本にしようと考えた。母と同じように、私も長年かけてさまざまなアイデアを蓄えていた。ほかの研究者から借用したアイデアもたくさんあったし、最近は世界中の聡明な人々――いわば「賢い群衆」――にアイデアを提供してもらう体制も築いていた。そうしたアイデアの数々をふるいにかけ、どれを捨て、どれを採用するかを決めた。そのうえで、さまざまなアイデアのパッチワークをこつこつと縫い合わせていった。その長丁場の作業の成果が、いまあなたが手にしているこの一冊だ。

この先、私たちはとても大きな変化を経験するに違いない。「よい人生」を送るための条件について、これまで漠然といだいていた常識の多くを問い直す必要があるだろう。変化に目を閉ざすのは無謀で危険だし、過去にうまくいったやり方が未来に通用すると決めつけるのも楽天的すぎる。それは、自分と大切な人たちの未来を危険にさらす態度と言わざるをえない。

働き方の未来を的確に予測し、精神的な幸福と経済的な豊かさを得られる働き方を見つけることは、将来の自分と大切な人たちにあなたが贈れる素晴らしいプレゼントだ。未来について考えて行動することを後回しにし、手遅れになるのは避けてほしい。

『ワーク・シフト』目次

第3部　「主体的に築く未来」の明るい日々　163

# 序章　働き方の未来を予測する

## いま、起こりつつある変化

いま私たちの社会は、一八世紀後半から一九世紀前半にかけて世界の一部の国が工業化への歩みを始めたとき以来の大きな変化を経験している。この時期のイギリスで始まった産業革命は、仕事のあり方――いつ、どこで、なにを、どのようにおこなうか――を根底から変えた。[1]私たちを待ち受ける新しい時代も、それと同じくらい途方もなく大きな変化をもたらしそうだ。これまでの常識の数々が覆されるだろう。

産業革命のとき、イギリスでは一七六〇～一八三〇年という一〇〇年に満たない短い期間に、逆戻りのできない根本的な変化が起こり、すべての働き手の生活が一変した。やがて、工業化の波がまずヨーロッパ大陸へ、そして北アメリカへ、さらには世界のほかの国々へと広がっていくのにともない、世界中の人々が同じような変化を経験した。産業革命以前、仕事とは、畑を耕すにせよ、羊毛を織物に紡ぐにせよ、ガラスを吹いて器をつくるにせよ、陶器を焼き上げるにせよ、すべてが職人仕事だった。たいてい自分の家で、長年かけて磨き上げた技を駆使して働いていた。しかし一八世紀後半以降、製造業が誕生し、手作業では太刀打ちできない大量生産を始めると、職人たちの仕事は大きな変化を余儀なくされた。

ただし、「革命」のスピードは、私たちがイメージするほど速くなかった。産業革命は、ゆっくりと、少しずつ、人々の働き方を変えていった。この期間全体の年間経済成長率は、〇・五%そこそこ。今日の私たちが「産業革命」と聞いて思い浮かべるのは、どす黒い巨大な工場かもしれないが、イギリスの経済生産全体に占める繊維工業の割合はおおむね六%に満たなかった。「革命」とは言うものの、産業革命期の生産性の伸びは、今日の基準に照らせばいたって緩やかなものだった。[2] 革命というより進化、急進的変化というより漸進的変化、大々的なイノベーションというより小刻みな改善の積み重ねだった。当時の人々は、自分が巨大な変化の中にいるとは感じていなかっただろう。二〇〇年後のいま、歴史を俯瞰してはじめて、産業革命がもたらした変化の大きさがわかる。

仕事のやり方に革命的変化が起きるとき、その中核には必ずエネルギーの変化がある。モノやサービスの生産・提供の方法に真のイノベーションが起きるのは、新しいエネルギーが発見されるか、既存のエネルギーの活用方法が目覚ましく効率化されるときだ。その点で最初の産業革命（第一次産業革命と呼ばれる）は、人々の働き方こそ大きく変えたが、エネルギーの革命をともなわなかった。経済の生産活動の中心は、職人が担い続けた。この時期、イギリスの経済成長率が比較的低い水準にとどまった理由はここにある。

イギリス人の仕事のあり方に本当の〈シフト（転換）〉が起きたのは、一九世紀の中盤〜後半の第二次産業革命の時代だ。この時期、イギリスの科学者たちがさまざまな実験を始め、テクノロジーと組織形態に関する革新的な考え方が産業界で急速に取り入れられていった。エンジニア階層が誕生し、イノベーション推進の文化が形成された。[3] こうした新しい環境のもと、蒸気機関という新しいエネルギーが工場に一挙に普及した結果、ついに人々の働き方が抜本的に変わった。

その後、半世紀の間に、仕事の世界は紛れもない「革命」を経験した。エンジニア階層が台頭して、実用志向の科学研究が職業として成り立つようになり、企業が組織を挙げてイノベーションを追求する体制が出来上がった。仕事の現場では、雇用主による管理が強まり、職種が専門分化し、業務が細切れになり、以前よりピラミッド型の組織が形づくられるようになった。

エンジニアが経済活動の指揮者となり、職人の地位が低下した。のちに普及する「フォーディズム」（フォード自動車流の大量生産・大量消費型の生産システム）の萌芽と言っていいだろう。生産に用いられるテクノロジーと同じくらい、工場内の間取りも大きな意味をもっていた。そこに、工場の権力構造が反映されていたからだ。第二次産業革命の時期、エンジニアが工場の間取りを描き換え、生産ラインに沿って作業員を配置した。労働者は自律性を奪われ、工場でつくっている部品と同様の交換可能な「歯車」になった。

今後数十年の間に、仕事の世界でこれと正反対の変化が起きる可能性がある。ピラミッド型の組織と交換可能なゼネラリスト的技能に代わって、水平型のコラボレーションと磨き上げられたスペシャリスト的技能が復活しようとしている。

産業革命のときと同様、新しいエネルギーが変化を突き動かしている。今回は、コンピュータのデータ処理能力が新しい「エネルギー」だ。前回と同じく、はじめは緩やかに変化が進み、やがて変化のペースが加速しはじめた。やはり、新しい技能とそれを身につけた新しい階層が変化の担い手になっている。[4] この変化のスケールは、産業革命に匹敵するだろう。産業革命と違うのは、変化の影響がただちにグローバルに波及し、変化のスピードがこれまでになく加速していることだ。

はっきり言えるのは、いま途方もなく大きな規模創造的・革新的変化のプロセスが本格的に始まろうとしているということ。そして、その大転換の結果、世界中の人々の毎日の生活が根本から変わるということだ。

## なぜ、未来を予測する必要があるのか？

計り知れない変化を前にして、この先に待ち受ける未来を予測し、最善の行動を取るためには、どうすればいいのか。重要な要素をつなぎ合わせて未来像を描き出そうとすると、私自身、目の前の課題の手ごわさに圧倒されて、途方に暮れてしまう。パッチワークキルトづくりに取りかかるときに、母もそんな気持ちだったのではないかと思う。

二〇二〇年や二〇二五年、あるいは二〇五〇年という未来の世界を予測することに意味があるのかと、疑念がわくときもある。それでも研究を進めるほど、この作業に大きな価値があると確信するようになった。あなたが、私が、そして私たちの大切な人たちが適切な選択と決断をするためには、なんらかの現実的な未来像をもっておくことが欠かせないからだ。

私は、いま五五歳。おそらく八〇歳代半ばまで、もしかすると九〇歳代半ばまで生きるかもしれない。息子たちは、現在一六歳と一九歳。この世代は、一〇〇歳以上生きても不思議でない。私が七〇歳代まで仕事を続ければ、二〇二五年まで働いていることになる。息子たちが同じ年齢まで仕事を続ければ、二〇六〇年になる。

あなたや、あなたの大切な人は、どうだろうか。

もちろん、将来の働き方をいますべて決める必要はない。私の息子たちは、これから五〇年の間に新たな状況に適応したり、変化を遂げたり、大きく変身したりするだろう。私もこれまでそうやって生きてきた。それでも、未来の予想図といくつかのシナリオがあれば心強い。身近な短期の未来だけでなく、地球規模の長期の未来に備えるために、それが役に立つ。

現実味のある未来像を描くのは簡単でない。テクノロジーと社会の変化に関する予測はなかなか当たらない。未来を予測し、計画を立てることを諦めたほうがいいと主張する人もいるくらいだ。しかし、未来を予測することをいっさい放棄するのは見当違いだと、私は考えている。

一つには、昔と違って、過去の延長線上に未来を思い描くことが不可能になったからだ。私が将来どういう働き方をするかを父の生涯から単純に類推することはできない。ましてや、息子たちが自分の将来を予測するうえで、私の働き方をそのまま参考にすることはできない。あらゆるものが変わると言うつもりはない。変わらないものもある。難しいのは、なにが変わり、なにが変わらないのかを見極めること。SF作家ウィリアム・ギブスンの言葉を借りれば、「未来はすでに訪れている。ただし、あらゆる場に等しく訪れているわけではない」のだ。[6]

歴史上のほとんどの時期、未来は過去の単純な延長線上にあった。ごく一部の例外を除けば、物質的な面でも、技術的な面でも、経済的な面でも、ほとんど変化は起きず、人々はそれまでと変わらない日々を送るものと考えられてきた。それが一変したのは、科学と合理主義精神の力により、それまで飼いならせなかった自然の力を制御して利用する道が開けた産業革命の時期だった。[7]

その後、二〇〇年間に起きた変化は、有史以来五〇〇〇年で人類が経験したなかで最も大規模で急激な変化だった。[8]なにしろ、もし世界経済が過去半世紀と同じペースで成長を続ければ、私の息子たちがいまの私の年齢になる頃には——二〇五〇年頃の話だ——世界の富の総量は今日の七倍にふくらみ、世界の人口は九〇億人を突破する可能性があり、世界の人々の平均的な経済状態はいまより格段に豊かになっているはずだ。[9]

産業革命の前と後で世界は大きく様変わりしたが、私の息子たちの世代が経験する変化もそれに匹敵するくらい劇的なものになる。産業革命の原動力が石炭と蒸気機関という新しいエネルギーだったのに対し、これから起きようとしている変化を突き動かすのは、五つの要因の複雑な相乗効果だ。五つの要因とは、テクノロジーの進化、グローバル化の進展、人口構成の変化と長寿化、社会の変化、そしてエネルギー・環境問題の深刻化である。これらの要因が組み合わさり、働き方の常識の数々が根底から覆る。

大きく様変わりするのは、仕事の環境や内容だけではない。仕事に対する私たちの意識も変わる。

産業革命は、大量消費市場をつくり出し、消費や富の獲得に対する強い欲求を生み出した。では、テクノロジーの進化とグローバル化の進展は、私たちの仕事に対する意識をどう変えるのか。

おそらく、これから社会に出る世代の働き方は、これまでと似ても似つかないものに変わるだろう。すでに仕事に就いている世代も、いままで想像もしなかったような形態で働くようになる。再生可能エネルギーやインターネットの発展、働き方に対する意識の変化を土台に、まったく新しい産業が誕生する可能性もある。[10]

未来のあらゆる側面を完全に予測することは不可能だ。将来、コンピュータの処理速度が増し、いまより強靭《きょうじん》な素材が開発され、医学・薬学が進歩して寿命が延びることは、ある程度確信をもって予測できる。しかし、地球規模の人口移動の傾向や地球の気温、世界の国々の政府の政策など、もっと予測しづらい側面もある。私たちが互いにどのように関わり合い、どのような夢をいだくのかという点にいたっては、それに輪をかけて予測が難しい。

不確実性がある以上、柔軟な計画を立てて、さまざまな状況に耐えうる強力なアイデアを追求するのが賢明だ。要するに、不確実性を前提に戦略を練る必要がある。

とはいえ、予測の正確性を磨くこともおこたってはならない。未来を正しく予見できれば、落とし穴を避け、チャンスを手早くつかめる場合があるからだ。どういう能力を身につけ、どういうコミュニティや人的ネットワークを大切にし、どういう企業や組織と深く関わるべきかを判断する際に、その点が重要になる。

## 「群衆の知恵」で描き出す未来

問題は、私が三〇年にわたり蓄えてきた知識をもってしても、働き方の未来を予測することが途方もなく難しく思えることだ。そこで、世界の人々の意識と知識を活用するために、ロンドン・ビジネススクールで「働き方の未来コンソーシアム（共同研究プロジェクト）」を立ち上げた。このプロジェクトは、二〇〇九年以降毎年調査を実施しており、調査対象を年々拡大している。

私たちはまず、働き方の未来にとりわけ大きな影響を及ぼす五つの要因（テクノロジーの進化、グローバル化の進展、人口構成の変化と長寿化、社会の変化、エネルギー・環境問題の深刻化）をリストアップした。そのうえで、それぞれの要因に関するデータを集めて、それらをプロジェクトのメンバーである企業などの幹部たちに示した。

「働き方の未来コンソーシアム」は、産学共同研究の歴史上有数の興味深い実験と言えるかもしれない。これは、言うなれば「群衆の知恵」を活用するための試みだ。初年度である二〇〇九年の参加者の数は二〇〇人以上。南アフリカの金融機関ＡＢＳＡ、ノキア、野村證券、インドのタタ・コンサルタンシー、トムソン・ロイターなど、世界の二一の企業、さらにはシンガポールの人的資源省、非営利団体のセーブ・ザ・チルドレンとワールド・ビジョンの幹部たちが参加した。二〇一〇年には、参加企業が四五社に拡大し、シンガポールのシンガポール・テレコム（シングテル）、インドのウィプロ、インフォシス、マヒンドラ＆マヒンドラ、アメリカのシスコシステムズとマンパワーなどが新たに参加した。

プロジェクトが本格的に始まったのは、二〇〇九年一一月。五つの要因に関するデータを参加者に示し、それをもとに、二〇二五年に働く人の日常がどうなるかを「ストーリー」の形で考えてもらった。シンガポールとインドの人々にも同じことをしてもらった。第2部と第3部の各章の冒頭で披露する未来の物語は、こうして集まったストーリーを土台にしている。架空の物語ではあるが、未来の日常生活を描くことにより、さまざまな要因の相互作用がどのような結果を生み出すかをありありとイメージしやすくなる。

これは、未来「予測」ではない。それぞれのストーリーが提示するのは、あくまでも未来に関する一つの見方だ。何種類ものストーリーを描けば、さまざまな未来の筋書きを組み立てられる。未来には、きわめて多様な可能性があるのだ。

コンソーシアムに参加している企業幹部たちと研究者チームがデータとストーリーについて最初の意見交換をおこなった後、企業メンバーが自社の人々の意見を尋ね、その結果をプロジェクトに還流した。こうして、三〇以上の国の多様なコミュニティの考え方を取り込めた。ウェブサイトを利用してバーチャルに作業を進め、ウェブ上で毎月、バーチャルセミナーをおこなって新しいアイデアを話し合ったほか、ヨーロッパとアジアでワークショップを重ねた。

並行して、私は新しい考え方を自分のブログに毎週発表し、読者にコメントを寄せてもらった。この過程で人々が披露したアイデアや視点、打ち明けた不安が未来ストーリーの構成要素となり、コンソーシアムの議論に深みを与えた。そうした言葉の一部は、この本の中でも紹介していく。

## 未来にいたる複数の道

未来にいたる道はいく通りもある。たとえば、五つの要因の悲観的な側面をことさらに強調したシナリオを描くこともできる。それは、人々が孤独にさいなまれ、慌ただしく仕事に追われ、疎外感を味わい、自己中心主義に毒される未来だ。私たちの行動が後手に回り、五つの要因の負の力が猛威を振るう場合に実現するシナリオである。このような未来を「漫然と迎える未来」と呼ぶことにする。

「漫然と迎える未来」は、人々が人生のある側面で大きな成功を収めても、別の重要な側面で好ましい行動を取らなかったり、安易な行動しか取らなかったりする場合に訪れる。人々が力を合わせて行動したり、現状を変えようとしたりせず、目の前の問題に行き当たりばったりで対処することに終始し、ことごとく対応が後手に回るのである。

対照的に、五つの要因の好ましい側面を味方につけて、主体的に未来を切り開くこともできる。このような未来では、コラボレーションが重要な役割を担い、人々は知恵を働かせて未来を選択し、バランスの取れた働き方を実践する。これは、「主体的に築く未来」である。人々がさまざまな働き方を試し、お互いから学習して、優れたアイデアを素早く取り入れていく。五つの要因が明るい未来の可能性を開く——ことによると、明るい未来を約束する——のだ。

これは、人々が主体的に決断をくだし、賢い選択をおこない、その決断と選択の結果を受け止める覚悟がある場合に実現する未来だ。このような未来では、人々がこれまでより協調して仕事をおこない、十分な敬意を払われ、高度な専門技能を身につけ、職業生活のすべての要素が調和する。

改めて断っておくが、本書で紹介するストーリーは固定的で画一的な未来予測ではない。一人ひとりが信念に従って選択をおこなうことにより、未来は選べるのだ。

## 好ましい進路を選び取るために

誰でも、「漫然と迎える未来」より、「主体的に築く未来」が好ましいと考える。では、どうすれば、好ましい道に進めるのか。

まず必要なのは、あなたの頭の中にある固定観念を問い直すことだ。私たちは誰でも、未来についてなんらかのイメージをいだいている。そのイメージに従って、さまざまな決断をくだし、選択をおこなってきたはずだ。しかし、そのイメージが間違っているおそれはないのか。あなたは誤った未来イメージに引きずられて、誤った道を歩んでいないか。

好ましい道を見極めるためには、未来に関して最大限の情報と知識を集める必要がある。本書では、そうした情報や知識をふんだんに紹介していく。集めた情報や知識、ストーリーをもとに、私たちは次の三つの問いに答えなくてはならない。

＊私と周囲の人たちにとくに影響を及ぼしそうなのは、どの出来事やトレンドか？

＊私の職業生活に最も強い影響を及ぼす要素はなにか？　私はその要素にどういう影響を受けるのか？
＊波乱の時代にあって、未来に押しつぶされないキャリアを築くために、私はこの先五年間になにをすべきなのか？

あなたが未来を理解し、未来に押しつぶされない職業生活を切り開く手助けをするために、私はこの本を書いた。データを可能な限り深く理解し、さまざまなシナリオとストーリーが自分にとってどういう意味をもつかを吟味し、自分の置かれた状況が自分の選択にどのような影響を及ぼすかを考えてほしい。そうやって、自分のいだいている未来イメージを問い直してはじめて、強靭で、明確な目的意識に貫かれた、価値ある職業生活に向けて、正しい道を歩める。

では、未来に押しつぶされない職業生活を築くために、どのような固定観念を問い直すべきなのか。私たちは三つの面で従来の常識を〈シフト〉させなくてはならないと、私は考えている。

第一に、ゼネラリスト的な技能を尊ぶ常識を問い直すべきだ。世界の五〇億人がインターネットにアクセスし、つながり合う世界が出現すれば、ゼネラリストの時代が幕を下ろすことは明らかだと、私には思える。それに代わって訪れる新しい時代には、本書で提唱する「専門技能の連続的習得」を通じて、自分の価値を高めていかなくてはならない。未来にどういう技能と能力が評価されるかを知り、その分野で高度な技能を磨くと同時に、状況に応じて柔軟に専門分野を変えることが求められるのだ。また、個人の差別化がますます難しくなるなかで、セルフマーケティングをおこなって自分を売り込み、自分の技量を証明する材料を確立する必要性も高まる。

第二に、職業生活とキャリアを成功させる土台が個人主義と競争原理であるという常識を問い直すべきだ。私たちがいつも時間に追われ、孤独を感じる傾向がさらに強まれば、人間同士の結びつき、コラボレーション、人的ネットワークの重要性がきわめて大きくなる。難しい仕事に取り組むときに力になってくれる人たちも重要だし、斬新なアイデアの源になりうる多様性のあるコミュニティも重要だ。活力を補給し、精神のバランスを保つためには、親密で、温かく、愛情のある人間関係も欠かせない。バーチャル化がますます進む世界では、そういう人間関係が当たり前に存在するわけではない。そのような人間関係は、意識的に形づくっていかなくてはならなくなる。

第三に、どういう職業人生が幸せかという常識を問い直すべきだ。これまでの常識どおり、貪欲に大量のモノを消費し続けることが幸せなのか。それとも、そうしたライフスタイルが代償をともなうことを明確に認識したうえで、質の高い経験と人生のバランスを重んじる姿勢に転換するほうが幸せなのか。

未来を完全に予測することは不可能だが、だからと言って、すべてを運任せにしていいわけではない。未来を形づくる五つの要因をよく理解し、未来ストーリーを描いて自分の選択の手がかりにし、職業生活に関するいくつかの常識を根本から〈シフト〉させれば、好ましい未来を迎える確率を高められる。仕事を通じて、胸躍る日々を送り、喜びを味わい、自分とほかの人たちのために価値を生み出せる可能性が広がるのである。

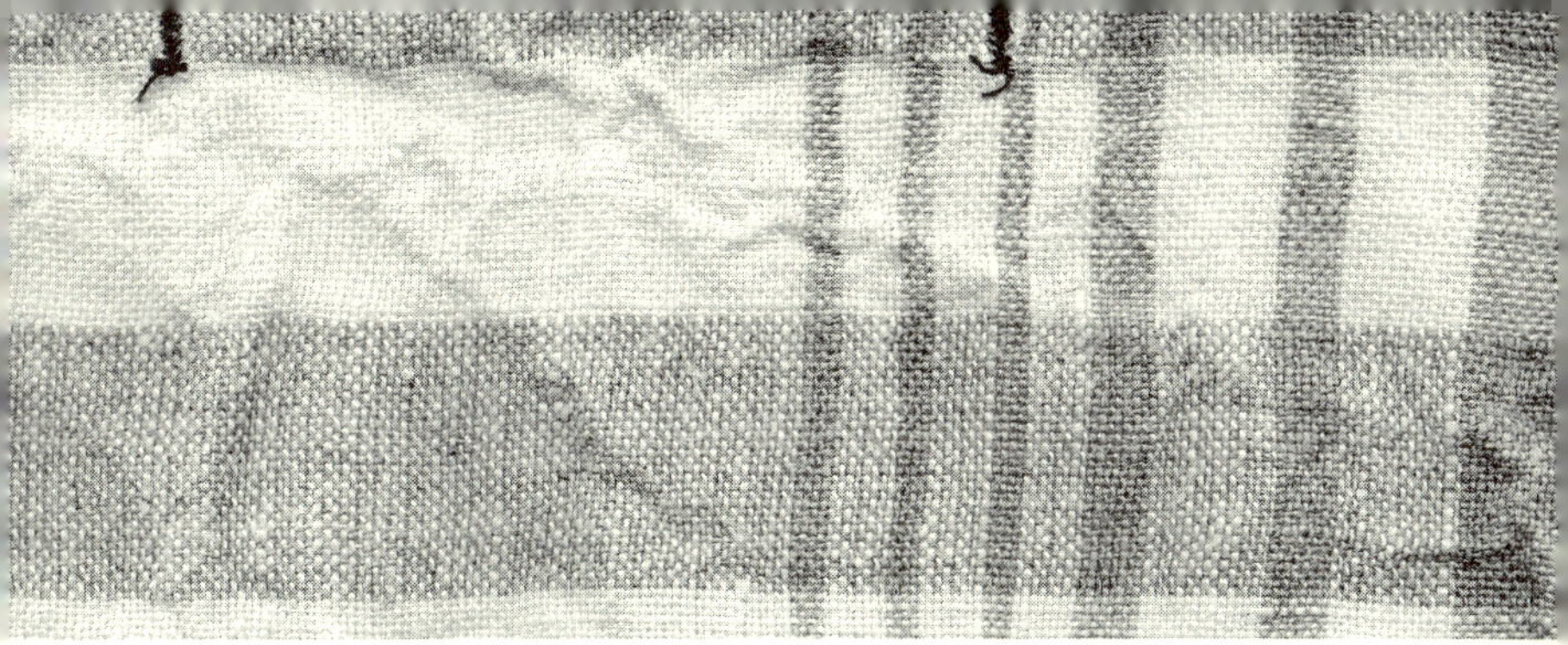

The Shift

The Future of Work is Already Here

第1部

# なにが働き方の未来を変えるのか？

未来になにが待っているかを知るためには、向こう数十年の世界を形づくる五つの要因——テクノロジーの進化、グローバル化の進展、人口構成の変化と長寿化、社会の変化、そしてエネルギー・環境問題の深刻化——について考える必要がある。漠然と理解するだけでは十分でない。細部にわたり、具体的に理解を深めることが重要だ。本当に興味深い事実は、たいてい細部を掘り下げてはじめて見えてくる。

その作業を通じて私が見いだしたのは、五つの要因に関する三二の興味深い現象だ。世界を見渡してこの三二の現象を洗い出すのは、胸躍る経験だった。朝起きて、調査と執筆をするのが楽しみで仕方がなかった。自分が発見した事実に、私は驚き、興味を引かれ、魅了された。

二〇一〇年に、中国が四五カ所の空港の建設を進めていたことをご存じだろうか。

携帯電話を使用した送金システムのイノベーションを牽引しているのがアフリカのケニアだと、ご存じだろうか。

二〇二五年までに、世界の五〇億人以上が携帯端末で結びつくようになると、ご存じだろうか。

本書では、このようなデータや情報をふんだんに紹介する。三二の現象を選ぶうえでは、ローカルでなくグローバルに考え、現在だけでなく歴史を踏まえ、狭い視野でなく広い視野に立つことを心がけた。

## グローバルなアプローチ

未来を理解するうえで障害になることの一つは、テクノロジー、エネルギー、グローバル化に関する研究や出版物が概して特定の国や地域――たいていアメリカか西ヨーロッパ――だけに着目していることだ。議論の範囲と文脈を限定することにはメリットもあるが、私はこの本をそういう本にしたくなかった。世界中の読者の共感を呼べるように、どの国の人も自分に関係する話が書いてあると感じられるようにしたかった。

グローバルなアプローチを採用した理由はほかにもある。これから訪れる未来は、歴史上これまでになく、世界中の人々が結びつく時代だ。そういう未来のストーリーを語るためには、グローバルな視点が欠かせない。未来のエネルギー利用のあり方と、それが私たちの働き方に及ぼす影響を理解するには、中国の工業の未来について知る必要がある。未来の消費のあり方を予測するには、平均的なアメリカ人の貯蓄意識を知る必要がある。

三二の現象を選ぶ際に、漏れた地域がたくさんあることは重々承知している。とはいえ、すべての地域に触れようとすれば、本が百科事典のようになり、読めたものでなくなってしまう。そこで、以下では、おおむね世界全体の趨勢を論じ、特定の地域で興味深い現象が起きている場合にはそれに触れることにする。

## 歴史的なアプローチ

未来をテーマにした本で頻繁に過去を振り返るのは、いささか奇妙に思えるかもしれない。しかし、働き方の未来を理解するためには過去を知る必要があると、私は考えている。

歴史的視点で見れば、いま起きている変化の速さが理解できるし、前例から学ぶこともできる。序章で述べたように、働き方の未来を考えるうえでは、一八世紀後半以降の第一次産業革命と一九世紀半ば以降の第二次産業革命が手がかりになる。とくに、家族のあり方や消費に対する姿勢など、社会の変化を深く見通すうえでは、歴史を知ることがとりわけ有益だ。

## 広い視野のアプローチ

三二の現象のなかには、狭い意味での仕事の領域以外の現象も含まれている。ライフスタイルや家族のあり方、消費に対する姿勢、原油価格、組織や制度に対する信頼などの要素も視野に入れた。仕事について考えるためには、仕事を取り巻く幅広い文脈を理解することが不可欠だからだ。仕事は、その人がいだいている希望と未来観、家族、コミュニティ、経済と政治のシステムなどの要因と切り離して考えられないのである。

さまざまな要素を一つにまとめ上げる過程で、私はまたもや母のキルトづくりを思い出した。キルトづくりの趣味はないが、私もテキスタイル集めの趣味がある。旅行に出かけるとほぼ毎度、なにか買って帰る。ソウルの刺繍入りの布だったり、ムンバイのシルクの布だったり、タンザニアの草の織物だったり、ときには松葉でつくったオーストラリア先住民のカゴだったり。こうしてコレクションを増やしていくのと同じように、働き方の未来に関して多くの情報を集めて、つなぎ合わせていった。そのために、世界の国々に足を運び、いろいろな人と話をした。アジアとアフリカとアメリカにも毎年足を運んでいる。

この点では、大学の教授という立場が有利に働く。コンサルティング会社に勤めるコンサルタントと違って、アイデアを相手に売り込む必要はない。大企業の幹部と異なり守るべき企業秘密もない。大学教授が相手だと、ざっくばらんに希望と不安を語ってくれる人が多い。そしてなにより、大学教授には考える時間がたっぷりある。この点は非常に重要だった。世界中から集めた情報を整理するのは簡単でなく、時間をかけてじっくり考える必要があったからだ。

未来に関する重要な現象は、前述した五つの要因――テクノロジーの進化、グローバル化の進展、人口構成の変化と長寿化、社会の変化、エネルギー・環境問題の深刻化――に分類した。いささか表面的な分類だということは認める。分類の方法は、ほかにいくつもあるだろう。それでも、議論の出発点としては役に立つと考えた。

全部で三二の要素をそれぞれの要因に五～八つずつ振りわけた。先進国社会の高齢化、新興国および途上国のイノベーション能力の向上、世界レベルでの都市化の進行など、一つひとつの要素がまとまりのあるストーリーをなしている。いずれも、あなたの未来、あなたの子どもたちの未来、あなたのコミュニティの未来に大きな影響を及ぼすと思われる現象だ。この三二の要素を料理して、自分なりの未来観を描き出してほしい。

では、五つの要因と三二の要素について詳しく見ていこう。

# 第1章　未来を形づくる五つの要因

## 一要因1一テクノロジーの進化

歴史を通じて、テクノロジーは常に、仕事のあり方と人々の働き方に大きな影響を及ぼしてきた。二〇二五年、さらには二〇五〇年の働き方を描き出すためには、いまどのようなテクノロジーが新たに登場しつつあるのかを把握し、さらには、より長い目で見てテクノロジーがどう変わるかを推測する作業が欠かせない。

テクノロジーは、長期にわたる経済成長を生み出す主要な原動力の一つであり、世界の人口、平均寿命、教育の機会にも影響を与えてきた。テクノロジーは、今後も私たちの仕事のやり方とコミュニケーションの取り方を変貌させ続けるだろう。それだけではない。人間同士の関わり方、仕事仲間に対していだく期待の中身、道徳や人間の性質に関する考え方などを様変わりさせることを通じて、間接的な形で、もっと根本的な変化を私たちの職業生活にもたらすはずだ。純然たる「技術決定論」（社会のあり方はその時代のテクノロジーによって決まるという考え方）を受け入れろというのではない。そこまで極端な考え方にくみしなくても、テクノロジーが人間や制度、文化、環境と複雑に作用し合い、文明というゲームの基本ルールに大きな影響を与えていることは納得がいくだろう。[1]

ただし、二〇二五年に世界のすべての人がテクノロジーに関して同じ環境で生きるわけではない。テクノロジーがどのように発展するかは、文化や経済、人々の価値観の影響を受けるからだ。テクノロジーの発展のプロセスがすべて同じパターンをたどるわけでもない。新しいテクノロジーが仕事の世界に一挙に革命を起こす場合もあれば、テクノロジーが少しずつ伝播していく場合もある。テクノロジーに関する重要な分岐点でいずれの道に進むかによって、その後の歴史が大きく変わる場合もあるだろう。

こうした点は、「クラウド」について考えればよくわかる。クラウドは、人々がインターネット経由でさまざまな情報やサービスにアクセスすることを可能にするテクノロジーだ。技術的には、二〇二〇年頃までに世界中の人々がクラウドを利用できるようになっても不思議でないが、国や地域、時代環境によっては、セキュリティ上の問題で普及の足が引っ張られる可能性もある。

それでも、基本的なトレンドとしては、このテクノロジーが発展し続け、普及が進むことは間違いない。未来を理解するために重要なのは、このような基本的なトレンドを知り、その変化が日々の仕事をどう変えるのかを予測することだ。

テクノロジーの要因に関しては、次の一〇の現象に注目すべきだろう。

## 1　テクノロジーが飛躍的に発展する

近年、テクノロジーの発展を強力に後押ししてきた要因の一つは、コンピュータのコストが急速に下落し続けたことだった。この傾向は今後も続き、比較的安価な携帯端末で、ますます複雑なテクノロジーを活用できるようになる。

## 2　世界の五〇億人がインターネットで結ばれる

テクノロジーの進化に後押しされて、世界中の大勢の人々が結びつく。この現象は巨大都市圏だけでなく、農村部でも進む。その結果、これまで存在しなかった「グローバルな意識」が形成される。

## 3　地球上のいたるところで「クラウド」を利用できるようになる

さまざまなサービスやアプリケーション、情報にアクセスするためのグローバルなインフラが構築される。コンピュータや携帯端末をもっていれば、誰もが好きなときにそうしたサービスを利用できるようになり、最先端のテクノロジーが世界の隅々にまで普及する可能性が大きく広がる。

## 4　生産性が向上し続ける

一九九〇年代半ば以降、テクノロジーを牽引役に、経済の生産性が向上し続けてきた。コストがほとんどかからない高度なコミュニケーション技術に背中を押されて、今後もこのトレンドが続くだろう。その過程で重要になるのは、テクノロジーより、企業文化、協力関係、チームワークといった組織における資産だ。

## 5 「ソーシャルな」参加が活発になる

充実したインターネット利用環境と豊富な情報、高い生産性を手にした人々は、それをどう活用するのか。予想されるのは、いわゆる「ソーシャルな」参加の活発化だ。ユーザー発のコンテンツが増え、「群衆の知恵」が新しいアプリケーションを生み出し、社外のアイデアや活動を取り込んだオープンイノベーションが盛んになるだろう。

## 6 知識のデジタル化が進む

教育機関や企業、政府が情報のデジタル化を積極的に推進していく。正規の学校教育を受けられない人たちにとっては、非常に大きな朗報になるだろう。

## 7 メガ企業とミニ起業家が台頭する

テクノロジーの進化にともない、仕事とビジネスの環境が複雑化する結果、世界を舞台にビジネスをおこなう巨大なメガ企業が台頭する。その一方で、さまざまな産業のエコシステム（生態系）の中で、無数のミニ起業家たちがコラボレーションを通じて価値を生み出しはじめる。

## 8　バーチャル空間で働き、「アバター」を利用することが当たり前になる

世界中の人たちと連絡を取り合いながら、バーチャル空間で仕事をする人が増える。それにともない、バーチャル空間で自分の身代わりとなるキャラクター――「アバター（分身）」と呼ばれる――がしばしば用いられるようになる。

## 9　「人工知能アシスタント」が普及する

膨大な量の情報に押しつぶされないために、データを整理し、課題の優先順位を判断して教えてくれる「人工知能アシスタント」が利用されるようになる。

## 10　テクノロジーが人間の労働者に取って代わる

今後、生産性向上の大半は、ロボットが仕事の世界で担う役割を拡大させることによって実現するようになる。工場に始まり、高齢者のケアの現場にいたるまで、あらゆる分野でロボットの利用が拡大する。

以上がテクノロジーに関する一〇の要素である。第2部と第3部で見るように、テクノロジーの進化は、いつも時間に追われて孤独を味わう「漫然と迎える未来」の暗い側面を生み出す要因である半面、コ・クリエーション（協創）と「ソーシャルな」参加が拡大する「主体的に築く未来」を招き寄せる要因にもなりうる。

一〇の現象のうちで、あなたにとって最も重要なものはどれだろう？　黙殺できそうな要素はあるだろうか？　私が挙げた以外に、あなたが考慮すべき要素はないだろうか？

## 要因2　グローバル化の進展

いまにして思えば、二〇世紀のほとんどの時期、モノやサービスの生産者と売り手はずいぶん牧歌的な環境で仕事をしていた。私が学校を卒業して英国航空（ブリティッシュ・エアウェイズ）に就職した頃、ビジネスの世界は、地域ごとに比較的安定した市場に区分けされていた。英国航空は、イギリス国内の旅客航空ビジネスをほぼ独占していた。しかも、もし業績が思わしくなければ、会社のオーナーであるイギリス政府が救済してくれることになっていた。当時、私は朝九時に出社し、一時間の昼休みには空港内の社員食堂で食事をし、夕方の五時半にはのんびりと帰宅の途についた。土日に働く必要はなく、週末を満喫していた。旅行をするときは、社員割引の格安価格で旅客便を利用できた。そしてなんと言っても、充実した企業年金制度があった。

規模の経済のメリットと安定した市場環境（そういう市場環境をつくり出していたのは、たいてい独占や寡占、政府の規制だった）のおかげで、英国航空のような大企業は、競争の荒波にもまれずにすんだ。中小企業や新興企業の挑戦を受けることもほとんどなかった。企業はもっぱら、消費者に拒絶されない商品やサービスを手頃な価格で提供することだけ考えていればよかった。研究開発部門もあるにはあったが、既存の商品やサービスの小手先の微修正にほぼ終始していた。労働組合との交渉で業界全体の賃金水準が決定されたので、支出の額も事前におおむね予測がついた。[2]

さまざまな地域間の複雑な貿易ネットワークは何千年も昔から存在したが、[3]グローバル化の流れが本格化しはじめたのは、第二次世界大戦後のことだ。一九四四年のブレトンウッズ会議で世界銀行とIMF（国際通貨基金）が設立されて、本当の意味での国際貿易の制度が誕生したのである。[4]かつては、モノを輸送するために莫大なコストがかかり、国境を越えて情報を共有することが非常に難しく、政府が保護貿易主義的な輸入障壁を設けていたが、これらの制約はどんどん小さくなっていった。政府の輸入障壁が崩れる一方、テクノロジーが進歩して、世界の多くの地域で情報を素早くやり取りできるようになったのだ。モノやサービスのグローバル化が進むと、人々の消費の仕方が大きく様変わりしはじめた。多くの国の消費者は、自国の業者から商品を買う以外の選択肢を手にするようになった。

一九五〇〜二〇一〇年の間に、世界の製造業の貿易高は六〇倍に拡大した。[5]こうしたグローバル化の流れは近年ますます加速しており、それにともない、牧歌的な仕事の世界はもはや過去のものになった。

この要因に関しては、すでに起きている現象を含めて、特筆すべき要素を八つ挙げたい。

### 1　二四時間・週七日休まないグローバルな世界が出現した

政治的な意思と技術的なイノベーションの相乗効果により、グローバル化がますます進み、世界が一つに結びつきはじめている。

## 2 新興国が台頭した

グローバル化に関して、一九九〇年以降の最も注目すべき現象はおそらく、中国やインド、ブラジルなどの新興国が製造業と貿易の面で頭角を現したことだろう。旺盛な輸出意欲をもつ新興国は、国際貿易の勢力図を書き換えつつある。

## 3 中国とインドの経済が目覚ましく成長した

中国は一九七〇年代末の改革開放路線への転換を機に、インドは一九九〇年代の経済自由化路線の採用を機に、目を見張るような経済成長を遂げてきた。国内に巨大な消費市場を擁していることに加えて、「世界の工場」として輸出を拡大させ、さらには「世界のバックオフィス（企業の事務処理部門）」として先進国企業の業務受託を増やしていった。今後、次第に高級品や高級サービスに手を広げれば、中国とインドの企業がいだくグローバルな野心も強まっていくだろう。

## 4 倹約型イノベーションの道が開けた

これまで途上国は主として、先進国のイノベーションにより開発された製品の製造場所という位置づけだったが、近年は、途上国でコストをかけずにイノベーションが成し遂げられ、その成果が先進国に「輸出」されはじめている。この変化がイノベーションのグローバル化に及ぼす影響は、きわめて大きいはずだ。

## 5 新たな人材輩出大国が登場しつつある

インドと中国の人口を合わせると、二〇一〇年の時点で二六億人。この数字は、二〇二〇年に二八億人、二〇五〇年に三〇億人に増加すると予測されている。この巨大な人口を味方につけて、インドと中国は世界で指折りの人材輩出大国になりはじめている。武器は、人口だけではない。若者の間でサイエンスを学ぶ意欲が強く、しかも地元企業が人材開発に活発に投資していることも大きな強みになっている。世界の企業はこれまでにも増して、エンジニアと科学者の人材をこの二つの国に求めるようになるだろう。

## 6 世界中で都市化が進行する

二〇〇八年以降、世界の総人口のうちで都市に住む人の数がそれ以外の地域に住む人の数を上回っている。都市への人口流入は今後さらに加速し、メガシティ（巨大都市）――たいてい大きなスラム地区を抱えている――に住む人の割合がますます上昇する。一方、世界にいくつか出現しつつあるイノベーションの「集積地（クラスター）」に、きわめて有能な人材や教育レベルの高い人材が集中しはじめている。

## 7 バブルの形成と崩壊が繰り返される

好況と不況の繰り返しは、何世紀にもわたって経済を揺るがし続けてきた。それは、今後も変わらないだろう。この点に加えて、多くの先進国の人々が消費を減らし、貯蓄を大幅に増やす必要に迫られているという事情が世界経済に大きな影を落とす。

## 8 世界のさまざまな地域に貧困層が出現する

現在、経済発展から取り残されている貧困層は、サハラ砂漠以南のアフリカなど一部の地域に集中しているが、グローバル化が進み、世界がますます一体化すれば、先進国も含めて世界中のあらゆる地域に貧困層が出現する。グローバルな市場で求められる高度な専門技能をもたず、そうかといって、高齢化が進む都市住民向けサービスのニーズにこたえる技能と意思もない人たちが、グローバルな下層階級になる。

第二次世界大戦以降、グローバル化の進展により、私たちの仕事のあり方は大きく変貌してきた。今後は、それがいっそう加速する可能性が高い。その結果、優秀な人材が世界を舞台に活躍できるようになるという好ましい影響が生まれる半面、競争が激化し、人々がますます慌ただしく時間に追われるようになるという負の影響も生まれる。

# 要因3 人口構成の変化と長寿化

五つの要因のなかで、「働き方の未来コンソーシアム」の参加者が最も興味を示したのがこの要因だった。おそらく、ほかの四つの要因より、自分自身や自分の友達や子どもたちの生活と密接な関わりがあるからだろう。社会の人口構成と仕事の世界の間には、切っても切れない結びつきがある。働き方の未来について根拠ある予測をおこなうためには、人口構成の変化に関するデータを押さえることが不可欠だ。具体的には、世代、出生率、平均寿命の三要素の影響が見落とせない。

同じ世代――つまり、おおよそ同じ時期に生まれた人々――は概して、ものごとに対する姿勢や将来に対していだく期待が似通っている。たいてい、同じような育児方法で育てられ、似たような経験をして成長するからだ。そうした共通の経験(「世代マーカー」と呼ばれる)は、その人が仕事の場で決定権や予算を手にしたときにどう振る舞うかに影響を及ぼす。とくにティーンエージャーの時期の経験は、その人の道徳的・政治的な志向を大きく左右する。

二〇一〇年の段階で、欧米の社会では四つの世代が仕事の世界にいる。トラディショナリスト(伝統主義者)世代(=一九二八~四五年頃の生まれ)、ベビーブーム世代(=一九四五~六四年頃の生まれ)、X世代(=一九六五~七九年頃の生まれ)、Y世代(=一九八〇~九五年頃の生まれ)である。この後には、一九九五年以降に生まれた「Z世代」が控えている。

トラディショナリスト世代が企業などの組織に最も強い影響を及ぼしたのは、一九六〇~七〇年代。二〇一〇年の時点ですでに六五歳を超えていて、労働人口に占める割合は五~一〇%に縮少している。二〇二五年までに、ほとんどの人が仕事を離れるだろう。しかし、今日実践されている組織の慣習や流儀の多くは、この世代が骨組みをつくったものだ。その点を考えると、トラディショナリスト世代の遺産の一部は、今後も仕事の世界に残る可能性が高い。

さまざまな面で、向こう数十年の世界を大きく形づくるのは、世界の歴史上最も人口の多い世代であるベビーブーム世代の行動だ。アメリカで約七七〇〇万人の赤ん坊が生まれ、多くのヨーロッパ諸国で出生率が女性一〇〇〇人につき二〇人(二〇一〇年の五倍近い数字)に達していた時期に生まれた人々である。二〇一〇年の時点で、この世代は五〇~六〇歳代。二〇二五年までには、大半が仕事を退いているだろう。一九六〇年代以降、先進国と多くの途上国で出生率が大幅に下落しているることを考えると、ベビーブーム世代が引退すれば労働力人口が減少し、企業で知識の継承に支障が出たり、専門技能をもった人材の不足が深刻化したりするおそれがある。膨大な量の暗黙知やノウハウが失われて、次世代の繁栄の足が引っ張られると指摘する論者もいる。

ベビーブーム世代に続くX世代は、二〇一〇年の時点で主に四〇歳代半ば、二〇二五年には六〇歳代半ばになっている。いま、働き盛りの子育て世代だ。一九七〇年代の石油危機や二〇〇〇年代初頭のドットコム・バブルの崩壊を経験するなど、経済が不確実で不透明な時代を生きてきた影響で、終身雇用への期待が小さい。[6] 両親の離婚を経験した人の割合も、それ以前の世代より高い(アメリカの夫婦の離婚率は、一九五〇年には二六%だったのが、一九八〇年には四八%に上昇している)。[7] また、コンピュータがはじめて家庭にやって来た世代であり、コンピュータゲームやインターネットの誕生を経験した世代でもある。[8] ベビーブーム世代は経済成長を当然のことと考えていたが、X世代は違う。二〇〇四年、アメリカのX世代男性の平均所得は、一九七四年に自分たちの父親世代が同じ年齢だったときを一二%下回っていた。[9]

Y世代は、二〇二五年に三〇~四五歳くらいになっていて、キャリアの重要な段階に差しかかっている。この世代は、パソコン(初期のものは馬鹿でかいデスクトップ機だった)、インターネット、ソーシャルメディア、さまざまなデジタル技術とともに子ども時代を送った最初の世代だ。多くの人は、テクノロジーの急速な進歩の成果を生活にこまめに取り入れ、自分の使っている機器やテクノロジーに精通している（それを愛していると言ってもいいかもしれない）。コミュニケーションの手段として、電子メールや携帯メール、フェイスブックやツイッターなどのSNS（ソーシャル・ネットワーキング・サービス）が活発に利用されるようになり、人付き合いの仕方も変わった。この世代にとっては、オンライン上で友達と会話したり、多人数参加型のオンラインゲームを見知らぬ人とプレーしたりすることが当たり前だ。

Z世代は、二〇〇五年前後にようやく一〇歳になった世代。二〇二五年には、三五歳くらいになっている。二〇二〇年以降は、世界中の企業の現場で主要な役割を担いはじめるはずだ。「リ・ジェネレーション（再生の世代）」「インターネット世代」などとも呼ばれるこの世代は、充実したインターネット利用環境で育つことが特徴と言われる場合が多い[10]。この世代がどういう世代になるかは未知数の部分が多いが、現時点で少なくとも言えるのは、本書で取り上げる新しいトレンドに囲まれて子ども時代を送る最初の世代がZ世代だということだ。この世代のものの考え方や振る舞い方は、新たに出現する困難とチャンスの影響を色濃く受けて形成されていくだろう。

人口構成の要因に関わる第二の重要な要素である出生率の面では、国によって異なる状況が現れつつある。先進国では急速な少子・高齢化が進んでおり、現在の人口を維持するのも難しい。二〇五〇年には、先進国の国民の三人に一人が年金受給世代になる。国家財政に及ぶ影響はとりわけ深刻だ。たとえば、アメリカの議会予算局の試算によると、アメリカ政府の社会保障支出は、二〇一〇年にはGDP（国内総生産）の一〇％相当だったのが、二〇三五年には一六％にふくれ上がる見通しだという。

ベビーブーム世代の人口が大きくふくらんだのは、主として第二次世界大戦後に出生率が上昇した結果だったが、その後、先進国の多くでは、女性の教育水準の向上、個人の選択を尊重する考え方の広がり、医療水準の向上などが原因で、一人の女性が生涯に出産する子どもの数が大幅に減少した。中国でも、一九七九年に「一人っ子政策」が導入されて以来、人口の増加に歯止めがかかり、一家族当たりの子どもの数が平均五・八人から一・七人に減った。しかし、すべての国で出生率が下落しているわけではない。サハラ砂漠以南のアフリカやインドの農村部など、多くの途上国地域では、出生率が高いまま下がりそうにない。国や地域によって出生率が違えば、労働力と専門技能の供給量に格差が生じ、国際的な労働者移住が活発になるだろう。

ヨーロッパでは、出生率が低下したことと、平均寿命が上昇したこと、そして多くの国で移民を大量に受け入れていないことが原因で、労働力人口の高齢化が急速に進んでいる。二〇五〇年には、ヨーロッパ人の年齢の中央値は現在の三七・七歳から五二・三歳に上昇すると推定されている。[11] 一部のヨーロッパ諸国では、少子・高齢化がとりわけ切実な脅威になっている。たとえばイタリアでは、女性の二五％に出産経験がなく、二五％が子どもを一人しか出産していない。[12] 試算によると、イタリアが現役世代と年金受給世代の人口比を現在の水準に保つためには、年金支給開始年齢を七七歳まで引き上げるか、毎年二二〇万人の移民を受け入れるしかないという。[13]

人口構成の変化と長寿化の要因を構成する要素は総じて、ほかの四つの要因に比べて国や地域による違いが大きい。たとえば、イタリアでは出生率が落ち込んでいるが、エチオピアでは逆に出生率が大きくはね上がっている。スウェーデンでは平均寿命が延びているが、すぐそばの旧ソ連圏の国々では平均寿命が短くなっている。アメリカのボストンで暮らすY世代が仕事に求めるのは、やりがいと成長の機会だが、上海の最も才能豊かなY世代は一〇〇〇ドルの年収アップを目的に転職を繰り返す。

それでも、おおよその傾向はある。[14] Y世代の場合、経済的に豊かで、雇用が安定している人ほど、Y世代の典型とされる思考パターンに近い考え方をする。つまり、インドのムンバイで暮らす教育水準の高いホワイトカラーのY世代がいだく希望や目標は、地球の裏側のシリコンバレーの教育レベルの高いY世代と似ているが、目と鼻の先のムンバイのスラム地区で暮らす同世代の人たちとはあまり似ていない。[15]

人口構成の変化と長寿化の要因に関して、私が未来ストーリーに取り入れた現象は次の四つだ。

## 1　Y世代の影響力が拡大する

Y世代が自分たちの希望やニーズを職場に反映させるようになる。ワークライフバランスを重んじ、仕事に面白さを求めるY世代の志向が仕事のあり方や組織のあり方、仕事の環境を大きく変えていくだろう。

## 2　寿命が長くなる

人々が長生きするようになり、生産的な活動に携わる年数が飛躍的に延びる。六〇歳を過ぎても働き続ける人が大幅に増えるだろう。

## 3　ベビーブーム世代の一部が貧しい老後を迎える

寿命が延びるのはけっこうだが、問題は、その人たちの働き口をどうやって確保するかだ。高齢者になったベビーブーム世代のかなりの割合が職に就けず、グローバルな貧困層に仲間入りするおそれがある。

## 4　国境を越えた移住が活発になる

教育を受けたり、高給の職に就いたりするために、農村から都市へ、あるいはほかの国へ移り住む人が増える。また、ケアや支援に関わる職に就く人たちが途上国から先進国に移住するケースも多くなるだろう。

この要因は、ある面では明るい材料をもたらす。人々が健康で長生きするようになり、八〇歳代になっても生産的な活動に携わり続ける人が増える。協力関係を重んじる環境で育ったY世代の影響力が強まれば、仕事の世界でコラボレーションが活発になる。移住が盛んになれば、特定の地域に有能な人材が続々と結集し、イノベーションが加速される。

しかし、暗い側面もある。九〇歳代や一〇〇歳代まで生きるのが当たり前になれば、老後の蓄えが十分でなく、生活の糧を得るために働き口を探さなくてはならない人が増える。移住が盛んになれば、家族やコミュニティが引き裂かれて孤独にさいなまれる人が多くなる。第3章で検討するように、孤独は未来の世界の大きな特徴になるだろう。

## ―要因4― 社会の変化

テクノロジーの進化、グローバル化の進展、人口構成の変化と長寿化という強い力が激しく渦巻くなかで、私たちがそれに翻弄されつつ変わっていくことは避けられない。人類はこれまでも変化を経験してきた。第一次産業革命のときは、農村から都市への移住が人々の意識に強い影響を及ぼし、自分自身に対して、他人に対して、そして仕事に対して望むものが大きく変わった[16]。

もっとも、私たちの意識がどう変化するかを予測するのはきわめて難しい。なるほど、私たちは誰でも、自分らしく、他人に干渉されずに生きたいと思うが、その半面で、コミュニティに加わることにより活力を補給したいと思っている。インターネットなどのテクノロジーの進歩に興奮を感じる半面、のんびりと自分だけの時間を過ごしたいという欲求もある。今後、私たちは仕事の世界でこのような矛盾する思いをいだく機会がますます増えるだろう。

それ以上に興味深いのは、表面的な部分こそ変わっても、根本の部分では人間の性質がおそらく変わらないという点だ。二〇世紀半ばにアメリカの心理学者エイブラハム・マズローが示したように、私たちは食事や睡眠などの生理的な欲求が満たされると、次は自分自身と愛する人たちの安全を欲する。その欲求が満たされると、今度は、愛されたい、コミュニティの一員でありたいという欲求をいだく。その次の段階では、仕事や課題の達成感とそれに対する評価を欲する。そして、これらの欲求がすべて満たされてはじめて、一部の人は自己実現の欲求——自分の能力や可能性を存分に花開かせていると感じたいという欲求——をいだくようになる。[17]

人類の歴史を通じて、私たちの生活を形づくってきたのは、この五段階の欲求を順次満たしていこうとする人間の基本的な性質だった。テクノロジーや身の回りにあるモノは変わっても、そういう人間の本質は変わっていない。

息子のドミニクがまだ幼かった頃、タンザニアのマサイマラ地区でマサイ族の人たちとしばらく過ごしたことがある。ある日、丘のてっぺんに立って、どこまでも広がる大平原を見下ろしながら、若いマサイの戦士の話を聞いていた。すると突然、おなじみの電子音で会話が中断された。携帯電話の着信音だ。男性がポーチから携帯電話を取り出し、興奮ぎみに話しはじめた。その様子は、携帯電話で話すときに世界中の人々が見せる態度となんの変わりもなかった。電話が終わるのを待って、誰と話していたのかと尋ねてみた。

「弟ですよ」と、男性は答えた。「今朝、ヤギたちを連れて、牧草地を探しに出かけたのです。低木地帯を三時間歩いてようやく新しい牧草地が見つかったと、たったいま連絡してきたところです」

携帯電話という新しい道具が登場し、表面的な部分は変わったかもしれないが、このマサイ族の男性にとっては、何世紀も前の先祖たちと同じように、ヤギのエサが重大な関心事だったのだ。

社会の変化の要因に関しては、次の七つの現象が大きな意味をもつだろう。

## 1 家族のあり方が変わる

世界中で家族の規模が小さくなる。また、養子縁組や離婚・再婚が増え、養親や養子、義理の親や義理のきょうだいと一緒に暮らすケースが多くなり、伝統的な家族のあり方が当たり前でなくなる。

## 2 自分を見つめ直す人が増える

家族のあり方が変わり、仕事の場で接する人の多様性が高まるにつれて、人々は自分自身について深く考えるようになる。自分にとって、なにが大切なのか？ 自分はどういう人生を送りたいのか？ こうした点をじっくり考える姿勢は、人生のさまざまな選択肢を検討し、難しい決断をくだし、それにともなうデメリットを受け入れるエネルギーと勇気を奮い起こすために欠かせないものだ。

## 3 女性の力が強くなる

企業のマネジメント層やリーダー層で女性が担う役割がさらに大きくなる。それにともない、女性が将来にいだく夢、仕事に関する常識、家庭での男女の関係が変わる。

## 4 バランス重視の生き方を選ぶ男性が増える

さまざまなデータによると、男性が自分の役割や人生の選択に関していだく認識も変わりはじめている。自分の父親の世代を反面教師に、所得を減らしてでも、家族と過ごす時間を多く取りたいと考える男性が増えるだろう。

## 5 大企業や政府に対する不信感が強まる

個人とコミュニティ、個人と仕事の関係には、信頼が欠かせない。しかし、先進国では総じて企業や政府、リーダーに対する信頼感が弱まっているように見える。この傾向は、今後も続く可能性が高い。

## 6 幸福感が弱まる

意外なことに、ある人の生活水準が一定レベル以上に達すると、それ以上に生活水準が向上すればするほど、概して幸福感が弱まっていく傾向がある。もし現在のペースで消費が拡大し続ければ、人々の幸福感が減退する可能性が高い。

## 7 余暇時間が増える

工業化が人々の生活にもたらした特筆すべき変化の一つは、作業の効率化が進んだことにより、自由な時間が大幅に増えたことだった。二〇一〇年代まで、そうしたゆとりの時間――「思考の余剰」と呼ぶ論者もいる――の多くは、受動的にテレビを視聴して費やされてきた。しかし、バーチャル空間でおこなえる仕事が増えれば、人々はますます多くの「思考の余剰」を手にし、その時間をもっと生産的な活動に用いはじめるかもしれない。

一見すると、暗い要素が多いと感じるかもしれない。家族がばらばらになり、企業や政府に対する信頼が弱まり、人々の幸福感が減退するとすれば、確かに暗澹たる話だ。事実、第2部で「漫然と迎える未来」の未来ストーリーを描き出す際には、これらの要素が多忙で孤独な日々を生み出す大きな原因と位置づけられる。

しかし、社会の変化の要因は、五つの要因のなかで好ましい結果をもたらす可能性が最も高い。一人ひとりの行動と選択で結果が変わる余地が最も大きいからだ。第3部で明るい「主体的に築く未来」の未来ストーリーを通じて示すように、一見すると暗い要素のなかに、いくつもの希望の種を見いだせる。家族のあり方が変われば、異質なものに対する人々の寛容性が高まる。Y世代はこれまでよりコラボレーション重視の職場をつくり、企業の意思決定プロセスでは女性の発言力が強まるだろう。

## 要因5 エネルギー・環境問題の深刻化

私たちが未来にどういう働き方をするかは、エネルギーをどの程度利用できるか、そしてエネルギーの利用が環境にどのような影響を及ぼすかという点と密接に結びついている。「働き方の未来コンソーシアム」で議論した五つの要因のなかで、参加者が最も不安と無力感をいだいていたのがこの要因だった。エネルギーのコストが上昇し続け、しかも地球温暖化が急速に進行するという不安を多くの人が感じていた。

エネルギー問題と環境問題は、第一次産業革命以降、悪化し続けてきた。私たちの行動が環境に害を与えていることは、多くの国の政府、多くの企業、多くの個人が認識している。それでも状況が改善されない最大の理由は、将来的な利益より、目先の利益が優先されがちなことにある（そうした近視眼的な傾向は、本書で五つの要因について検討する過程でたびたび触れることになる）。

言うまでもなく、私たちは環境を気にかけているし、地球の未来を大切に思っている。しかし、それはあくまでも長期的な関心事にすぎない。多くの個人、企業、政府にとって、短期的には、エネルギーの枯渇と環境上の惨事を避けるためにライフスタイルやビジネスのやり方、政策をただちに大転換したいと考える理由はない。コンソーシアムの議論で多くの参加者が口にしたように、気候変動の影響が現実化するのは未来のことなので、現実感が乏しく、日々の意思決定の際にあまり考慮されないのだ。

今後、状況は大きく変わるだろう。二〇三〇年頃までには、エネルギーと気候変動の問題が世界の最重要課題に浮上しているはずだ。石油などの化石燃料の枯渇が現実問題となり、また、気候変動の影響が目に見えるようになり、世界中の人々が日々の仕事への影響を感じはじめる。

コンソーシアムの参加企業の一つである石油大手のシェルは三〇年以上にわたり、世界の専門家の協力を得て、未来のエネルギー使用の予測シナリオを作成し、数年おきに発表している。二〇〇八年には、二〇五〇年までの状況に関して、現実性が高いと思われるシナリオを二通り示した。二つのシナリオの違いを生むのは、政府の政策、テクノロジーの進歩、企業や政府、社会の姿勢などの要素である。シェルの担当チームは現実の厳しさを意識しながらも、慎重な楽観主義を捨てずにシナリオを描いた。二つのシナリオは、どちらが現実になっても不思議でない。

いずれのシナリオでも、私たちは遠くない将来、大きな変化を余儀なくされることになる。一方のシナリオ――「泥縄式のシナリオ」と、シェルは呼ぶ――は、現在のエネルギーの使い方を基本的に変えず、新たな危機が持ち上がるたびに対症療法的に対応する場合の未来。もう一方のシナリオ――「計画志向のシナリオ」と呼ぶ――は、エネルギーに関する新しい枠組みづくりに着手し、国内の地方レベル、近隣諸国の地域レベル、グローバルなレベルのネットワークを結集して、持続可能性を保つための新たな国際的な仕組みを構築する場合の未来である。

泥縄式のシナリオでは、未来のエネルギー確保は政府にゆだねられる。これに対して計画志向のシナリオでは、資源の開発と管理をおこなうために、個人と企業、さまざまな機関で構成する草の根の連合体が築かれる。なにしろ、世界の五〇億の人々が結びつく時代がやって来るのだ。グローバルな草の根連合をつくることは、これまでより格段に簡単になる。

泥縄式のシナリオの場合、世界の国々の政府は、乏しくなる資源を最大限確保しようと必死になる。国と国が協力し合うのではなく、各国が自国の自主性を主張して、エネルギー争奪戦が激化する。その結果、エネルギー価格が高止まりし、既存のエネルギーインフラに重い負担がのしかかる。

貧富の格差拡大にも拍車がかかる。環境にやさしいエネルギーの開発・普及を推し進めようにも、国際機関の力は弱く、政府の補助金も潤沢でない。エネルギー資源の増加分の多くは、石炭産業の復活によって生み出されるが、地球上の石炭埋蔵量には限界がある。そこで石炭を補うために、原子力発電や改良型のバイオ燃料に投資が向けられる。このような方法で、二〇二〇年代末までは経済成長をどうにか持続できるだろう。

しかし、それ以降は状況が悪化する一方だ。既存のエネルギーの枠組みがますます深刻な問題にぶつかりはじめるが、各国政府の対応は場当たり的なものに終始する。石炭には大気汚染などの弊害があるし、原子力発電は核燃料廃棄物を生み出す。バイオ燃料は食糧となる農作物から生産されるので、食糧価格を持続不可能なレベルまで引き上げてしまう。二〇二五年頃までに既存のエネルギーの枠組みが限界に達し、各国政府はエネルギーの生産と消費を厳しく制限せざるをえなくなる。しかし、工業の近代化を推し進めている途上の中国とインドにとって、そのような制限を徹底することは難しい。一方、先進国では、温室効果ガス排出に課税する炭素税が導入されたり、個人と企業の温室効果ガス排出量が厳しくチェックされるようになったりして、人々はエネルギーをなるべく消費しないで生活しなくてはならなくなる。それにともない、交通手段の利用を減らすために在宅勤務が増えるだろう。

政府と企業、個人がこのように袋小路に入り込んではじめて、新しいエネルギー産業の創造に向けた動きが本格化する。しかし、目の前の課題はきわめて大きい。既存のエネルギーの枠組みを全面的に転換する必要があるうえ、それまで無制約にエネルギーを用いてきた結果にも対処しなくてはならない。

それに対し、計画志向のシナリオでは、二〇二〇年以前にエネルギー問題と気候変動に対処しはじめることにより、好ましい結果が生み出される。このシナリオを実現するためには、人々が危機意識をいだくことと、情報が自由に流通することが不可欠だ。人々が気候変動の脅威を理解し、安全で持続可能な未来をつくり出すためにただちに行動したいと考え、連合体を築いて、協調し合いながら実効性のある行動を取る必要がある。エネルギーを確保したい企業、将来のエネルギー需要を意識する都市や地域、そのほかのさまざまな機関が力を合わせて、化石燃料に依存しないエネルギー源の開発を推し進めなくてはならない。

重要なのは、気候変動が生み出す打撃の大きさを多くの人が理解することと、新エネルギー開発に向けた実験や取り組みが早い段階で成果をあげることだ。この二つの条件がそろえば、有効な取り組みやライフスタイルがただちにほかの国や地域でも取り入れられる。温室効果ガスを大量に吐き出す経済のあり方が環境と食料生産を重大な脅威にさらすことが広く知られるほど、途上国も含めて多くの国の政府が人々の不安を無視できなくなり、温室効果ガスの排出を減らす取り組みに予算が割かれる。排出権取引の仕組みが整えば、温室効果ガス排出を減らそうという誘因が生まれるし、従来型産業は新しい状況に対応する時間的な猶予を得られる。

計画志向のシナリオでは、持続可能性を重んじる文化が急速に形成され、それに後押しされて実効性のある国際的な合意づくりが加速する。国際的な合意が生まれることにより、草の根型でまとまりを欠くアプローチにつきものの非効率性と不確実性が緩和される。テクノロジー先進国の多くは、イノベーションの先頭を走り続けるために、効率的なエネルギーインフラづくりを奨励する政策を大胆に取り入れるようになる。そこから革新的な新しい企業が誕生し、それが世界を牽引する存在になり、温室効果ガス排出を抑制するためのテクノロジーやシステムを世界に広げていく。中国とインドは、自国への技術移転が保障されて、エネルギー効率の改善につながるのであれば、国際的な枠組みに参加するだろう。アフリカの地方部では、安価で発電効率の高い風力発電タービンや太陽光発電パネルが導入されて、エネルギー供給の費用対効果が改善され、送電システムの整備も進む。エネルギー価格は、当初こそインフラ再整備のコストを反映して上昇するが、長い目で見れば安定的に推移する。やがて、風力発電と太陽光発電の効率が高まれば、エネルギー価格はむしろ下落していく。

泥縄式のシナリオは現状否認と競争の未来で、計画志向のシナリオは現状認知と協力の未来だ。対照的なシナリオではあるが、いずれも現実離れした極論ではなく、現実性のある筋書きである。

エネルギーと環境問題の要因で特筆すべき現象は、次の三つだ。

### 1　エネルギー価格が上昇する

容易に手に入るエネルギー資源が枯渇し、しかも中国やインドなどでエネルギー需要が激増する結果、エネルギー価格が高騰する。その影響を受けて、モノの輸送や人の移動を減らす必要性が大幅に高まる。

## 2 環境上の惨事が原因で住居を追われる人が現れる

温室効果ガス排出と地球温暖化の関係は、二〇一〇年の段階ですでに懸念の対象になっている。世界のさまざまな地域で生態系が変容しはじめており、海水面が上昇し、風の吹き方が変わり、熱波と旱魃《かんばつ》が増えている。

## 3 持続可能性を重んじる文化が形成されはじめる

容易に入手できるエネルギー資源が乏しくなるにともない、持続可能性に対する関心が高まり、エネルギー効率の高いライフスタイルが広まって、贅沢な消費に歯止めがかかる。持続可能性重視の文化は、私たちの働き方にも大きな影響を及ぼすだろう。

エネルギー・環境問題の深刻化が働き方に及ぼす影響を考えると、明るい面より暗い面に目がいきやすい。しかし第3部で見るように、課題を前向きにとらえれば、元気のない経済を活性化し、社会の経済格差を縮小し、イノベーションを促進するチャンスにできる。第二次産業革命さながらのエネルギー革命が起きる可能性もある。持続可能性を重んじる文化が根づけば、エンジニアリング重視の文化がビクトリア朝時代のイギリスを大きく変えたように、社会に大きな変化が起きるかもしれない。

未来の世界では、コラボレーションの精神が企業の活動と政府の政策に浸透し、エネルギー産業やその他の分野でも透明性が高まり、協調的な行動が取られやすくなる可能性もある。テクノロジーの進化により世界の五〇億人が結びつき、そのうえ、「思考の余剰」が拡大する結果、計画志向のシナリオを牽引する草の根の活動が弾みとエネルギーを得られるかもしれない。しかも、二〇二五年の世界で主導的な役割を担うY世代は、エネルギー問題と環境問題にことのほか意識が高い。この世代はおそらく過去のどの世代にも増して、計画志向のシナリオに不可欠な協力と共感のスキルを磨く資質をもっている。

## 自分の未来予想図を描く

以上で、今後数十年の働き方の未来を形づくる三二の要素を簡単に見た。次にあなたがするべきことは、これらの要素をもとに、あなた自身の未来ストーリーを描き出すことだ。それが、あなたの前にある選択肢について理解を深める出発点になる。

たくさんの布からパッチワークキルトをつくる私の母のように、まず素材を選り分けなくてはならない。どの現象を自分のストーリーに用いるかを決める必要があるのだ。私が挙げた三二の現象のなかには、はじめから自分には関係ないと感じたものもあるだろう。あるいは、衝撃を受け、もっと詳しく知りたいと思ったものや、共感し、自分のストーリーの一部にしたいと思ったものもあるかもしれない。素材の選別が終わったら、それをどのように組み合わせれば一つの図柄が出来上がるかを考え、自分の状況や価値観に合ったストーリーをつくり上げる。

具体的には、以下のプロセスで自分なりのストーリーを描けばいい。

## 1　不要な要素を捨てる

美しいパッチワークキルトをつくるうえで大事なことの一つは、どの素材を捨てるかを決めることだ。自分のために未来のストーリーを紡ぎ出す場合にも同じことが言える。三二の現象には、不要だとすぐに判断できるものもあるはずだ。データに納得できない場合もあるだろうし、自分にはあまり関係ない場合もあるだろう。あるいは、その要素が自分の未来に影響を及ぼすというイメージがわかない場合もあるだろう。遠慮なく、どんどん捨てていってほしい。

## 2　重要な要素に肉づけをする

三二の現象のなかには、興味を引かれ、もっと詳しく知りたいと感じるものもあるだろう。キルトづくりでいくつかの生地に刺繍をほどこすのと同じように、重要だと思う要素に肉付けをしていこう。第2部と第3部でいくつかの未来ストーリーを紹介する際に、それぞれの要素についてさらに詳しく説明し、資料も紹介するので参考にしてほしい。

## 3　足りない要素を探す

手元に残した素材を一つに組み合わせようとすると、足りない要素があると感じるかもしれない。私自身、自分の生地のコレクションにインドのバラナシ産のシルクが含まれていないことに不満を感じて、はるばるガンジス川の上流まで足を運んで買い求めたことがある。私が用意した要素に欠けている要素があると思えば、自分で探してみてほしい。

## 4　集めた要素を分類し直す

本書では、五つの要因のいずれに影響を及ぼすかというきわめてシンプルな基準で、三二の現象を分類して紹介した。詳しく検討すると、別の分類方法のほうが適切かもしれない。自分が感じる興味の大きさに応じて分類し直してもいいだろうし、自分の未来に及ぼす影響の大きさを基準に分類してもいいだろう。自分が住む地域に与える影響を基準にしてもいい。

## 5　一つの図柄を見いだす

キルトをつくる過程で最も創造性を要求されるのがこの段階だ。いらない要素はすでに切り捨てたし、重要な要素には肉付けをした。じっくり考えて、要素を分類し直した。次は、一歩下がって素材を眺め、どのような図柄が浮かび上がってくるかを見極める。重要なのは、自分が納得できて、自分の未来観と共鳴し合う全体像を見いだすこと。この作業が終わってはじめて、未来に押しつぶされないキャリアを築くために、どのような〈シフト〉をおこなう必要があるかが明らかになる。

以上のプロセスは、私が「働き方の未来コンソーシアム」の参加者に課した作業でもある。コンソーシアムの参加者には、三二の要素をもとに、二〇二五年に仕事をしている人の一日を想像してストーリーを描き出してもらった。

最初に参加者たちが描いたストーリーは、暗いものが多かった。時間に追われる未来、孤独にさいなまれる未来、繁栄から締め出される未来である。人々が五つの要因に感じる不安がそこに反映されていた。第2部では、そういう未来ストーリーを紹介したうえで、その未来イメージを生み出している要素を詳しく検討する。しかし、三二の要素によって描けるのは、暗い未来イメージだけではない。第3部では、もっと明るい未来ストーリーを組み立てる。これらの要素により、コ・クリエーション（協創）の未来、「ソーシャルな」参加の未来、ミニ起業と創造的な生き方の未来も描けるのだ。

The Shift

The Future of Work Is Already Here

第2部

# 「漫然と迎える未来」の暗い現実

あなたの働き方の未来は、第1章で挙げた五つの要因が微妙に組み合わさることによって形づくられる。どの要因がどう作用するかは、人それぞれだ。テクノロジーの進化が決定的な要因になる人もいるだろうし、人口構成の変化と長寿化やグローバル化の進展が決定的な要因になる人もいるだろう。しかし、ほとんどの人の場合、単一の要因がすべてを決するのではなく、複数の要因が微妙に絡み合って働き方の未来を形づくっていく。

では、五つの要因はどのように組み合わさるのか。さまざまな組み合わせのパターンを具体的に検討するために、「働き方の未来コンソーシアム」の参加者たちは、二〇二五年に働く人がどういう日常を送るのかというストーリーをいくつか描いてみた。言うまでもなく、架空の物語にすぎない。しかし、そのストーリーを通じて、働き方の未来がイメージしやすくなる。

まず、第2章で紹介するのは、ロンドンで暮らすジルという女性のストーリーだ。テクノロジーの進化とグローバル化の進展により、一日二四時間・週七日休みなしに世界中の人々が一つに結びつく時代が訪れた結果、いつも慌ただしく仕事に追われている。一つのものごとに集中したり、じっくり観察して深く考えたり、遊びに興じたりする時間はほとんどない。

次の第3章で取り上げるのは、ローハンとアモンのストーリー。はた目には、それぞれインドのムンバイとエジプトのカイロで専門職として十分な成功を収めているように見える。しかし一皮めくれば、あまりに多忙な日々を送っていて、肩の凝らない人間関係を楽しめず、親やきょうだいとの結びつきも弱まっている。人の移動を減らしてエネルギー消費を抑えるために進められる人間関係のバーチャル化、故郷を離れて暮らす人の増加、都市化の進行、組織に対する信頼感の低下にともない、人々の孤立と孤独が深まる。そういう世界の落とし穴に、二人ははまり込んでいる。

第4章の主人公は、アメリカのブリアナとベルギーのアンドレ。収入を得るために役立つ専門技能もなければ、大きな野心もなく、世界のあらゆる都市に出現する貧困層の一員になっている。経済のバブルの形成と崩壊のサイクルに翻弄され、専門性の低い仕事が次々と機械に取って代わられていく潮流の犠牲になっているのだ。先進国の政府や企業、世帯の支出抑制の傾向と、都市住民の高齢化と貧困化の影響も強く受けている。

こうした面々の生活の断章を通じて、五つの要因がどのように互いに作用し合いながら私たちの未来を形づくるかを見ていく。未来の人々がどのような矛盾に直面し、どのような選択をおこない、どのような困難や不安を味わうのかを浮き彫りにしたい。

この五人の職業生活がすべて真っ暗というわけではない。カイロのローハンは非常に高い専門技能の持ち主だし、ロンドンのジルは友達と楽しく過ごしている。問題は、生活に欠けている要素があったり、生活のバランスが失われていたりすることだ。そうした欠落やアンバランスに着目することによって、私たちの働き方にどのような変化が訪れるのかが見えてくる。

それぞれのストーリーについて検討する際は、以下の三つの問いを考えてみてほしい。

＊ストーリーで描かれている現象のなかに、あなた自身の職業生活で現実になりそうな側面はあ

るだろうか？　あるいは、すでに実現している側面はあるだろうか？
＊ストーリーのなかに、あなた以外の人たちの未来で現実になりそうな現象はあるだろうか？
その現象を突き動かしている要因はなんだろうか？
＊ストーリーで描かれている現象は、あなたの生活に、そしてほかの人たちの生活にどのような影響をもたらすだろうか？

この三つ目の問いは、どういう選択をし、どのように固定観念を改めるべきかを考える出発点になる。第4部で詳しく述べるように、変化に押しつぶされないために私たちは三つの〈シフト〉をおこなう必要があると、私は考えている。

第一は、広く浅い知識しかもたないゼネラリストから、高度な専門技能を備えたスペシャリストへの〈シフト〉。これは、第4章のブリアナとアンドレが必要としているものだ。第二は、孤独に競い合う生き方から、ほかの人と関わり協力し合う生き方への〈シフト〉。この転換を成し遂げられないせいで、第3章のローハンとアモンは苦しんでいる。第三は、大量消費を志向するライフスタイルから、意義と経験を重んじるバランスの取れたライフスタイルへの〈シフト〉。これは、第2章のジルの生活に欠けている要素だ。

この五人のストーリーが描き出すのは、難しい決断を見て見ぬふりする場合に訪れる未来だ。これらのストーリーを読んで背筋が寒くなった人は、働き方の未来がどのように変わるのかを真剣に考え、自分の固定観念を問い直し、難しい〈シフト〉をおこなう必要性を理解できるだろう。

# 第2章 いつも時間に追われ続ける未来
## 三分刻みの世界がやって来る

### 【ジルのストーリー】二〇二五年、ロンドン

時刻は午前六時。二〇二五年一月のある日、ロンドンの冷たい朝に、ジルは目覚まし時計の音で目を覚ます。寝ぼけ眼の焦点が定まりはじめた途端、寝室の壁に映し出された三〇〇件のメッセージが視界に飛び込んでくる。夜の間に、世界のいたるところにいる仕事仲間や友人、会社の上司、転職先候補企業の担当者が自分の考えを伝えたり、情報を問い合わせたり、懸案事項について意見を尋ねてきたりしていた。

ほどなく、この日最初のホログラム（立体映像）電話がかかってくる。電話が終わると、一〇分ほどかけて、アバター（バーチャル空間で自分の分身を務めるキャラクター）の準備をする。あと二時間で、世界中の社員を結んだ会議が始まる。その会議でアバターを使うので、大ざっぱな指示を出してお

く必要があるのだ。

七時、「アルフィー」と名づけた人工知能アシスタントを立ち上げ、このいわばバーチャル秘書が作成しておいてくれた一日の予定表を確認。テレカンファレンス（遠隔地との間でおこなうテレビ会議）に必要なハードウェアとソフトウェアの準備をする。テレカンファレンスは、テレプレゼンス（遠隔地にいる人と直接対面しているような感覚でコミュニケーションができる音声・画像システム）の技術を用いておこなう。

まず、ジルと話したがっていた北京オフィスの同僚たちとの電話会議が始まる。これが三〇分続く。電話越しに先方の言葉を聞きながら、別件のメッセージを三〇件処理する。消音ボタンを押せば、相手にバレずにこんなこともできるのだ。北京オフィスとの電話会議が終わると、その後の五〇分間は寝室にいたまま、寝ている間に届いたメッセージにざっと目を通し、アバターに指示を出し、自分のチームが取り組んでいる最重要プロジェクトの準備をする。

一〇時、まだパジャマ姿のジルは、慌ただしく朝食を口に放り込む。電話してきた同僚たちを待たせておいて、会社の自分用アカウントにログインし、夜の間に新しい仕事が発生していないかチェックする。この後の一時間は、ある顧客との電話会議。いくつかの案件を交渉し、納期で合意する。インドのムンバイのチームが一日の業務を終える前に先方に電話をかける。ムンバイ・オフィスは、最近開発されたホログラム技術を使い、自分たちの姿を立体映像の形で相手に見えるようにしていた。その鮮明な映像に、ジルは満足する。一〇時三〇分、アメリカのボストンのチームが動きだし、ある案件について意見を尋ねてくる。その案件には上海のチームが関係してくるので、翌朝、上海に説明しておくと、ジルは請け合う。

一一時、いよいよ出勤。一〇キロあまり離れた場所にある自社の「オフィス・ハブ」まで、電車で出かける。近隣に住む社員が誰でも仕事場として利用できる場所で、同僚と同じ空間で仕事をしたい人のために設けられている。電車内の一五分間は、携帯端末でメッセージに返信し、チームのメンバーから電話を数件受ける。南アフリカのヨハネスブルクで厄介な問題が持ち上がっていて、現地のスタッフが助言を求めていた。

一一時三〇分、オフィス・ハブに到着。この日の朝、ここに出勤して仕事をすることにしたほかの面々に簡単に挨拶する。顔なじみの社員もいれば、はじめて見る顔もあった。オフィスの中を素早く見回し、空いているデスクを見つけると、コンピュータを立ち上げて自分のアカウントにログインする。

前日の営業成績について聞きたいと、上司のジェリーから言われていた。そこで午後三時、アメリカのロサンゼルスに住んでいるジェリーの自宅兼オフィスにテレビ電話をつなぐ。ロサンゼルスはまだ早朝。ジェリーは自分の代わりに、アバターを登場させることにしたようだ。誰だって、パジャマ姿は見られたくない。

打ち合わせは円滑に進む。ジルの大口顧客の一つがアフリカのルワンダに本社を置く携帯通信会社で、ジルはその顧客と携帯端末用チップの大口取引に関して交渉を続けていた。この日、その顧客と連絡を取っていたので、交渉の進捗状況と予想売り上げを報告できた。ここ二〇年間、携帯通信市場のトップを走ってきたのは、ケニアのエッサール社と南アフリカのMTN社。両社はとくに、携帯電話による送金サービスで売り上げを伸ばしていた。南米の携帯通信市場で自社のビジネスを拡大するにはどうすればいいかと、ジェリーが尋ねる。アフリカではすでに大きな成功を収めていたが、成長著しい南米市場でも売り上げを増やしたいと考えていたのだ。南米に巨額の投資をおこなっている中国の通信大手と提携するというのが、ジェリーのアイデアだった。

ジェリーとの打ち合わせは四時に終わり、ジルは再び着信メッセージを確認する。四時三〇分、アメリカのチームとの会議が始まる。アメリカの状況を確認し、ルワンダの案件について意見を尋ねるチャンスだ。アメリカにいるメンバーのうち何人かは、アリゾナ州フェニックスのオフィス・ハブに出勤して、テレプレゼンス用の部屋を三〇分間押さえていた。ジルは一瞬待たされるが、すぐにアメリカと回線がつながる。いつもどおり、音声も映像もばっちりだ。直接対面しているかのように、フェニックスの面々がプロジェクトについてどう思っているかを肌で感じられる。

五時に会議が終わると、バッグを引っつかんでオフィスを飛び出し、駅へと急ぐ。この日は水曜日。毎週水曜は、自宅で娘に料理をつくることにしているのだ。六時に近所のスーパーマーケットで食材を調達。六時三〇分、自宅のドアを開ける。

テーブルに並んだ手料理に、ティーンエージャーの娘との会話、そして一杯の最高のコーヒー。心のやすらぐひと時だ。

一〇時、書斎で北京オフィスとのテレビ会議を始める。北京で一日が始まる前に、北京のスタッフの一人と連絡を取りたいことがあった。上司のジェリーが中国の通信大手との関係を強化したいと考えていたので、その方策について北京のスタッフの意見を聞きたかったのだ。

一〇時二〇分、北京とのテレビ会議が終わり、この日最後のコーヒーをいれると、テレビをつけてニュース番組にチャンネルを合わせる。ロシアでは、全土で山火事が広がっていた。パキスタンでは、洪水が猛威を振るっていた。眠りに落ちる前、最後に目に映ったのは、環境保護団体グリーンピースの抗議活動の映像だった。アマゾンにわずかに残っている熱帯雨林を守れと……。

ようこそ、いつも仕事に追われ続ける未来へ！　この未来では、すべての活動が細切れになり、私たちは世界中の同僚や取引先とやり取りしながら仕事をし、世界中のライバルと競い合うようになる。

いまでも、せわしなく仕事に追われていると感じている人もいるかもしれない。三分以上腰を据えて一つの活動に専念することさえできない人もいるだろう。[1]テクノロジーに振り回されていると感じている人も多いはずだ。しかし二〇二五年には、そんな程度ではすまなくなる。ますますグローバル化が進み、しかもインターネットを介して世界中の五〇億人がつながり合うようになって、一日二四時間・週七日休みなしで仕事に追われるのが当たり前になる。そんな時代を想像してみてほしい。平穏な時間、静かな時間、じっくりものを考える時間などあるわけがない。私たちは常時、オンラインにつながって過ごすようになるのだ。

こうした現象が本格的に始まったのは、二〇〇〇年頃だった。世界のインターネット利用人口が五億人に達し、デスクトップパソコンと電子メールが普及して、誰もが大量のメッセージを受け取り、携帯電話の着信音で頻繁に集中を妨げられるようになった時期である。

**まだ時間が細切れでなかった時代**

## 一九九〇年の一日

時間が細切れ化していなかった時代を覚えているだろうか？「気づかないうちに積み重なる既成事実」が環境破壊による文明の崩壊をもたらすと、アメリカの生物学者ジャレド・ダイアモンドは二〇〇五年の著書『文明崩壊』で喝破したが、仕事の世界でも同様のプロセスが進んできた。[2] 時間の細切れ化はじわじわと進んだので、私たちは痛みをあまり感じなかった。その結果、私たちが抵抗しないまま、あるとき気がつくとすでに大きな変化が起きていた。もし、これだけ大規模な変化が一挙に起きていたら、私たちはもっと大騒ぎして抵抗していただろう。

ゆでガエルのたとえ話をご存じだろうか。煮えたぎるお湯の中にカエルを放り込めば、あまりの熱さにカエルはすぐ鍋の外に飛び出す。では、カエルを冷たい水の入った鍋に入れて、ゆっくり加熱していくと、どうなるか。カエルはお湯の熱さに慣れて、逃げようとしない。しかし、しまいには生きたままゆで上がって死ぬ。鍋の中のカエルと同じように、私たちは仕事の世界で「気づかないうちに積み重なる既成事実」に慣らされてはいないか。私たちの現在と未来の職業生活に、仕事の世界で起きている変化がどういう影響を及ぼすかに気づいていないのではないか。

この点を検討するために、時間がまだ細切れ化していなかった頃を振り返ってみよう。時計の針を一九九〇年まで巻き戻す。まだ携帯電話がほとんど普及しておらず、アメリカの西海岸の一部を除けばインターネット回線が引かれているオフィスも少なく、一般家庭でインターネットを利用できる人がほぼいなかった時代だ。私のように当時を知る人は、その頃を思い返してみてほしい。若い人たちは、その頃すでに仕事をしていた人たちに話を聞くといい。一九九〇年の普通の一日とは、どんな一日だったのだろうか？　重要なのは、細かいところまでありありと当時の日常を描き出すこと。大事なことは、えてして細部に潜んでいるのだ。では、私が一九九〇年にどんな日々を送っていたか、できるだけ詳しく振り返ってみよう。

一九九〇年、私はイギリスに本社を置く大手コンサルティング会社のシニアコンサルタントだった。朝起きると、ラジオでニュースを聞きながら夫と朝食をとり、八時になると自宅を出て職場に向かう。九時までに出勤し、アシスタントと一緒に、その朝届いた郵便をチェックする。たいてい、二〇通くらいの手紙が届く。それぞれの内容を確認し、返事を口述でアシスタントに伝える。その後、二時間くらいかけて、ある顧客向けの提案書を作成する。手書きで書類を仕上げて、タイピスト室に持って行って清書してもらう。一二時半になると、ランチタイムだ。同僚と連れだって、近所のパブで簡単に昼食をとる。

一時三〇分までに、再びデスクに着席。部署内の会議を二件すませ、三時にはタクシーに乗って、ある多国籍企業の本社へ向かう。この企業の契約を受注するために、プレゼンをすることになっていた。四時三〇分までに帰社し、朝に口述筆記させておいた手紙に署名し、二件の電話に出る。提案書がタイピスト室から戻ってきていたので、チェックして修正点をびっしり書き込むと、もう一度タイピスト室に戻す。時刻は五時三〇分。オフィスの人影がまばらになりはじめている。何人かの同僚に声をかけて、通りの向かい側にあるパブに寄り、軽く一杯やって、六時三〇分には帰路につく。七時三〇分には、自宅で夫と夕食のテーブルについている。

家に帰り着けば、その日の仕事はもう終わり。たまには書類を一通か二通持ち帰って目を通すときもあったが、そういうケースはあまりなかった。家では、ぜったいに書類を作成しなかった。自宅にタイプライターを持っていなかったからだ。つまり、私が仕事上の生産活動に携わるのは、オフィスにいる時間だけ。夕方の六時以降に顧客と話したことは一度もなかった。自宅の電話番号は教えていなかったし、携帯電話はまだ用いられていなかった。

昔はよかった——などと言うつもりはない。当時の仕事の世界は、男女平等にはほど遠かった（私は創業以来はじめての女性のシニアコンサルタントで、天然記念物扱いされていた）。それに、誰もが不健康な生活を送っていた（誰も彼もがタバコを吸っていたし、昼食時と夕方の帰宅前に毎日酒を飲んでいた）。ノスタルジアに浸ることが目的ではなく、なにがどのように変化したかを深く理解するために、過去を振り返るのだ。

一九九〇年の私の日常について、上記のストーリーで触れなかった点をいくつか補足しておこう。友達と食事をするとき、土壇場で予定を変更することはあったか？　当時は携帯電話を持っておらず、お互いの職場にも原則として電話をかけなかったので、前もって予定を決めておいた。直前にキャンセルすることは、よほどのことがない限りなかった。顧客と密接な関係を築けていたか？　この問いの答えはイエス。まだ電子メールを使っていなかったので、直接会うなり、電話で話すなり、手紙をやり取りするなりしていた。

世界中の顧客を相手にビジネスをしていたか？　イギリス以外にも顧客はいたが、電子メールで手軽に連絡を取り合っていたわけではなかった。当時私には、南アフリカに顧客があり、手紙やファクスをやり取りしたり、国際電話で話したりしていた。年に三回は南アフリカのプレトリアに足を運び、二週間滞在していた。ずいぶん長い日数だと感じるかもしれないが、その頃「海外旅行」はそれくらいの日数を費やすのが当たり前だった。

注目してほしいのは、二〇二五年のジルの一日と違って、一九九〇年の私の一日が細切れでなかったことだ。ストップウオッチで当時の私の行動を記録すれば、おそらく一つの活動を平均三〇分くらい続けていたのではないか。顧客向けの提案書を書くときは、二時間まったく邪魔が入らなかった。一日に届く手紙の数はせいぜい二〇通くらいだったし、翌日までに返事をすれば十分だった。瞬時に返事が戻ってくることなど、誰も期待していなかった。万一、返事が遅れて相手の機嫌をそこねても、「郵便局のどこかで手紙が迷子になってしまったようですね！」と言ってすませられた。電子メールは使っていなかったし、コンピュータはおろかタイプライターすら持っていなかった。ビジネスレターをタイプするのは、アシスタントかタイピスト室の「女の子」（そう、この仕事をしているのはすべて女性だった）の役目だった。

しかし一九九〇年代以降、私たちの仕事の世界で時間の細切れ化に拍車がかかりはじめた。一九九〇年代の一〇年間、テクノロジーの進化とグローバル化の進展により、時間はますます細切れになった。二一世紀に入ると、その影響がもはや見逃せなくなった。二〇〇六年に、ドイツの作家シュテファン・クラインは『もっと時間があったなら！――時間を取り戻す6つの方法』という本を書いている。[3]アカデミズムの世界もこの問題に注目しはじめた。二〇〇八年には、オーストラリアとフィンランドの研究チームが『可処分時間――新しい自由の指標』と題した著作を出版し、世界中の人々が時間に追われて生きている実態を描き出した。[4]

一九九〇年の私がいきなり二〇一〇年の世界に放り込まれていれば、あまりにせわしなく時間に追われる日々に驚き、おそらく恐怖を感じただろう。しかし、実際にはじわじわと変化が進んだので、鍋の中のゆでガエルさながらに、仕事の世界の状況がすっかり変わるまで気づかなかった。

改めて考えてみると、私のまわりの世界でも時間の細切れ化が目を見張るほど進んでいる。ビジネススクールの授業中、講義を中断するたびに、受講生である企業幹部たちがいっせいに携帯電話に手を伸ばす。学習のプロセスで内省と集中がいかに大切かは、口を酸っぱくして説明しているはずなのに。私の息子たちにいたっては、テレビを見ながら、フェイスブックを更新し、コンピュータで映画を見るというすべてを同時にこなす。

こうした傾向は、今後ますますエスカレートするだろう。あなたのまわりの世界で時間の細切れ化は起きているだろうか？　今後、そうなりそうだろうか？　もし答えがイエスであれば、それがどういう結果をもたらすかよく理解しておいたほうがいい。

## 時間に追われることの弊害

時間の細切れ化が進むと、どういう問題があるのか？　今後ますます仕事の負担が重くなり、時間に追われるようになると、どのような影響が生じるのか？

あまりに多忙な日々を送るようになると、一つのものごとに集中して取り組むことが難しくなり、じっくり観察して学習する能力がそこなわれる。また、仕事の世界に気まぐれや遊びの要素が入り込む余地も奪われてしまう。

## 専門技能を磨きにくくなる

時間に追われるようになると、真っ先に失われるのは、ものごとに集中して取り組む時間だ。二〇二五年のジルは、日々のスケジュールがあまりに慌ただしく、なんらかの技能に磨きをかけて専門分野をつくる時間や機会を確保できず、専門技能の習得に必要な集中力を保つことも難しい。

専門技能を磨ければ、ジルは仕事でもう一つ上の段階に上がれるだろう。本書で強調するように、将来はそうやって高いレベルの専門技能を身につけることが成功するための必須条件になる。ジルが自分の仕事をきちんとこなしていることは間違いないが、問題は、飛び抜けて有能というレベルに達していないことだ。ジルが高度な専門技能を身につけられない理由は、煎じ詰めれば、三分刻みの世界で生きていることにある。なんらかの専門技能を磨くためには時間と集中が必要だが、慌ただしく仕事に追われる日々を送っているジルには、この両方が欠けているのだ。

時間と集中の重要性は、高度な専門技能を習得した人々を調べた心理学者ダニエル・レヴィティンの研究によって裏づけられている。[5] レヴィティンが「作曲家、バスケットボール選手、小説家、アイススケーター……そして犯罪の達人たち」を調査したところ、専門分野こそ違っても、すべての人に共通する性質が一つ見いだせた。その共通点とは、技能を磨くために長期間集中して打ち込むことが苦にならないことだった。では、どれくらいの時間をつぎ込めば、技能を自分のものにできるのか。レヴィティンの研究によれば、おおむね、一〇〇〇〇時間を費やせるかどうかが試金石だとわかった。一日に三時間割くとしても、一〇年はかかる。

ジルはコンサートピアニストやベストセラー作家を目指すわけではないだろうから、一〇〇〇〇時間は大げさかもしれない。それでも、仕事の世界で本当に価値のある人材になろうと思えば、ある程度の専門技能を身につけなくてはならない。しかしジルは、三時間はおろか三分間ですら、一つのものごとに集中して取り組むことが難しいのだ。

## 観察と学習の機会が失われる

あまりに忙しくなると、仕事の作業の手を休めて、自分より高度な技能の持ち主の振る舞いを観察する時間もなくなる。[6] しかし、自分の技能を高めるためには、達人たちの仕事ぶりを観察し、自分との細かな違いを知ることが不可欠だ。[7]

私がそれに気づいたのは、大学の教員が授業の腕を磨く過程を目の当たりにしていたからだ。私が所属しているロンドン・ビジネススクールでは、MBAプログラムの授業を担当する新人講師のデビューはたいてい悲惨な結果になる。時間配分を誤り、時間内に授業が終わらず、受講生を苛立たせる。テストの採点や成績のつけ方を失敗して、信頼をなくす。スライドに細かい文字をたくさん詰め込みすぎて、誰にも読めない代物にしてしまう。落とし穴を数えれば、きりがない。スクールは新人講師のために「授業でやるべきこと／やってはいけないこと」のリストを用意しているが、あらゆるトラブルの芽を事前に摘むことはできない。たとえば、時間配分にくれぐれも注意すべしと念押ししすぎると、講師が時間ばかり気にして発声がおろそかになり、教室のうしろのほうに座っている受講生が講師の声を聞き取れない、という結果を招きかねない。

MBAの授業で上手に教える技術は、磨き上げるまでに長い時間を要するのだと、私たちは気づいた。授業をおこなう技能には、「暗黙知」が多く含まれている。言葉で表現しにくく、多くの場合、無意識に活用されている知識のことである。そういう性格上、そのノウハウを箇条書きにして示すことは難しい。

そこで私たちが考案した方法は、新人講師に先輩教員の授業を見学させるというものだった。一回や二回見学するのではなく、何度も何度も非常に注意深く観察させる。先輩教員のまねをさせようというのではない。すべての教員がそっくり同じ教え方をすることなど、私たちも望んでいない。それでも、新人講師は徹底した観察を通じて深く学習し、教え方について自分なりの視点を確立していく。重要なのは、長時間集中して観察を続けること。途中で電子メールの着信をチェックしたり、レポートを採点したりするために、観察が中断されたり、集中力をそがれたりしてはならない。

高度な専門技能を身につけることは、未来に幸せを手にするために避けて通れない〈第一のシフト〉の核をなす要素だ。しかし、ジルは時間に追われるあまり、価値ある技能や能力に磨きをかける機会をなくしている。専門家レベルまで技能を向上させようにも時間がなく、ほかの人たちの仕事ぶりを注意深く観察できないので、微妙な暗黙知を学び取れない。こういう世界で成功するためには、どういうふうに時間を使い、エネルギーと資源を割り振るかという選択がきわめて大きな意味をもつ。ゆでガエルにならないために、専門技能を身につけるという〈シフト〉を選択する必要があるのだ。

## 気まぐれと遊びの要素が排除される

　これから訪れる時代の胸躍る一面は、仕事の世界で情熱と創造性を発揮する機会が目覚ましく広がることだ。第３部で描く明るい未来で登場する人たちの多くは、そういう生き方を実践している。しかし、ますます時間に追われ、それこそ毎分毎分に処理すべき課題がぎっしり詰まると、遊び心や創造性を発揮したり、気まぐれに身を任せたりする機会がなくなる。結果をすぐに欲しがり、短期間で手っ取り早く学習しようという発想にどうしても陥る。時間のゆとりが三分しかなければ、それも無理はない。時間に追われると、気まぐれと遊びの要素が犠牲になるのだ。

　子どもの頃、私はエリザベス・デービッドという料理研究家の地中海料理の料理本に夢中になったものだ。[8] デービッドはまず、産地に始まり、見かけと香りにいたるまで、事細かに食材を説明していた。トマトスープのつくり方に、四ページ割いた。マーケットに出かけてトマトを選ぶところから始まって、トマトの皮をむいて種を取り出すまでを一ページにわたって解説する。その後でようやく、スープづくりの説明に取りかかる。デービッドの料理本を読んでいると、凍えるほど寒いイングランド北部の町にいながらにして、陽光降り注ぐ南フランスのマーケットの空気を満たす食材の香りを嗅げるような気がした。まだイギリスの外に出たことはなかったけれど、少女時代の私の夢想はどこまでも広がった。

アメリカの読者のなかには、ジュリア・チャイルドの料理本で同様の経験をした人も多いかもしれない。[9] チャイルドは、「プラルド（肥育鶏）のアルブフェラ風」などフランス料理の定番メニューのつくり方を解説するとき、鶏が市場に運ばれてきてから、料理がディナーの食卓で招待客の口の中に入り、その人が満面の笑みを浮かべるまでを描写する。

ジュリア・チャイルドとエリザベス・デービッドは、料理のプロセスをユーモアと思い入れたっぷりに、時間をかけて描き出す。当然、本のページ数はかさむ。チャイルドの本では、プラルドのアルブフェラ風の説明がなんと六ページも続く。レシピの説明をするだけなら、もっと少ないページ数ですむが、あえてこれだけのページ数をかけることにより、読み手の心をつかめる。一〇ステップの箇条書きにした実用本位のレシピ本に、そんなことはできない。[10]

しかし、ジルが生きているような三分刻みの世界では、このような時間のかかるやり方の出番はない。遊び心があり、情緒に訴えるような説明より、簡にして要を得た説明のほうが常に好まれる。そもそも、プラルドのアルブフェラ風を料理しようなどという悠長な人はいないかもしれない。

プラルドのアルブフェラ風は、未来の仕事の世界で求められる高度な専門技能のメタファーだ。時間をかけて取り組んではじめて技能を磨けるのは、ビジネススクールの教員だけではない。報告書の作成、プレゼンの準備、リーダーシップの発揮……いずれも長い時間を費やさなければ、高度な技能は身につかない。スケジュールが細切れ化し、まとまった時間が取りにくくなれば、高度な専門技能の習得などできるわけがない。

忙しくなりすぎれば、遊びの要素も失われる。いつも仕事に追われてばかりになると、同僚とジヨークを交わす時間が減る。魅力的だけれど成功への道筋が見えないプロジェクトに挑戦する時間が減る。遊び心を発揮し、ものごとを楽しむ時間が減る。働く喜びをかみしめる時間が減る。また、仕事の世界で機械の導入がますます進めば、仕事と遊びの間の壁がいっそう高くなる。「仕事の場で遊んでいますか?」とジルに尋ねれば、「ご冗談を!」と笑われるに違いない。一分たりとも時間を無駄にすることが許されず、一〇〇通もの電子メールに返事を書かなければならないジルにとって、「遊び」の優先順位はおのずと低くなる。

創造性を刺激し、新しいアイデアを生み出すうえで、遊びがきわめて重要であることは古くからよく知られている。私たちは、仕事を遊びと考えたほうが仕事を愛せる。広告やデザインの仕事をしている人にとっては、空想と想像をはたらかせて遊ぶことがイノベーションの核をなしている。研究者やコンサルタントが有意義な成果をあげるためには、遊び心を発揮して問いを発し、その答えを探す姿勢が欠かせない。「好きなことをして給料がもらえるなんて、最高だ!」と思える仕事こそ、最高の仕事なのかもしれない。そういう仕事をしているとき、私たちは新しいアイデアを模索したり、古いアイデアを新しい方法で組み合わせたりする。それが私の言う「遊び」である。未来の世界で創造性を発揮するうえで最良の方法は間違いなく、仕事と遊びの境界線をあいまいにすることだ。仕事が情熱を燃やせる趣味でもあるとき、私たちは最も充実した仕事ができる。そして、情熱を燃やせる趣味が仕事でもあるとき、私たちは最も充実した趣味を満喫できる。

しかし、時間に余裕がなく、自分のスケジュールを自分で決めているという実感をもてなければ、これを実践することは難しい。ロンドン・ビジネススクールのバビス・マイネメリスとセーラ・ロンソンの研究が明らかにしたように、私たちが遊ぶのは、時間と空間にゆとりがあると思っていて、行動の自由があると感じているときなのだ。[11]「オフ」の時間なしに「オン」の状態がひたすら続けば、仕事と遊びの境界線をあいまいにできない。

私たちはすでに時間に追われて生きているが、以下で見ていくように、テクノロジーの進化とグローバル化の進展により、この傾向はますますエスカレートするだろう。

## 時間に追われる未来を生む要因

どうして、未来の仕事の世界で働く人たちは、ますます時間に追われるようになるのか。二〇二五年のジルの日々を通じて、その点を詳しく見ていこう。ジルの働き方の未来を形づくっている要因は主に五つある。

### 情報通信技術の飛躍的発展――テクノロジーの要因

コミュニケーションと情報の質が高まり、量も増える結果、二〇二五年のジルは、きわめて慌ただしい日々を送っている。この変化の土台をなすのは、コンピュータの性能の目覚ましい向上だ。[12]半導体の集積密度が一八カ月でほぼ二倍になるという「ムーアの法則」どおりに、ここ数十年、半導体の処理能力が毎年高まり、半導体のコストが劇的に下落した。一九七五年、トランジスタ（増幅機能などをもつ半導体素子）の単価は〇・〇二八ドルだったが、一九八〇年には〇・〇〇一三ドルまで下落。その後の一〇年間で、単価は〇・〇〇〇〇二ドルにまで下がった。このペースが鈍る気配はいっこうにない。今後も、いっそう小さなマイクロチップに、いっそう多くのトランジスタを、いっそう安いコストで搭載できるようになり続けるだろう。

ジルに慌ただしい日々を送らせている要素としては、携帯端末の進化も挙げられる。携帯端末の性能は、およそ二年で二倍のペースで向上してきた。二〇一〇年の携帯電話は、二〇〇〇年のマック・パソコンに匹敵する処理能力をもっている。二〇二五年にジルが肌身離さず持ち歩く携帯端末は、二〇一〇年に私が使っている高性能のデスクトップパソコンと同等の処理能力と機能を搭載しているだろう。

コンピュータの性能が高まり、コストが安くなる結果、ジルは夜に自宅で過ごしている時間も、誰かとオンライン上でやり取りしていなければ、CERN（欧州原子核研究機構）の大型ハドロン衝突型加速器（LHC）から吐き出される天文学的な量のデータを自分のコンピュータで解析しているかもしれない。あるいは、火星にある基地局から発信されるデータにアクセスして、ほかの何百万人もの人たちと一緒に地球外生命探しに励んでいるかもしれない。

コンピュータによる同時通訳はもとより、ジルのようにリアルなアバターを使ったり、複雑なシミュレーションを顧客に示したりすることも可能になる。もしかすると二〇二五年には、舗道に敷き詰められたレンガの一個一個に、私たちが身につける衣服の一枚一枚に、お店で売られる食べ物の一つひとつに、超小型コンピュータが埋め込まれているかもしれない。そうなれば、私たちはオフィスや家庭でひっきりなしに、膨大な量のデータにさらされ続けるようになる。

## 「クラウド」の進化──テクノロジーの要因

二〇二五年のジルは、いつ、どこにいても、非常に複雑なデータやプログラムをダウンロードしている。二〇一〇年の時点ですでに、世界のほとんどの地域でインターネット接続が可能になり、インドの漁師やタンザニアの織物職人も遠く離れた土地の人たちとコミュニケーションを取ったり、インターネット上の情報にアクセスしたりしている。この先、インターネット接続がますます速く、簡単になり、ジルが日々過ごしているような仕事の世界が到来する。それを加速させるのが「クラウド」の急速な発展だ。クラウド・コンピューティングとは、ユーザーがデータやアプリケーションを自分のハードウェア上に所有するのではなく、ネットワーク上に存在するデータやアプリケーションをその都度「サービス」の形で利用する仕組みを言う。これは二〇〇〇年代前半に登場した考え方だが、セキュリティ上の懸念などにより、二〇一〇年の段階で企業の利用はごく一部にとどまっている。

しかし今後は、セキュリティの不安が解消され、クラウドは全世界に広がり、利用可能なサービスはいっそう高度なものになる。それにともない、何十万もの独立したプログラミングチームが世界中で独自にサービスの開発に取り組むようになる。アップルのスマートフォン「iPhone」のアプリで見られるような開発形態がもっと広がると思えばいい。ジルにとってクラウドの素晴らしい点は、いつでも手軽に利用できて、仕事仲間とデータを共有しやすいことだ。仕事に必要な物理的インフラやアプリケーションを購入して所有しておかなくても、利用したいときに、利用する量に応じて料金を支払えばいい。

また、クラウドが発展し膨大な数のコンピュータがネットワークを介して結びつけば、世界中の人々がコンピュータの処理能力を共有し合える可能性が無限に拡大する。それにより、アバターやホログラムを当たり前のように使用できる時代がやって来る。二〇二五年にジルがアバターやホログラムを使うときは、インターネットにアクセスしてクラウド上の莫大なデータ処理能力を活用すればいいのだ。

もう一つ注目すべきなのは、ジルが用いているテクノロジーの多くが自分自身で金を払って取り入れたものだということだ。二〇一〇年の段階ですでに、企業向けテクノロジーと個人向けテクノロジーの境界線がぼやけはじめている。会社が用意してくれるテクノロジーに頼るのではなく、自腹を切って自宅にテクノロジーを導入する人が増えているのだ。会社のオフィスより、自宅のテクノロジー環境のほうが充実しているケースも珍しくない。[13]

## バーチャル空間とアバター——テクノロジーの要因

時間が細切れ化する前の時代には、少なくともインターネットに接続していない「オフライン」の時間はのんびり羽を伸ばせた。しかし二〇二五年の世界では、一日二四時間・週七日、常に「オンライン」の状態になる。それを後押しするのがバーチャル空間の活用とアバターの普及だ。

始まりは、二〇〇八年にマイクロソフトの家庭用ゲーム機「Xボックス360」でアバターが採用されたことだった。ゲームのプレーヤーがほかのプレーヤーとオンライン上でコミュニケーションを取り合うときに、人間味のあるキャラクターを自分のアバター（分身）として使用できるようになったのだ。世界のゲーム愛好家たちはアバターの外見を自分なりに変更し、オンライン上のマーケットで購入した洋服を着せ、それを使って、世界中の同好の士たちとバーチャル空間でやり取りしはじめた。最初はもっぱらオンラインゲーム界の現象だったが、次第に生活のあらゆる側面でアバターが用いられるようになる。二〇二五年、バーチャル空間でジルと結びついている仕事仲間たちがいちばん見慣れているのは、生身のジルではなく、ジルのアバターだ。ジルは、オンラインゲームをプレーするときは凝ったアバターを使っているが、仕事用のアバターはなるべく実際の自分に近い姿にしている。[14]

ジルは、バーチャルオフィスで同僚たちと一緒に仕事をする日もある。同僚たちが集まって働くオフィススペースがバーチャル空間に再現されていると考えればいい。朝、ログインし、バーチャル空間を歩いてバーチャルオフィスに到着すると、ほかに誰が「出勤」しているかが一目でわかる。部署内の会議では、アバターとテレプレゼンス・システムを使って、自宅に居ながらにしてリアルタイムで同僚たちと話し合える。ジルはバーチャル空間で活動することに慣れている。なにしろ、バーチャル大学の卒業生なのだ。バーチャル大学では、オンライン上で同級生と会い、バーチャル教壇で世界中の学生に向けて講義する教員の話を聞く。二〇二五年には、バーチャル化により、きわめて低コストの大学教育が実現しているだろう。

### 人工知能アシスタントの普及——テクノロジーの要因

二〇二五年の一月の朝、ジルの思考と行動を最初に中断させたのは、人工知能アシスタントの

「アルフィー」だ。アルフィーは、ジルが知り合った人の顔ぶれや、チームメンバーとのコミュニケーションの内容を記録し、日々の労働時間を計算して時間給を会社に請求してくれる。長年の付き合いを通じて、ジルがどういうふうに仕事を進めるのが好きで、どのようにスケジュールを組めば最もうまくいくかをかなり的確に予測できるようになっている。ジルは、いまではスケジュール管理のかなりの部分をアルフィーに頼っている。アルフィーはジルの二酸化炭素排出量もチェックし、設定された上限に排出量が近づくと警告を発する。とくに、交通手段の利用による二酸化炭素排出で「予算オーバー」にならないように注意を払う。

刻一刻と膨大な量の情報が流れ込んでくるなかで、アルフィーは、ジルが日々の課題を管理し、処理すべき課題の優先順位を定め、週ごとのゴールを設定するのを助けている。アルフィーは、世界でたった一つの存在だ。人工知能を活用して、ジルならではの環境と習慣に最も適合した思考パターンを構築し、ジルの実際の選択結果から学習して判断力を磨いていくのである。[15]

もはやアルフィー抜きでは生きていけないと、ジルは感じている。時間に追われる慌ただしい生活を少しは楽にしてくれる存在だからだ。二〇二五年の世界では、世界中で何十億もの人工知能アシスタントがユーザーのために情報を収集し、ユーザーの行動を記録し、ユーザーの好みを理解したうえで活動している。人工知能アシスタントは次第に、人間の助けなしに自力で学習し、新しい知識を生み出す能力を高めていく。いずれは、インターネット上の情報を主体的に読み取り、科学的な研究成果、書籍、映画、公的な発表など、人間が生み出した公開の情報をすべて把握するようになるだろう。

## 一日二四時間・週七日休みない世界――グローバル化の要因

二〇二五年、ジルは眠らない世界に生きている。時差のあるさまざまな国で働く同僚たちがいつも連絡を取りたがるのだ。一日二四時間・週七日休みない世界がそこにはある。グローバル化の進展と競争の激化により、素早く正確に仕事を仕上げなくてはならないという計り知れない重圧がジルや同僚たちにのしかかっている。

時差の壁を越えて世界が一つに結びつく傾向は、一九九〇年代以降に本格化した。世界の市場が本当の意味でグローバル化し、中国、インド、ブラジル、韓国などの新興国が目覚ましい成長を遂げた。二〇〇九年には、世界の経済生産の半分を新興国が占めるようになった。二〇一〇年、「ビッグ6（B6）」と呼ばれる新興国の上位六カ国――アルファベット順にブラジル、中国、インド、メキシコ、ロシア、韓国――が記録した経済成長率は五・一％に達した。向こう二〇年間で、エジプト、ナイジェリア、トルコ、インドネシア、マレーシアなどがこれに加わるだろう。

一九九五年、フォーチュン誌の世界上位五〇〇社に、新興国の企業は二〇社しか含まれていなかったが、二〇一〇年、その数は九一社に増えた。[16] たとえば、ジルの得意先の一つである鉄鋼メーカーのアルセロール・ミタル。一九九〇年、ミタル・スチールは国際的知名度の乏しいインド企業にすぎなかったが、二〇〇六年にヨーロッパの鉄鋼大手アルセロールを買収し、二〇一〇年の時点で世界最大の鉄鋼メーカーとなっている。ジルが生きる二〇二五年の世界でアルセロール・ミタルは、鉄鋼に加えて、通信や半導体など、さまざまな業種の企業を傘下に収める世界屈指の複合企業に成長しているかもしれない。[17]

本章で取り上げたテクノロジーの発展と新興国の台頭の影響が相まって、グローバル化と一日二四時間・週七日無休状態への流れが一挙に加速する可能性がある。毎年、世界の最も不便な土地で生活している人たちも含めて、何百万人もの消費者と小規模ビジネスの事業者が新たにグローバル経済に参加する。こうして、世界経済における力は、欧米と日本だけでなく、もっと多くの地域や国に分散するだろう。[18]

二〇二五年のロンドンで働くジルは、一日のかなりの時間をアジアの顧客や納入業者と連絡を取ることに費やしている。アジア経済は急速に拡大している。その原動力の一つが莫大な人口だ。二〇一〇年、先進国（ヨーロッパ、北アメリカ、オーストラリア、日本など）の人口は一二億人だったのに対し、新興国、途上国（中国、インド、アフリカ、ラテンアメリカなど）の人口は五七億人だった。[19] 二〇三〇年までに、先進国全体で人口が約四四〇〇万人しか増えないのに対し、途上国の人口は一三億人増えると予測されている。一三億人という増加幅だけで先進国の総人口を上回る計算だ。この予測どおりであれば、二〇三〇年には、途上国と先進国の人口比が七〇億人対一三億人となる。[20]

## 時間に追われない未来をつくる

では、時間に追われる生活を避けるためには、どうすればいいのか。一つのものごとに集中して取り組む時間と、専門分野に深く習熟する機会を増やし、気まぐれと遊びの要素を生活に織り込むためには、なにが必要なのか。自分をすり減らさず、活力と才能を失わずにすむ働き方を実践するためには、どうすべきなのか。

時計の針を巻き戻して、テクノロジーの進化とグローバル化の進展が緒についたばかりだった一九九〇年に戻ることはできない（というより、人工知能アシスタントなどの新しいテクノロジーは、課題の優先順位を決めて行動することを可能にし、時間の過度の細切れ化を防ぐ役に立つかもしれない）。自分が生きる世界の環境を大きく変えることもできない。絶海の孤島にでも移り住めばまだ話は別だが、あなたはグローバル経済の一部であり続ける。あなたに連絡を取り、あなたの返答を欲する人は、増える一方だ。しかも、テクノロジーの発展にともない、あなたはいっそう生産性を高め、成果をあげることが求められるようになる。魔法の杖はない。重要なのは、自分の前にある選択肢をよく理解し、それぞれの選択肢がもたらす結果を深く考えることだ。

時間に追われる未来を迎えないためには、三つの〈シフト〉を成し遂げることが効果的だと、私は考えている。

〈第一のシフト〉で目指すのは、専門技能の習熟に土台を置くキャリアを意識的に築くこと。一つのものごとに集中して本腰を入れることが出発点となる。章の前半で述べたように、高度な専門技能は一〇〇〇〇時間を費やしてはじめて身につくという説もある。専門的な技能に磨きをかけたいと思えば、慌ただしい時間の流れに身を任せようという誘惑を断ち切り、一〇〇〇〇時間とは言わないまでも、ある程度まとまった時間を観察と学習と訓練のために確保する意思をもたなくてはならない。

〈第二のシフト〉は、せわしなく時間に追われる生活を脱却しても必ずしも孤独を味わうわけではないと理解することから始まる。目指すべきは、自分を中心に据えつつも、ほかの人たちとの強い関わりを保った働き方を見いだすこと。私たちがあまりに多忙な日々を送らざるをえないのは多くの場合、あらゆることを自分でやろうとしすぎるのが原因だ。強力な人的ネットワークを築ければ、自分の肩にのしかかる負担をいくらか軽くできるだろう。それに、ほかの人たちとの関わりには、時間に追われることの弊害を和らげる効果もある。あなたのことを大切に思い、愛情をいだいてくれる人たちと関わり合って、いわば強力な「自己再生のコミュニティ」をはぐくめれば、慌ただしく仕事に追われずに過ごす時間を確保する後押しが得られるからだ。

しかし、時間に追われる日々を避けるうえで最も有効なのは〈第三のシフト〉だろう。消費をひたすら追求する人生を脱却し、情熱的になにかを生み出す人生に転換することである。ここで問われるのは、どういう職業生活を選ぶのか、そして、思い切った選択をおこない、選択の結果を受け入れ、自由な意思に基づいて行動する覚悟ができているのかという点だ。

二〇二五年のジルは、本当に朝の七時や夜の一〇時に仕事の電話に出なくてはならないのか。本当に、デスクのコンピュータの前で、独りぼっちで慌ただしく昼食をとらなくてはならないのか。本当に、一日に何百通もの電子メールに目を通さなくてはならないのか。このような問いに、どういう答えを出すのか。この点は、今後ますます切実な問題になる。二〇二五年の世界では、七〇歳代になっても働く人が多くなり、短距離走ではなく、延々と続くマラソンのように長い職業人生を送るようになると予想できるからだ。

自分で選択して自分の職業生活を形づくる重要性は、今後高まっていく。一九九〇年、私はキャリアに関して難しい決断を迫られることなどなかった。当時は、テクノロジーの飛躍的進化もグローバル化もまだ始まったばかり。いまにして思えば、のんびりした時代だった。

未来の世界で、いつも時間に追われて生きる状態が「気づかないうちに積み重なる既成事実」になることを避けるには、自分が常に強烈なプレッシャーにさらされているという現実をまず正しく理解しなくてはならない。そのうえで、その現実に対処するために、〈第三のシフト〉を実践し、ものごとを深く考えて自分の働き方を選ぶことが不可欠だ。賢明な選択をし、その選択がもたらす結果をはっきり理解し、ジルが直面しているようなジレンマと向き合う必要がある。それを抜きにして、テクノロジーの発展とグローバル化にともない高まり続けるプレッシャーから自分を守ることはできない。

# 第3章 孤独にさいなまれる未来
## 人とのつながりが断ち切られる

### 【ローハンのストーリー】二〇二五年、ムンバイ

ロンドンでジルが仕事に追われていた二〇二五年の朝、インドのムンバイでは、それより数時間早くローハンの一日が始まっていた。ローハンは高い技術をもつ脳外科医だが、ジルとは別のタイプの「暗い未来」を日々味わっている。

朝、目を覚ますと、自宅内のオフィスに移動して、仕事の準備を始める。医師というと、患者やほかの医療スタッフと一緒に、多くの時間を病院で過ごしているという印象が強いかもしれない。しかし二〇二五年の専門職の多くがそうであるように、ローハンは自宅で仕事をする時間が多い。起床して一時間たたないうちにクラウドにアクセスし、仕事で使う最先端のビジュアル化テクノロジーのソフトウェアをダウンロードする。この日は三時間利用する予定だ。料金は、利用時間に応

じて三時間分を支払う。

一一時、早くも手術の準備が整う。中国の外科医チームを率いて、ひときわ手ごわい手術をすることになっている。数日前に、ローハンの腕を見込んだ中国のチームから依頼されたのである。患者は若い女性だ。脳内出血をしていて、出血を止める手術が必要だった。テレプレゼンス・システムを起動させると、数秒で手術スタッフと患者の姿が目に飛び込んできた。映像はとても鮮明だ。患者はもう麻酔で眠らされていて、すぐにでも手術を始められる状態になっている。

中国のスタッフが患者の頭部にメスを入れる。ローハンは、手術室のカメラが撮影した動画をホログラム（立体映像）技術で自室に映し出す。出血の箇所をはっきり見るためだ。映像を頼りにロボットを操作し、患者の脳の組織を丁寧に脇にどけていく。手術の指揮を執る間、ローハンが母語のヒンディー語で話すと、自動的に手術チームの面々の母語である広東語に変換される。瞬間通訳テクノロジーが実用化されたのは、五年前の二〇二〇年。これにより、語学学習は（趣味で学ぶ人を別にすれば）必要なくなった。

三〇分かけて、手術チームは巧みに脳の組織を取り出し、出血箇所にたどりつく。幸い、出血は多くなかったので、すぐに止血がすむ。取り出してあった脳の組織を元の場所に戻す作業を中国のスタッフが開始する。手術は成功したようだ。おかげで、陽光が差し込む自宅のダイニングルームで、明るい気持ちで昼食をとれる。

昼食を終えると、二時からチリのチームと打ち合わせ。きわめて難しい症例についてアドバイスを求められていたのだ。翌日、若い男性患者の脳腫瘍の手術をすることになっていた。その若者の脳の映像をホログラムで映し出し、手術の方法を検討する。突っ込んだ話し合いをするうちに、三時間以上がたっている。それでも夕方の六時前に結論が出て、翌日の手術の段取りが決まる。

ここで、夕食の時間。手短に食事をすませると、ロンドンのグレート・オーモンド・ストリート病院のスタッフと、脳腫瘍の疑いで数日前に入院した幼い男の子の患者について話し合う。ローハンの専門は子どもの脳外科手術。ロンドンのスタッフに惜しみなく助言を送り、手術の成功を祈る。自分が手術を手がけるわけではないが、手術の様子を観察して、あとで手術チームの若手医師にアドバイスをすることになっている。

そうこうするうちに、時刻は夜の一一時。ベッドに入る時間だ。明日は忙しい一日になる。チリの若者の手術があるし、ロンドンの男の子の手術も観察しなくてはならない。慌ただしい一週間だった。振り返ると、この一週間、ほとんど自宅の外に出ていなかった。

## 【アモンのストーリー】二〇二五年、カイロ

一週間、ほとんど自宅の外に出ていないという点では、エジプトのカイロに住むアモンも同じだ。アモンはフリーランスのプログラマーで、複雑なITプロジェクトの仕事をしている。

朝起きて最初に取る行動は、バーチャル斡旋《あっせん》業者が用意した求人情報をチェックすること。バーチャル斡旋業者は、アモンがどういう専門技能と知識をもっているかはもとより、どういう時間帯や曜日に、どういうタイプの顧客と働くのが好きかも把握していて、一日中休みなく、アモンに適

した仕事を世界中から探している。

この朝、バーチャル斡旋業者はいろいろな求人を取りそろえていた。ブラジルのコーヒーショップの仕事は、顧客サービス担当部門のためにプログラムを書くこと。納期は三日以内だ。ほかには、以前仕事をしたことがあるマレーシアの起業家の案件もあった。きわめて複雑なプログラムを書く仕事だが、ギャラは二〇〇〇ユーロ支払われる。次の一時間、これとは別にバーチャル斡旋業者が見つけてきた二つのコンペ形式の案件を検討する。もしコンペに参加するのであれば、二日以内に意思表示をしなくてはならない。その後の一時間、ブラジルの案件とマレーシアの案件について、所要時間とギャラの最低価格を検討する。結局、ブラジルのコーヒーショップの仕事を受けることに決める。

さっそく、昼前にこの仕事に着手。このあと六時間、プロジェクトのバーチャルオフィスで仕事をし、一緒にプロジェクトに取り組む同僚にメモを送り、ほかのプログラマーと雑談を交わす。五時には、電話会議に参加する。この頃には作業に勢いがつきはじめていて、このまま夜まで作業を続けて仕上げてしまうことにする。予定どおり仕事が完了すると、一日の最後に自分の公開プロフィールを更新し、いま仕上げたばかりのプロジェクトを職歴に書き加える。

アモンは、言ってみれば新しい「遊牧民（ノマド）」だ。一度も会ったことがない人からプログラミングの仕事を受注し、途方もなく遠い場所にある企業のために、ときにははじめて連絡を取り合う人たちとチームを組んで仕事をしている。

ローハンとアモンに共通するのは、楽しく感じられて、腕を磨く機会になりうる仕事に取り組んでいること。二人とも、仕事であると同時に趣味でもある職に就いている。しかし、二人の職業生活に抜け落ちている要素があることに気づいただろうか？　そう、生身の人間と接する機会がほとんどないのだ。一日中ほかの人たちとやり取りしているが、相手にしているのは、人工知能アシスタントやアバター（分身）、ホログラム、テレプレゼンスの映像でしかない。アモンの最も親しい「友人」は、バーチャル斡旋業者――つまり、コンピュータだ。

この二人だけではない。二〇二五年の世界では、ほかの人と直接対面して接する機会が減る。バーチャルな人間関係が直接の触れ合いと同じくらい、私たちに元気を与えるようになる可能性もあるが、そうはならないだろうと私は思う。ほかの人と触れ合う機会が減れば、気軽な人間関係がもたらす喜びを味わえなくなる。充実した人間関係が仕事を充実させ、充実した仕事が人生を充実させるという好循環も生まれなくなる。

### 人とのつながりがあった時代

## 一九九〇年の一日

このような未来がどういう意味をもつかを深く理解するためには、前の章と同じように、変化が本格化する前の時代と比較するといい。そこでもう一度、一九九〇年に私がコンサルティング会社で働いていた頃を振り返ってみたい。

当時際立っていたのは、一日のほとんどの時間をオフィスで同僚と一緒に過ごしていたことだ。

専用の個室はあったけれど、廊下を見渡せば、同僚たちがそれぞれの個室で働いているのがわかった。オフィスには、気軽な仲間同士の関係があった。別に、みんなが仲良しの友達だったわけではない。正直なところ、我慢のならない同僚もいた。向こうも同様の感情を私にいだいていたに違いない。社内政治や権力闘争もあったし、上司と部下の上下関係がはっきりしていた。同僚や上司を腹立たしく感じるときもあった。それでも、リアルな人間関係があったことは間違いない。

第2章で紹介した一九九〇年の私の一日を思い出してほしい。私は午後、ある多国籍企業の本社に出向いてプレゼンをおこない、一、二時間、先方と直接対面して話した。一日の仕事が終わると、同僚たちとパブでビールを片手にその日の出来事を語り合い、噂話に花を咲かせ、ときには派手な社内権力闘争の続きをした。

ストレスを感じるときもあった。面倒臭いときもあったし、不愉快なときもあった。それでも、仕事の世界で寂しく感じたことは一度もなかった。いつも気軽な仲間同士の関係があった。ローハンとアモンには、よく知っていて信頼できる仕事仲間がいるが、そういう人たちと実際に顔を合わせる機会はほとんどない。

ローハンとアモンの職業生活に欠けているのは、同僚のオフィスをのぞいて「おはよう!」と声をかけたり、廊下で出くわした同僚をコーヒーに誘ったりする時間だ。あるいは、ふと思いついて、同僚たちと連れだって近くのインド料理店にカレーを食べに行く時間だ。

## 同僚との気軽な関係の消滅

私たち人間は、ほかの人たちとの関係に強く影響を受ける。仕事に関して多くの人が最も重んじる要素は、同僚との関係だ。[1] 世論調査会社が「どうして、いまの勤め先を辞めないのか」という質問項目に対して用意する回答の選択肢の一つは「職場に友達がいるから」というものだ。[2]

ハーバード大学医学大学院の研究チームは、何千人もの人たちを対象に、健康と幸福に関する長期の追跡調査を実施した。それによると、最も幸福感が高いのは、最も裕福な人たちでもなければ、最も大きな業績を成し遂げた人たちでもなかった。幸福感の高さと最も強い関連性が一貫して認められた要素は、親しい友達がどの程度いるのかという点だった。逆に、寂しさを感じている人は概して健康状態が悪く、しかも孤独の弊害は急速に周囲の人たちに伝染することがわかった。専門家の間でも、肩の凝らない親しい人間関係は精神の健康と幸福に欠かせない要素と考えられてきた。[3]

この点、二〇二五年の世界でも変わらないだろう。人類の長い歴史を通じて、私たちはきわめて社会的な動物だった。群れたがる動物と言ってもいい。ところが、テクノロジーの進化とグローバル化の進展により、そういう人間の自然な性質どおりに行動することがかつてなく難しくなる。

二〇二五年には、どういう状況が生まれているのか？　現時点ではなんとも言えない。もしかすると、人間は新しい状況に適応し、サイバー空間の人間関係に満足するようになるのかもしれない。ソニーが犬型のペットロボット「ＡＩＢＯ」を売り出すと、人々はたちまちこのロボットをペットや遊び相手にして楽しむようになった。香港や日本では、携帯電話にバーチャル・ガールフレンドをダウンロードできるという。チャットルームなどのサイバー空間では、人間が交流するための場が活況を呈している。未来には、バーチャル版のセックス産業はもとより、コールセンターや財務アドバイザリーサービスなど、さまざまなビジネスにアバターが取り入れられるだろう[4]。

テクノロジーが進化すれば、バーチャルなアバターとの関係が現実の血の通った関係と同様の喜びや心地よさをもたらす時代がやってくるのかもしれない。あるいは、一部の人が予測するように、脳を手術することにより、どんなときも前向きの感情をいだけるようになるのかもしれない[5]。しかし、そのような時代が出現する保証はない。むしろ、仕事の場で生身の人間と接する機会が減り続け、私たちは深い孤独と寂しさを味わうようになるかもしれない。

二〇二五年の世界では、画像処理技術、ホログラム技術、バーチャル技術の進化とクラウドの発展を追い風に、自宅に最先端のテクノロジー環境が整備される。その結果、仕事で必要な情報を得るために出社する必要がなくなる。自宅のコンピュータや携帯端末ですべての情報が手に入るのだ。ローハンやアモンのような人たちは、バーチャル化し、グローバル化した世界で生きている。顧客はもとより、仕事仲間も世界中に散らばっている。一緒にプロジェクトに取り組む同僚がオフィスで隣に座っているとは限らない。同僚が同じ都市や同じ国にいないケースも珍しくなくなる。

見ず知らずの人とばかり一緒に仕事をするわけではない。たとえば脳外科医のローハンに、中国の同僚たちのことを尋ねてみるといい。おそらく、中国のスタッフがどういう人たちかを詳しく説明してくれるだろう。難しい手術で中国チームの指揮を執るようになって、すでに一年がたつ。一週間にわたり実際に一緒に過ごしたこともこれまでに二度ある。一年の付き合いを通じて、どういう状況で誰が頼りになり、誰の振る舞いに注意すべきで、手術後に誰にカウンセリングをおこなう必要があるかわかっている。同業のプロフェッショナル同士として、中国のスタッフ一人ひとりの長所と短所を鋭く見抜いていて、スタッフの何人かには手術時間外にメンタリングをおこなったこともある。ひとことで言えば、中国のスタッフのことをよく知っていて、何人かのことは友達だと思っている。

しかしローハンと同僚の関係は、直接対面するよりバーチャルな関わりが多い。以前は、世界中の学会を飛び回って同じ専門分野のほかの医師たちと会っていたが、温室効果ガス排出を減らすために航空機の利用に重い炭素税が課されるようになり、学会の舞台はバーチャル空間に移った。「学会出席」といっても、誰と話したいかをアバターに指示するだけだ。自分の病院には、自分と釣り合う専門技能の持ち主がほとんどいないので、病院で過ごす時間も短い。一方、プログラマーのアモンは全面的にバーチャル空間で仕事をしている。いつも自宅で働いていて、よく一緒に仕事をしているほかのプログラマーたちとさえ、一度も会ったことがない。

## 家族との関わりの希薄化

私たちが築く人間関係のなかで、仕事上の人間関係が重要な部分を占めていることは間違いないが、それはあくまでも一部にすぎない。仕事の世界で温かみのある人間関係が欠けていても、多くの人は、家族との温かい関係によって埋め合わせている。
職業生活と家庭生活は、互いに影響を及ぼし合う場合がある。[6]というより、仕事と仕事以外の生活を完全に切り離し、両者がまったく混ざり合わないようにすることは、まず不可能だ。現実には、一方における心理状態がもう一方に影響したり、両者の人的ネットワークや技能・能力が重なり合ったりするケースが多い。[7]ときに、そういう波及効果は好ましい影響をもたらす。家庭でリラックスし、自分らしく振る舞い、愛情を注がれて過ごせれば、仕事のストレスや負担に対処する基盤を築ける。逆に、仕事でうれしいことがあれば、一日の仕事を終えたとき、明るく前向きな気持ちで家庭に戻れる。仕事の世界で人的ネットワークを築き、新しい技能を磨き、知識を深められれば、それが家庭生活で役立つ場合もある。
しかし、波及効果が悪いほうに作用する場合もある。仕事の世界で怒りをいだいたり、正当に評価されていないと不満を感じたり、緊張をしいられたりすれば、悪い感情が家庭に持ち込まれて、家庭で幸せを味わう妨げになりかねない。家庭で不安を感じたり、罪悪感にさいなまれたり、家族の要求に押しつぶされていたりすれば、そういう感情は仕事にも持ち込まれやすい。[8]
近年は、人間関係の築き方の面でも、職業生活と家庭生活が相互に影響を及ぼし合うようになった。二〇世紀末以降、家庭内の人間関係で、「交渉」により問題が解決されるケースが増えてきた。女性の経済的独立が強まったこと、そして男女の役割に関する認識が大きく変わったことがその根底にある。こういう時代には、家庭で人間関係をうまく運ぶ力を身につければ、その力は仕事でも生きる。家庭で家族と交渉する技能が高い人は、同僚や上司、取引先との交渉が上手にできる可能性が高いし、ものごとを交渉することをいやがらない。

もっと物理的な面でも、職業生活と家庭生活は密接に結びついている。泊りの出張が多かったり、勤務時間が長かったりして、仕事で家族と物理的に離れる時間が多いと、家庭に影響が及ぶ。通勤に長い時間がかかり、朝早く出勤して夜遅くまで帰宅できなければ、家庭生活がダメージをこうむる。仕事を選ぶ際は、それが家庭生活への影響を無視できない。

このように、職業生活と家庭生活は切っても切れない関係にある。そこで、働き方の未来を理解するためには、今後、家庭生活と家族関係にどのような変化が訪れるかを把握する必要がある。それほど難しい話ではない。家庭と家族のあり方は、産業革命以降、大きく変化してきた。これから起こる変化は、多くの面でその延長線上にある。

## 家族と家庭はどう変わってきたか?

家庭生活がどれだけ大きく変化したかを知るためには、自分の両親と祖父母がどういう人生を送ったかを考えればいい。あなたの両親と祖父母には、子どもが何人いるか？　両親や祖父母は、自分自身や親の離婚を経験しているか？　いま、あなたの家族構成はどうなっているか？

私の家族の話をしよう。私の二人の祖母、アニー・エバンズとミニー・スタンウェルは、ともに七人きょうだいだった。二人とも子ども時代に第一次世界大戦を経験した。二人の姉たちのなかには、戦争で恋人を亡くして未婚のまま生涯を終えた人たちもいた。祖母たちの世代は、その親の世代ほど多くの子どもをつくらなかった。アニーの子どもは二人。そのうちの片方が私の母バーバラだ。ミニーが産んだのは、私の父デービッドだけだった。

祖父母とそのきょうだいのなかに、離婚した人は一人もいなかった。うまくいっていないと噂されていた夫婦は数組あったが、そういう夫婦も最後まで添い遂げた。離婚による家族の解体が始まったのは、私の世代からだ。バーバラとデービッドの間に生まれた四人きょうだいのうち、最初の結婚相手といまも一緒に暮らしているのは一人だけ。三人は離婚を経験しており、そのうちの二人は再婚している。

あなたの一家はもっと安定していて、離婚経験者がほとんどいないかもしれない。しかし、もしそうだとしても、未来にはそういう一家がもっと減る。世界の多くの国で、離婚は特別なことでなくなった。いまだに離婚に対する風当たりが強いインドでも、夫婦が生涯を通じて一緒に暮らし続けるとは限らなくなっている。

ここで再び二〇二五年のローハンとアモンのストーリーに話を戻し、二人と家族の関係を詳しく見てみよう。二〇二五年の世界で生きる人の半数以上がそうであるように、ローハンとアモンは大きな都市に住んでいる。ローハンはインドの貧しい農村の出身だが、ムンバイ医科大学で医学を学ぶために、両親を故郷に残してムンバイに移り住んだ。アモンもやはり、高度な教育を受けるためにエジプトの故郷の町を離れて、カイロにやって来た。二人とも、両親は同じ都市に住んでいない。子ども時代の友達も近くにいない。二〇二五年には、世界中で概して家族の規模が小さくなっており、アモンには妹が一人、ローハンには兄が一人いるだけだ。しかもローハンの兄は、ずっと昔にブラジルに移住し、インターネット関連の企業を経営している。家族の誰かの誕生日にはホログラムを使って「対面」しているが、実際にはもう何年も会っていない。

両親と会う機会がほとんどないのは、遠く離れた場所に暮らしていることだけが理由ではない。アモンとローハンの両親は六〇〜七〇歳代だが、生計を立てるために仕事を続けざるをえず、簡単に会いに来られないのだ。ローハンの両親はともに六〇歳代半ばだが、二人ともフルタイムで働いている。母親は近くの小学校で教えていて、父親は一家の営む商店で店番をしている。アモンの両親は、アモンが幼いときに離婚した。母親は故郷であるエジプト南部のルクソールに帰り、父親は親戚のいるカナダに渡った。現在は二人とも七〇歳近いが、ともに第一線で働き続けている。

つまり、アバターを終了させ、コンピュータの電源を落とした瞬間、ローハンとアモンは独りぼっちになる。家族や親戚は遠く離れた土地にしかおらず、仕事の同僚や仲間もそばにいない。二人は、ほかの人間との接触がほとんどない孤独な生活を送っているのだ。バーチャルでない人間関係が少なくなる結果、血の通った人間と直接触れ合うことで生み出される前向きなエネルギーが減り、仕事上のストレスに耐えづらくなるかもしれない。ローハンとアモンは、不安感に苦しめられたり、ことによると鬱《うつ》状態に陥ったりする可能性もある。

## 孤独にさいなまれる未来を生む要因

一見すると、ローハンとアモンは、楽しく、やりがいのある職業生活を送っているように思える。

実際、そういう面も多い。しかし、一皮めくって、私生活も含めた生活全般に目をやると、二人の生活には明らかに抜け落ちている要素がある。ローハンとアモンだけではない。二〇二五年の世界では、何十億人もの人々が孤独な職業生活を送るようになる。どうして、そんなことが起きるのか。

手がかりの一端は二人の未来ストーリーの中にある。ローハンとアモンは、二〇二五年の世界に多く出現するメガシティ（巨大都市）で暮らす。世界の多くの人がそうであるように、この一世紀の間に二人の一家は農村から都会に移り住んだ。コミュニティの結びつきの弱い都会に住む人が増える結果として、孤独が生み出される面もある。

もう一つ注目すべき点は、二人とも家族の誰かが遠くに移住していることだ。アモンの父親はカナダに、ローハンの兄はブラジルに移り住んでいる。国境を越えた移住が盛んになれば、家族の結びつきが弱まり、孤独を和らげるうえで重要な要素が失われる。

エネルギー価格が上昇することの影響も見逃せない。二一世紀はじめであれば、ローハンは中国の病院に赴いて中国の手術スタッフと直接会えたかもしれない。アモンはブラジルの顧客を訪ねて、打ち合わせができたかもしれない。しかし、二酸化炭素を排出することの経済的コストが高まり、しかもバーチャル技術が目覚ましく進歩する結果、わざわざ通勤や出張をして人と会うのではなく、自宅にいたままでコミュニケーションを取るようになる。

ローハンとアモンの未来ストーリーには、二〇二五年の世界で起きるいくつかの大きな変化が見て取れる。すぐに目につくのは、離婚が珍しくなくなり、ローハンとアモンの祖父母の時代に当たり前だった伝統的な家族のあり方と異なる家族の形態が増えることだ。アモンの場合、両親が離婚した後、父親が移住先のカナダで再婚したので、地球の裏側に義理のきょうだいができた。

もっと深いレベルの変化も起きている。ローハンとアモンが孤独で寂しい日々を送るのはおそらく、企業や政府への信頼をなくしているためでもある。今後数十年の間に、大企業や政府に不信感をいだく層が世界規模で拡大する可能性が高い。アモンは同時代の多くの人たちと同様に、大企業に対して冷ややかな見方をしている。「強欲経営者」の金儲けの片棒を担ぐのはごめんだと思っている。会社に勤めずにフリーランスで働くことにしたのは、一つにはそれが原因だ。一方、ローハンは政府の汚職に対する不信感がとりわけ強い。

二〇二五年の世界に蔓延しているもう一つの感情は、自分が不幸せだという感情だ。ローハンは、自分が治療する患者のなかにそういう感情の持ち主が多いと感じている。アモンは、自分自身がときおり静かな絶望感にとらわれる。学術的研究によれば、なぜ不幸せに感じているのかという研究者の問いに対して、余暇時間にテレビを見て受動的に過ごす時間があまりに長いという理由を挙げる人もいる。

第1章で挙げた五つの要因に即して言えば、「グローバル化」では、都市化と国際移住の活発化が家族の結びつきを弱める。「エネルギーと環境問題」では、エネルギー価格の上昇により、交通手段の利用を減らすためのバーチャル勤務が一般化して、同僚との接点が減る。「人口構成の変化と長寿化」では、家族のあり方が変わり、孤独を和らげる役に立つはずの自然な絆の多くが弱まる。「社会の変化」では、大企業や政府への信頼の低下、幸福感の減退、受動的なテレビ視聴の増加が人々の孤独を深める。これらの要素が合わさり、きわめて孤独が深まりやすい状況が出現するのだ。

## 都市化の進行――グローバル化の要因

未来には、世界中で都市が爆発的に拡大する。世界の総人口に占める都市生活者の割合は、一八〇〇年には三％、一世紀後の一九〇〇年でも一四％にすぎなかった。しかし、ベビーブーム世代が生まれた一九五〇年頃には、その割合が三〇％にはね上がっていた。この世代の生涯の間に、都市住民の割合はさらに五〇％まで上昇した。二〇一〇年、多くの先進国では、人口の七五％以上が都市で生活している。今後、このペースが減速すると判断すべき材料はない。

都会と田舎では、コミュニティのあり方も違えば、生活のリズムも違う。一九世紀半ばの西洋では、大半の人が地方の農村や小都市で暮らしていた。たいていの家族は、農作物を栽培し、家畜を飼育していて、家族で消費しない食材を市場で売り、代わりに、自分たちでつくっていない食材を買っていた。ジェーン・オースティンやヘンリー・ジェイムズの小説に描かれているように、一九世紀の西洋人はきわめて小ぢんまりとした社会で生きていた。オースティンやジェイムズの小説の主人公たちは、ときに都会に出かけることもあったが、都会といっても今日の巨大都市とは似ても似つかなかった。

一八六〇年当時、ロンドンの人口は三一八万九〇〇〇人、ニューヨークは八一万三〇〇〇人、ボストンは一七万七〇〇〇人にすぎなかった。もし、オースティンやジェイムズの主人公が探検家で世界に旅立っていれば、インドのムンバイや中国の上海など、六〇万人、七〇万人の人口を擁する大都市に足を踏み入れて目を丸くしたかもしれないが。

こうした状況が一変したのは、一八七〇年頃だ。西洋で、交通・輸送、エネルギー、製造の分野で目覚ましいイノベーションが相次いで実現し、工業が飛躍的に発展した。それにともない、都市に大量の人口が流れ込んだ。農村から都市への人の移動が大々的に進んだ時期の興奮と悲劇を描いた偉大な文学者がイギリスのチャールズ・ディケンズであり、フランスのエミール・ゾラだった。一八七〇〜一九〇〇年の間に、ニューヨークの人口は九四万二〇〇〇人から三四〇万人へと三倍以上に増加。ロンドンの人口は、三八四万一〇〇〇人から六五〇万七〇〇〇人に、二倍近くに増えた。同じ期間に、ムンバイは六四万五〇〇〇人から八一万三〇〇〇人に、上海は約六〇万人から約一〇〇万人に人口が増えた。

その一世紀あまり後の二〇〇八年、世界の人口に占める都市生活者の割合がついに非都市生活者を上回った。世界の人口の過半数が都市で暮らす時代が訪れたのだ。二〇一〇年の中国では、都市人口と農村人口の比率が四六％対五四％だが、ＧＤＰ（国内総生産）への寄与度は都市生活者のほうが格段に大きい。世界の都市人口は、二〇三〇年に五〇億人に迫ると予想されている。[9]

都市化が進行する結果、故郷を離れ、知人が少なく、地域のコミュニティの一体感が乏しい都会で生活する人がますます増える。それが人々の孤独を生み出す大きな要因になる。

## 移住の増加――人口構成の要因

二〇二五年の世界では、高いレベルの教育を受けたり、もっといい仕事に就いたり、戦乱や自然災害から逃れたりするために移住する人が増える。

六万年前にホモサピエンスがアフリカ大陸からユーラシア大陸に移り住んで以来、人類は移住を繰り返してきた。移住先の土地で新しいコミュニティを築く場合もあれば、コミュニティごと移住する場合もあったし、移住先で既存のコミュニティに加わる場合もあった[10]。商業と技術が発展すると、移住のペースは加速した。壮大な経済的挑戦のために大々的な移住がおこなわれたり、戦乱や政治的迫害、自然災害が原因で大がかりな移住がおこなわれたりしたケースもしばしばあった。ギリシャ・ローマ時代の植民、大西洋奴隷貿易によるアフリカ人奴隷の強制的移住、ヨーロッパから新大陸への大規模な移民はすべて、文化の伝播にきわめて大きな影響を及ぼした。

未来の世界で、どの地域からどの地域に、どの程度の人数が移住するかは予測がつかないが、移住が増えることはほぼ確実だ。実際にどのくらい活発に移住がおこなわれるかは、海水面の上昇や大地震や旱魃などの環境面の要因、戦乱などの政治面の要因、作業の機械化による大量失業などのテクノロジー面の要因に左右される。

一九六五年、国境を越えた移住の経験者は世界全体で約七五〇〇万人（世界の人口に占める割合は二・五％）だった。二〇一〇年には、その人数が約二億一四〇〇万人（三％）に増加した[11]。この数字はさらに上昇するだろう。国内の農村から都市へ、ある都市から別の都市への移住は、国際移住に輪をかけて増加した。二〇一〇年、国内移住の経験者は全世界で七億四〇〇〇万人に達している。この数字は国際移住経験者のざっと四倍近くだ[12]。

国が豊かになると、移住が盛んになる面もある。あまりに貧しいと、移住するという選択肢が存在しないのだ。二〇〇九年、すべてのアフリカ人のうちで、生まれた国以外で生活している人は三

%、ヨーロッパで生活している人はわずか一%にすぎなかった[13]。しかし、経済が発展すると、ほかの土地に移り住む力を手にする人が増える。二〇〇九年に家事労働者もしくは介護労働者として国外に移住したフィリピン人は、九万五〇〇〇人を上回る[14]。

将来はおそらくきわめて高度な才能や専門技能の持ち主が出身地を離れて、世界のいくつかの人材集積地に移り住むケースが増えるだろう。もちろん、出身国のなかに創造性を発揮しやすい土地や、生産活動の活発な土地があり、高い生活水準を支えるのに十分な高給の職に就けるのであれば、国内にとどまる人もいるだろう。国際経験を積むために、途上国で短期間働くことを選ぶ人もいるかもしれない。正真正銘のグローバル市民になり、雇用やビジネスの機会を求めていつでもどこへでも移住を繰り返す人も現れるだろう。

## エネルギー価格の上昇——エネルギー・環境問題の要因

将来、グローバル化が進めば、いつでも自動車や飛行機に乗って遠くの友達や家族に会いに行けるようになり、孤独が和らぐのではないかと考える人もいるかもしれない。しかし、現時点の予測によれば、今後ますますエネルギーが入手しづらくなり、エネルギー価格が大幅に上昇する可能性が高い。気軽に旅行などできない時代がやって来かねない。アモンとローハンが外国の仕事仲間や顧客に会いに行かずに、バーチャル空間のやり取りですませている理由の一つは、エネルギー価格の上昇にある。第2章で紹介したロンドンのジルが勤務先企業の本社に出勤せず、近くに設けられた「オフィス・ハブ」で仕事をするのも、遠距離通勤のコストが高まったためなのだ。

世界で消費されるエネルギーの量は、産業革命以降増え続けている。世界の人口一人当たりのエネルギー消費量は、一七五〇～一九九〇年の一五〇年間に、それ以前の一〇〇〇年間と同じだけ増加し、いまやその量は一〇世紀はじめに比べて三倍以上に達している[15]。しかも、一人当たりのエネルギー消費量が劇的に増えているだけでなく、世界の人口も急速に増加している。この二つの要因により、世界で消費されるエネルギーの量は爆発的に増加し続けてきた。そのペースが減速する気配はまったくない[16]。

二〇世紀、私たちは莫大な資金をつぎ込み、長い時間をかけて、化石燃料に土台を置く経済を築いてきたが、そういう経済を今夜も持続することは難しいだろう。第一に、そもそも化石燃料の埋蔵量は有限なので、容易に供給できる化石燃料の量が次第に需要に追いつかなくなる。第二に、化石燃料に依存し続ければ、環境に大きなダメージが及ぶ。第三に、化石燃料に依存したエネルギーの枠組みは、経済活動の大きな波乱要因となっている。途上国にとってはとりわけ、資金面と政治面で負担が大きい。原油の供給不足と不安定な原油相場に対処するすべを十分にもたない国は、食料や肥料、交通・輸送手段の価格の突発的な高騰にしばしば見舞われるようになる[17]。

二〇二五年に生きる人々は、化石燃料エネルギーをますます利用しづらくなる。容易に採掘できる油田と天然ガス田はすべて発見済みであり、未来の石油・天然ガスの供給を確保することはこれまでよりはるかに難しくなると、石油大手のエクソンモービルは二〇〇五年に報告している[18]。化石燃料の埋蔵量の正確な数字はわかっていないが、二〇〇九年のある試算によると、採掘可能な石油・天然ガスは二〇四二年までに枯渇し、石炭も二一一二年までに枯渇するという[19]。

油田の発見ペースが落ち込む結果、二〇一五年には石油の供給が需要に追いつかなくなる可能性がある。[20] 二〇一五～二〇年に世界の石油生産量が頂点（ピーク）に達し、それ以降は減少に転じるという「ピーク・オイル説」も唱えられている。将来のエネルギー相場は、資源保有国の政策や経済成長率などの影響を受けるので予測がつかないが、原油の埋蔵量が減り、採掘コストが高まれば、エネルギー価格が上昇することは避けられない。[21][22]

エネルギー価格を押し上げる要因としてもう一つ見落とせないのは、中国やインドなどの途上国が経済発展のプロセスで最もエネルギー消費量の多い段階に達することだ（しかも、中国とインドは莫大な人口を抱えている）。産業革命後のアメリカやイギリスがそうだったように、中国とインドは工業化とともに、次々と複雑なインフラを建設し、交通・輸送網を拡充させている。

化石燃料をとくに大量に消費するのが交通・輸送手段だ。たとえば二〇一〇年の数字を見ると、石油生産量の九割がガソリンやディーゼル燃料などの交通・輸送用燃料に精製されていた。今後は、新興国の交通・輸送用燃料の需要が大幅に増加する見込みだ。二〇四〇年には、新車販売台数の四台に三台を中国やインドなどの新興国市場が占めるようになると予測されている。インドの自動車メーカー、タタ・モーターズが二〇一〇年に売り出した格安自動車「ナノ」のような低価格自動車が相次いで登場し、世界の何億人もの人々がマイカーを所有できるようになる。自動車だけではない。工業化が進めば、途上国の消費者も自宅に冷蔵庫やテレビやエアコンが欲しくなる。テクノロジーが安価になり、しかも人々のニーズが高まる結果、グローバルなエネルギーの枠組みに組み込まれる消費者が増えていく。[23]

こうした状況を受けて、エネルギー消費量を減らす必要性がこれまで以上に強調されるようになる。その有力な方法として、オフィスに出勤せずにインターネットを使って在宅で仕事をするバーチャル勤務が普及するだろう。二〇一〇年の時点で、アメリカとイギリスの家庭のインターネット接続率は七五％を突破している。理屈の上では、これらの家庭の人々はすでにバーチャル勤務が可能な環境にあるのだ。二〇一〇年、イギリスでは二九〇〇万人が職場に通勤していて、一日の総通勤時間は国全体で二〇〇〇万時間を超す。[24]一人当たり一日に平均一時間以上を通勤で浪費しており、失われている生産性を金額に換算すると、国全体で一日に二億六六〇〇万ポンドを突破する。[25]

## 家族のあり方の変化——社会の変化の要因

家族のあり方は、世界全体で大きく様変わりした。概して、昔に比べて家族の規模が小さくなった。その点は、大家族が当たり前だった地域も例外でない。たとえばバングラデシュの出生率は、一九六〇年に六・八人だったのに対し、二〇一〇年には二・七人まで下落している。

しかも、家族がパパとママと数人の子どもたちで構成されるとは限らなくなった。離婚と再婚が珍しくなくなり、家族の構成が昔より複雑になっている。この変化を最も強烈に体験した世代がX世代だ。第1章でも述べたように、X世代は、不透明な時代を生きてきた影響で終身雇用への期待が小さい世代であると同時に、[26]両親の離婚を経験する人の割合が増えはじめた世代でもある。一九五〇～八〇年の間にアメリカの夫婦の離婚率が二六％から四八％にはね上がったという統計を第1章で紹介した。[27]

こうした変化がもたらす影響は大きい。イギリスの社会学者アンソニー・ギデンズの言葉を借りれば、「人々の私的生活全般の土台をなす倫理観が変わった。かつて、親族関係とジェンダーの役割は当たり前のものとみなされていた。生物学上の結びつきと結婚による結びつきによって、一連の権利と義務の関係が当然に生み出されると考えられていたのだ[28]」。ギデンズはこう続ける。

核家族が増え、しかも別居と離婚が珍しくなくなるにつれて、家族の構成の組み換えが進み、従来と異なるさまざまな親族関係のパターンが出現している……以前は、家族同士であれば当然のごとく、互いの間に信頼が形づくられたが、いまや信頼は交渉と取引を通じてはじめて獲得できるものになった。人々は家族とどう接するべきかを見いださなくてはならなくなった。それにともない、日々の生活の指針となる新たな倫理基準をつくり上げる必要が出てきた。

変わるのは、家族同士の関係だけではない。人々と組織の関係も変わる。次は、この点について検討しよう。

## 大企業や政府に対する不信感――社会の変化の要因

二〇二五年の世界で人々の孤独を深める要因の一つは、不信感の高まりだ。私たちは概して、ほかの人たちやコミュニティを信頼していれば、他人と関わり合おうとするが、信頼していなければ、あまり他人と関わり合おうとしない。

ここで言う「信頼」とは、単にほかの人や組織が好きかどうかということではない。もっと行動志向の感情で、たいていは未来に対する期待に基礎を置いている。私たちがほかの人や組織やブランドを信頼するのは、その対象が将来に約束を守ってくれると思うからだ。あなたに大好きな友達がいるとしよう。その人は、一緒にいると本当に楽しい。パーティーにはぜひ参加してほしい人物だ。みんなにも愛されている。けれど、あなたがその友達を信頼するかどうかは別問題だ。その友達が大切な約束の時間にいつも遅れ、共同で取り組んでいる課題でほぼ確実に失敗するとわかっていれば、あなたはその友達を信頼しないだろう。コミュニティや社会で信頼が担う役割はきわめて大きい。信頼は、仕事上の人間関係の潤滑油なのだ。

私たちは、誰を、あるいはなにを信頼するかという決断を日々くだしている。ほかの人や組織を信頼できれば、私たちは不確実な状態を抜け出せる。未来になにが起きるかがわからないと、なんの計画も立てられないが、強い信頼をいだければ確かな計画が立てられるし、確かな計画が立てられれば強い信頼をいだける。信頼は未来を予測することを可能にし、それを通じて人間関係を円滑にし、知識や情報のやり取りを促すのである。人と人が協力し合うためには、信頼が欠かせない。この点で、コミュニティや組織にとって信頼はきわめて価値のある資源と言えるだろう。二〇二五年のローハンやアモンが味わっている孤独は、都市化や移住の増加、家族のあり方の変化などがもたらす物理的孤立の産物であるだけでなく、社会で重要な役割を担っている信頼感が減退する結果でもあるのだ。

数々の調査が浮き彫りにしているように、政治家や司法制度、大企業に対して私たちがいだく信頼は弱まっている。世界経済フォーラムの二〇〇九年の調査によると、私たちは指導者をあまり信頼しておらず、しかもその信頼感はさらに低下傾向にある。宗教指導者を「大いに」もしくは「ある程度」信頼していると答えた人の割合は四一％。この割合は、西欧諸国の指導者に関しては三六％、グローバル経済の指導者に関しても三六％、多国籍企業の経営陣に関しては三三％、アメリカの指導者に関しては二七％だった。指導者に寄せる信頼の強さが以前に比べてどう変わったかという問いに対しては、信頼が強まっても弱まってもいないと答えた人が四〇％、信頼が弱まったと答えた人が四〇％だった。[29] その半面、専門職に対する信頼は失われていない。二〇〇九年の別の調査によると、七四％の人は医師を「大いに」信頼しており、六八％の人は教師を「大いに」信頼しているると答えている。

政府や企業に対する信頼が弱まっている原因は、政治家や企業経営者の行動が昔に比べて破廉恥になっているからだ、と断定するだけの材料はない。歴史が始まって以来、政治家はしばしば私利私欲のために汚職に手を染めてきたし、企業経営者は社員をないがしろにしてきた。

政治家や経営者の振る舞いとは別に、政府や企業、指導者に対する信頼が落ち込んでいる一因となっていることが明らかな要因がいくつかある。最もわかりやすい要因は、透明性の向上だ。政治家や経営者の一挙一動人々に知られるようになったのである。人々に伝える情報を選別し、どの情報を強調するかを決めるという点で、メディアが果たしている役割も大きい。二〇〇九年にイギリスのデイリー・テレグラフ紙が政治家たちの金銭スキャンダルを連日報道したときは、そのニュースが世界を駆けめぐり、イギリス政府に対する信頼が落ち込んだ。

悪い評判を拡散させるうえでは、ソーシャルメディアが果たす役割も大きくなっている。企業や政府が社会の倫理観から逸脱した行動を取れば、瞬時にしてブログやユーチューブ、ツイッター、フェイスブックなどでことごとく暴露される。二〇〇九年、宅配ピザ大手のドミノ・ピザの従業員が食材を非衛生的に扱っている様子を映した動画がユーチューブに投稿されたとき、同社は透明性の時代の恐ろしさを思い知らされた。

同様のPR上の惨事は、食品大手のネスレにも降りかかった。二〇一〇年、環境保護団体との対立をきっかけに、同社のフェイスブックのファンページに批判的なコメントが殺到。同社商品のロゴを否定的な図柄に改変してプロフィール画像に設定するユーザーも現れた。こうした「ツイットストーム」（ツイッターなどのソーシャルメディアを通じて、批判の嵐が巻き起こること）は、PR会社がどんなに迅速に手を打っても抑え込めず、対抗措置を講じたり、騒ぎを沈静化させたりするためには、莫大な資金がかかる場合が多い。

大企業の経営破綻や経営危機のニュースが相次いでいることも、世界の人々の心理に大きな影響を与えている。近年、ニュースで大きく取り上げられたなかには、商業銀行のロイヤル・バンク・オブ・スコットランド、チェーンストアのKマート、航空会社のユナイテッド航空、投資銀行のリーマン・ブラザーズ、自動車のゼネラル・モーターズ（GM）とクライスラーなど、誰もが知っている有名企業も少なくない。企業のスキャンダルも後を絶たない。その代表格は、二〇〇一年に不正会計スキャンダルが発覚して破綻したアメリカのエネルギー大手エンロンだろう。私たちが信頼する企業とは、重要な情報を隠すより開示する企業、どのような利害関係をもっているかを明らかにする企業、そして、みずからの行動に責任を負おうとする企業だ。エンロンは重要な情報を隠し、経営陣が会社の利益と衝突する個人的な利害関係をもっていた。

コミュニティの喪失が信頼の低下を助長している面もある。ボウリング場などを舞台にした地域社会の交流が少なくなって、ローカルなレベルでの信頼感が弱まり、それがひいてはグローバルなレベルでの信頼感の低下を招いている。[30]

労働契約の短期化も信頼感の低下に関係している。二〇二五年、ロンドンのジルはある多国籍企業でパートタイム職員として勤務している。ムンバイのローハンは、地元のウォッカート病院と上海の聖ミカエル病院の医師を兼務している。カイロのアモンは、フリーランスで働いている。個々のプロジェクトの存続期間が短くなり、先の予測がつきづらくなり、市場の動向に大きく左右されるようになる結果、働き方が多様化する。問題は、それにともない、企業が働き手との約束を破るケースが増えることだ。ジルとアモンのまわりにも、技能習得の機会を与えるという約束が破られたり、昇進の約束が裏切られたりした人が大勢いる。長期の雇用が約束されていると思っていたのに、たった数カ月でお払い箱にされたり、職場でコーチングやサポートを得られると思っていたのに、なんの支援も受けられなかったりした人もたくさんいる。[31]

そのような状況を生み出している一因は、企業と社員の昔ながらの「親子」的な関係が崩れたことにある。かつては、会社が親さながらに社員の「面倒を見る」ことが期待されていたが、一九八〇年代と九〇年代にレイオフが盛んにおこなわれて、そういう関係に終止符が打たれた。こうして世界中の働き手たちは、自分のキャリアの針路を決めるのは自分しかいない、自分しか当てにできないと気づきはじめた。

ただし、政府や企業に対する人々の信頼が弱まっていることを示す研究結果は多いが、実態はそれほど単純でない。世論調査などに対しては政府や企業への不信を語っても、私たちは企業のつくった食品を食べ、政府が供給する水を飲み、政府が建設する道路の上で自動車を運転している。つまり、私たちは企業幹部を信頼していないと言っていても、実際の行動を見る限り、日々の生活に欠かせないものを提供している企業を非常に強く信頼しているのかもしれない。

**幸福感の減退——社会の変化の要因**

不幸せに感じているとき、私たちは孤独に陥りやすい。信頼と同様、幸福はあいまいで多義的な言葉だ。信頼が他者との関係と他者への期待に関わるものだとすれば、幸福は自分自身との関係に関わるものと言えるだろう。信頼が他人との日々の関係を円滑にするうえで欠かせない要素であるように、幸福は自分自身の日々の行動を円滑にするうえで欠かせない。

しかし、豊かな先進国では概して、人々の幸福感が減退している。アメリカの経済学者ロバート・レーンの研究によれば、自分が全般的に「とても幸せ」だと感じているアメリカ人の割合は、一九七二年には三五%だったが、一九九四年には三〇%に落ち込んだ。[32] 同じ約二〇年間に、結婚生活に関して「とても幸せ」だと感じている人や、仕事に「とても満足」している人、住んでいる土地に満足している人の割合も減り続けた。一方、多くの先進国では鬱《うつ》症状に悩まされる人が増えている。一九七〇~九〇年に、思春期の自殺者が倍増した国も少なくない。

興味深いのは、幸福と経済発展の関係が単純な比例関係にないことだ。国民一人当たりのGDP（国内総生産）が上昇すれば、その国の国民の幸福感もおおむね高まる。しかし、GDPがある程度の水準に達すると、それ以降は収穫逓減の法則が作用し、所得が増えてもそれまでほど幸福感が高まらなくなる。多くの国で貧困が不幸せの原因となっていることは事実だが、先進国では豊かだからといって幸せだとは限らないのである。

豊かな国の人々はえてして、心理学者のフィリップ・ブリックマンとドナルド・キャンベルの表現を借りれば、ハムスターのように、いくら走っても前に進まない「満足感の踏み車」の上を走り続けている。[33] 豊かになると、豊かであることを当たり前と感じるようになり、いくら所得が増えても満足感を味わえなくなるのだ。幸福感と満足感を感じられる未来を生きるためにどうすればいいかは、ひたすら消費を追求する人生を脱却し、情熱的になにかを生み出す人生への〈第三のシフト〉をテーマに取り上げる第10章で詳しく論じる。

**余暇時間の増加——社会の変化の要因**

この半世紀、私たちのモノの消費の仕方が変わっただけでなく、時間の消費の仕方も変わった。工場と都市に人が移動しはじめる前の時代、農村の生活の大枠は、季節の移り変わりと農作物と家畜のニーズによって決まっていた。日曜は休息日だったとしても、それ以外の時間、人々はほぼ区切りなしに働き続けていた。仕事や生活のなかで、一週間、一日、一時間という時間の単位がはっきり意識されるようになったのは、工業化以降のことなのである。

過去半世紀、人々の時間の使い方に起きたもう一つの大きな変化は、余暇の時間が増えたことだ。一九五〇年代以降、仕事の世界に「余暇」という概念が定着した。「週末」には仕事を休んで、スポーツやダンスや市民活動などの余暇活動をおこなうものとされた。[34]

では、二〇二五年のジル、ローハン、アモンに、余暇の時間をどう過ごしているのかと尋ねると、どんな答えが返ってくるだろうか。テレビを見て過ごしている時間が多いと、三人は答えるだろう。この面々が特殊なわけではない。余暇の時間に受け身的にテレビを見て過ごす傾向が世界中で強まっている。アメリカのメディア専門家クレイ・シャーキーは、その理由を次のように説明している。[35]

一七五〇年、人口の増加と都市化が急速に進んでいたロンドンで、お酒のジンが大ブームになった。町中で大勢の人がジンを浴びるように飲んだ。グラス一杯のジンを買う金がない人は、代わりにジンを浸した布を買い求めた。しまいには、酔いをさますために少し眠りたい人向けに、わら布団の寝床を時間貸しするビジネスまで登場したほどだった。なぜ、ジンがこれほどまでに流行したのか。社会の急激な変化にともない、当時の人々は、それまで慣れ親しんできたものとまるで異なり、しかもおうおうにしてきわめて過酷な生活にいきなり放り込まれた。酔っぱらっていれば、そのストレスを和らげられたのだと、シャーキーは言う。精神がばらばらに崩壊することを避ける手立てが飲酒だったのである。

一九九〇年代以降の二〇年間も、社会が大きく変化した時代だった。シャーキーによれば、この時期にジンの代わりに人々の精神安定剤の役割を果たしたのは、テレビだった。ホームドラマやメロドラマ、歴史ドラマなど、さまざまなテレビ娯楽番組の視聴は、先進国の人々の自由時間の使い方できわめて大きな比重を占めるようになった。二〇〇九年、先進国の国民は平均して週二〇時間テレビを見ていた。テレビを見ることが一種の「副業」と化しているのだ。

もともと、余暇時間はスポーツやダンスや市民活動など、地域コミュニティの社交活動をおこなう時間だったのかもしれないが、社会学者のロバート・パットナムが喝破したように、いまや少なくともアメリカ人は「孤独なボウリング」をしている。[36]テレビの視聴時間が増えて、地域の人たちと一緒にボウリングを楽しむような社交活動の時間が減り、仕事の世界で味わう孤独感をますます強める結果になっている。

ミラノ・ビコッカ大学のマルコ・ギーとルカ・スタンカは、テレビの影響について以下のように指摘している。

テレビは、人々の物質主義的な志向と欲求を強く助長する可能性がある。物質主義的な傾向が強い人は、人生の満足感を高めるうえで人間関係がもつ重要性を過小評価しかねない。その結果、所得を生み出すための活動に過剰に投資し、人と関わるための活動に過少な投資しかしなくなるおそれがある。[37]

二〇二五年、ローハンとアモンのような人たちは、本章で論じてきたさまざまな要因によって深い孤独を感じている。では、孤独を味わわず、ほかの人と積極的に関わり合う未来を築くには、どうすればいいのか。

どうすれば、孤独の罠に陥らずにすむのか。

本書で提唱する〈第二のシフト〉は、この問題を解消することを目指すものだ。第3部で明るい未来のストーリーを通じて見るように、未来の世界には、孤独にあくせく競い合うのではなく、ほかの人たちとつながり合いながら、もっとイノベーション精神を発揮できるようになる可能性が果てしなく広がっている。

そのような働き方の未来を切り開くためには、三つのタイプの人的ネットワークを積極的に築いていく必要がある。第一は、「ポッセ（同じ志をもつ仲間）」。いざというときに頼りになり、長期にわたって互恵的な関係を築ける少人数のグループのことだ。第二は、「ビッグアイデア・クラウド（大きなアイデアの源となる群衆）」。多様性に富んだ大人数のネットワークのことだ。スケールの大きなアイデアや新たなコネをもたらす機能を果たす。このネットワークに属する人たちとは、バーチャル空間だけを通じた付き合いでもかまわない。第三は、「自己再生のコミュニティ」。頻繁に会い、一緒に笑い、食事をともにすることにより、リラックスし、リフレッシュできる人たちのことだ。詳しくは、第9章で論じる。

# 第4章 繁栄から締め出される未来
## 新しい貧困層が生まれる

### ブリアナのストーリー 二〇二五年、オハイオ州

二〇二五年、アメリカのオハイオ州。二八歳のブリアナは、狭い家で両親と祖父と一緒に暮らしている。朝九時に起きて、コンピュータに向かう。世界中に何百万人ものファンがいるオンラインゲーム『ワールド・オブ・ウォークラフト』の熱烈な愛好家なのだ。一日に少なくとも四時間はプレーしないと気がすまない。このゲームの本格的な愛好家は、一緒にゲームをプレーするオンライン上の仲間グループ――「ギルド」と呼ばれる――に加わることが多い。ブリアナも、何千もあるギルドの一つに参加している。この数カ月は、ゲーム内でアーチェリーと洋服の仕立ての腕を磨くことに精を出している。あわよくば、もっと格上のギルドに引き抜かれたいという思惑があるのだ。

一一時三〇分、近所のハンバーガーショップに向かう。ある多国籍企業が経営している店だ。こ

の店で、週五日、午後だけアルバイトをしている。仕事は楽しいし、職場で接する人たちのことも好きだ。六時、夜間担当のスタッフが出勤してきて、勤務時間は終了。

家に帰ると、家族と簡単に夕食をすませ、いつもの日課を始める。一時間ほどの間、あちこちのウェブサイトをチェックし、もっと長く続けられる働き口を探すのだ。問題は、一六歳までしか学校に通っておらず、頭の中にはテレビのリアリティ番組の内容が詰まっているだけで、読み書きがおぼつかないことだ。オンライン上でできる魅力的な仕事が見つかっても、自分より賢く、やる気があり、教育レベルも高い中国人やインド人の若者との競争に勝たなければ職を得られない。これまでのところ、就職活動の首尾はよろしくない。

夜、父親のフランクと話をする。フランクもいま職探しをしている。以前はデトロイトのゼネラル・モーターズ（GM）の自動車工場の生産ラインで働いていたが、一〇年以上前に工場が閉鎖された。いまはデトロイトの金物店で働いて生計を立てているが、単なる長時間労働で、せっかくの専門技能を生かせていない。

ブリアナはベランダで祖父と会話する。祖父は六八歳になってもまだ働きたいと思っているが、フランク同様、気に入る仕事がなかなか見つからない。祖父が同居しはじめたのは、一〇年前。乏しい蓄えでは暮らせなくなったからだ。長年かけて積み立てた個人年金は、世界規模のインフレで目減りしたうえ、相次ぐ金融スキャンダルのあおりで大きな運用損をこうむってしまったのだ。

## 【アンドレのストーリー】二〇二五年、リエージュ

アンドレは、ベルギー南部のリエージュに住んでいる。デトロイトでブリアナの父フランクが自動車工場に勤めていたように、アンドレの祖父と父親も昔は地元の製鉄所で働き、いい生活を送っていた。しかし、二〇一五年までに鉄鋼生産の拠点が中国とインドに移り、ベルギーの全域で相次いで製鉄所が閉鎖された。

社員に潤沢な企業年金の支払いを約束していたことも、アンドレの父親が勤めていた会社を追いつめた。年金支払いの負担がふくらんだ挙げ句、会社は二〇一五年に破綻の瀬戸際まで追い込まれて、ついに中国の企業グループに身売りした。

リエージュでは、若者の失業率が空前のレベルにはね上がった。ブリアナと同じように、アンドレは学校の勉強が苦手で、クラスの秀才たちとはずいぶん差がついてしまった。昔の同級生のなかには、ベルギーを出て新興国で働いている人たちもいるが、アンドレは置いてきぼりを食っている。長期の雇用はなし、年金の約束もなし。おまけに、ベルギーの国家財政は高齢者の医療費負担で悲鳴を上げている。

アンドレはブリアナと同様、ファストフード店でハンバーガーを焼いたり、ガソリンスタンドで給油したり、荷物を宅配したりして、短期のアルバイトでぎりぎりの生活を送る。しかし、EU（欧州連合）が拡大し、その域内で労働者の移動が大幅に自由化されて、自分より経験も技能もあり、同

じくらい安い賃金で働く意思のある移民労働者たちと職を奪い合う状況になりはじめている。

ブリアナとアンドレは先進国の住民ではあるが、急速にグローバル化する人材市場から取り残されて、新たな下層階級の一員になっているのだ。


繁栄から取り残される人は昔からいた。第3章に登場したローハンの祖父は、一九三〇年にインドの農村で生まれ、故郷の村の外に出ることはまずありえなかった。アモンの祖父も同じ頃にエジプトの極貧家庭に生まれて、教育はほとんど受けなかった。いかに賢くてやる気があったとしても、この二人にとって、学校に通って学業に専念することなど夢のまた夢だった。同じことは、サハラ砂漠以南のアフリカに生まれた大半の人にも当てはまった。タンザニアのような国に生まれれば、生涯にわたり貧困のなかで生きることがほぼ宿命づけられ、経済的な成功を手にできる可能性は皆無に等しかった。

## 豊かさの新しい決定要因

これまでの世界では、どこで生まれたかによって、ある人が経済的にどのくらい成功できるかがおおむね決まっていた。ヨーロッパやアメリカで生まれた人は、最初からきわめて有利な立場にあり、インドやエジプトの農村に生まれた人は、最初から経済的な繁栄の枠外に押しやられていた。

二〇二五年の世界では、その状況が変化しているはずだ。人々の経済的運命を決定する要因が変わるのだ。ローハンはインドの貧しい農村で生まれたが、大学に進学して脳外科医になった。ローハンの故郷の村で生まれる子どもたちも、本人にその意思があれば、太陽光発電を動力源とするコンピュータを使って、無料でクラウドにアクセスしてインターネット上の情報の宝の山を利用できるようになる。このチャンスを生かす子どもは、おそらく少ない。親もそれを後押ししようとしないだろう。膨大な情報と知識が手に入る環境を活用する意欲も能力もない人がほとんどに違いない。それでも、なかにはローハンのようにチャンスを生かして、貧しい村を出て大都会で医師として活躍する人も現れる。

ローハンやブリアナの時代には、どこで生まれたかではなく、才能とやる気と人脈が経済的運命の決定要因になる。二〇二五年の世界では、アメリカ生まれのブリアナや西ヨーロッパ生まれのアンドレがインド生まれのローハンやエジプト生まれのアモンより、豊かな人生を送るとは限らない。たとえば、サハラ砂漠以南のアフリカやインドの貧しい農村に生まれた人でも、聡明で意欲があれば、グローバルな人材市場に加わり、豊かな生活を送れる可能性がある半面、たとえアメリカや西ヨーロッパに生まれても、聡明な頭脳と強い意欲の欠けている人は下層階級の一員になるのだ。

## 「勝者総取り」社会で広がる格差

世界のさまざまな地域に出現する新たな勝者と、ブリアナやアンドレのような新たな敗者の間の格差は、ますます広がる。一つの企業内、一つの国家内の格差も拡大する。

ブリアナやアンドレの収入は、勤務先の会社の経営者が得ている収入よりはるかに少ない。一九八〇年、アメリカ企業のCEOの平均年収は、自社の従業員の平均年収の四二倍に達していたが、二〇〇〇年にはその格差が五三一倍に拡大した。極論すれば、このままのペースで格差が広がれば、二〇二五年、ブリアナと勤務先のハンバーガーショップを経営する多国籍企業のCEOの収入の格差は一〇〇〇〇倍を超している計算だ。[1]

もっともブリアナとアンドレは、経営者との収入格差にはあまり気づいていない。それより痛感しているのは、近所で暮らすほかの人たちとの格差だ。アメリカでは二〇一〇年、所得最上位二〇%の層の平均所得が最下位二〇%の層の九倍に達している。[2]このまま格差が拡大し続ければ、二〇二五年には、ごく一握りの成功者が莫大な富を独占する「勝者総取り」の社会が出現する。

格差が拡大すれば、人々の生活にどのような影響が及ぶのか。はっきり言えるのは、人々の健康と幸福感を大きく左右するのが所得の金額の絶対値ではなく、ほかの人との所得の格差だという点だ。ブリアナやアンドレが暮らす先進国の社会では、なにを買い、なにを身につけたり使ったりするかによって、その人の社会階層が判断される面が大きい。物質主義的傾向が強い世界では、所有物がその人の成功の度合いを判断する物差しになるのだ。

しかし、お金がないブリアナは、高級品に手が届かないので安い品物しか買えず、二流の人間とみなされやすい。ブリアナの所有物はことごとく、「私は貧乏な負け犬です！」と周囲に大声で叫んでいるに等しいのだ。

社会で格差が拡大すると、社会不安が増大する可能性が非常に高まる。社会のなかの信頼感もそこなわれるだろう。一般に、格差が大きいほど、人間は他人を信頼しなくなる傾向があるからだ。

信頼が減退すれば、人々はあまり協力し合わなくなり、ものごとを共有しなくなり、他人の行動に関して楽観的な考え方をしなくなる。

## 劣等感と恥の意識が強まる

格差が広がれば、人々の不安が強まる可能性も高まる。先進国では三〇年以上、人々の感じる不安が増大し続けている。一九五二〜九三年にかけておこなわれた研究によると、アメリカ人がいだく不安感は男女とも強まる一方だ。[3] 一九九三年、アメリカ人大学生は平均して、一九五二年に全体の八五％のアメリカ人が感じていたより強い不安感にさいなまれていた。今後、人々の不安感がどのくらい強まるかは予測できないが、もしこの傾向が続けば、二〇二五年には人々の不安感のレベルがきわめて高くなっているはずだ。

ブリアナやアンドレのような人たちに不安を感じさせる最大の要因はおそらく、自分が成功していないという思いだ。自尊心が傷ついたり、社会的地位が脅かされていると感じたりするとき、私たちは不安にさいなまれやすい。成功している人と自分の差を思い知らされれば、とりわけ自尊心が傷つき、劣等感が強まる。[4] つまり、社会で格差が大きいほど、社会に漂う不安感が増すのである。

恥の意識が原因で不安感に苦しめられる人も多いだろう。自分が間抜けで無力で無能なせいで、世界の急激な変化から取り残されてしまったと感じ、恥の意識をいだく人が増える可能性が高い。

二〇二五年のブリアナに、「上海の若者が休日返上で忙しく働いているのに、どうしてあなたは職が見つからないのか？」と尋ねてみるといい。「頭が悪いからよ」という自嘲的な答えが返ってくるだろう。他人から採点され、格付けされ、品定めされる機会がますます増えれば、それも不安の原因になりうる。

不安にさいなまれると、どういう問題があるのか。最も悲惨な一面としては、不安に苦しめられている人はそうでない人に比べて、平均すると早死にする傾向がある。[5]

その点、友達との関係は、私たちを不安から守る強力な盾になる。私たちは友達と一緒にいるとき、安心し、くつろげるからだ。しかし、第３章のローハンとアモンの日常を思い出せば明らかなように、この盾は機能しなくなる可能性が高い。二〇二五年の夜、二人の悩みを聞いて慰めてくれるのは、生身の人間ではなくアバターだけなのだ。

緊密なコミュニティも不安をはねのける盾になりうる。私たちの自我はたいてい、職業生活や私生活で加わっているコミュニティに深く根を張っている。どのようなコミュニティに帰属しているかは、自分自身の価値や社会的地位をどう考えるかという点以上に、その人の心理に強い影響を及ぼす。しかし、このコミュニティの盾も弱まる可能性がある。

ブリアナの祖父は昔、地域のコミュニティに深く関わり、地元の教会で歌を歌ったり、花の品評会で審査員を務めたり、学校でＰＴＡの役員をしたりしていた。コミュニティへの帰属意識が強かったので、自分個人の社会的地位はそれほど問題でなかった。実際、当時の緊密なコミュニティでは、さまざまな社会的地位の人たちがごく自然に混ざり合っていた。対照的に、二〇二五年のブリアナは緊密なコミュニティとの結びつきを失い、没個性的な大衆社会のなかを漂流している。周囲にいるのは見知った顔ではなく、昨日まで知らなかった顔ばかりだ。見知らぬ者同士の関係では、個人を特徴づけるに当たって社会的地位や社会的評価が果たす役割が大きくなる。つまり、緊密なコミュニティの外にいるブリアナは、どういうブランドの服や小物を身につけるかによって評価される面が大きいのである。

## ナルシシズムと自己アピールの時代

なにを所有し、なにを消費するかを基準に人間を格付けする傾向が強まると、もう一つ興味深い現象が生まれる。ナルシシズムが蔓延するのだ。ここで私が言う「ナルシシズム」とは、たえず自己を中心に置く発想や行動のこと。自分がどういう人間かを他人に説明し、自分を宣伝し、自分を安心させ、自分がどう思われているかをしきりに知りたがる傾向が強まるのである。

二〇二五年の人々は、自分の社会的地位に不安を感じているので、謙譲の美徳を実践するより、自己アピールに余念がない。自分のことを昔からよく知ってくれている人たちに囲まれているわけではなく、しかも、あらゆる情報がたちまち世界中に知れ渡る時代に生きていると、あらゆる自己宣伝戦略を駆使して、自分がいかに素晴らしい人間かをアピールし続けなくてはならないのだ。

自分をどう見せるかに頭を悩ませていたのは、昔の人たちも同じだった。アメリカの社会学者アービング・ゴッフマンは一九五九年の著書『行為と演技——日常生活における自己呈示』で、私たちが自分の印象を操作し、自分にふさわしい、そして理想の自分にふさわしいと思われる役割を演じようとする傾向を指摘している。しかしゴッフマンが描いたのは、ほかの人たちとのやり取りを繰り返しながら、時間をかけて少しずつ、自分がどういう人間かを見せていくプロセスだった。[6]

インターネットが登場して、状況は一変した。インターネットの影響は、二〇二五年まで時計の針を早回しにするまでもなく、二〇一〇年前後の世界を見れば一目瞭然だ。一九九五年頃に生まれたZ世代のティーンエージャーが自分をどのように見せようとしているかを見ればいい。次に引用したのは、ある一七歳の女の子——サミーと呼ぶことにしよう——が二〇一〇年にフェイスブックの自分のページに載せたプロフィールの一部だ。

> 好きなものは、タトゥー、MINIの自動車、レッドソックス、iPhone、UGGのブーツ、エクササイズ、カワイイ飲み物、パピルスのグリーティングカード、ジューシークチュールの洋服と小物、セフォラのコスメ、肌を焼くこと、ハドソンのジーンズ、ブリトニー・スピアーズ。
>
> 同じ学校の男子と付き合っていたけど、さんざんだったわ!!! でも、いまはフリーよ。男の子たち、ヨロシクね!

フェイスブックだけではない。サミーは、ブログやツイッター、恋人探しサイトのマッチ・ドットコムにも書き込みをする。もしかすると、ユーチューブにも動画のメッセージを投稿しているかもしれない。

ゴッフマンが本を書いた一九五九年当時、私たちが自分の印象を操作するために取る行動は「役割演技」を繰り返すことだったが、いまや私たちはさまざまなオンラインサービスを通じて、毎日ひっきりなしに、自分に関する情報をまき散らすようになった。その情報を知りたい人だけでなく、関心がない人まで、それを読まされる。親しい友人同士がコーヒーを片手に失恋の痛手を語り合ったのは、過去の話。フェイスブックを通じて、あなたは配偶者や恋人の有無を全世界にアピールしている。ツイッターでは、自分の行動と居場所を逐一公表している。これでもまだ、あなたのことを知り足りないという人のために、あなたはユーチューブを使って、動画の形でメッセージを世界中に拡散できる。

サミーのようにインターネットで世界と結びついている若者は、オンライン上で自分をさらけ出し、自分がどういう人間かを常に全世界に向けて宣伝している。テクノロジーが私たち一人ひとりの露出狂的な側面を引き出したと言えるかもしれない。もはや、オンライン上で公開されない情報などない。どんなに退屈な情報も公開される。あらゆる場面が描写され、あらゆる思いが共有され、あらゆる感情が事細かに分析される。

二〇二五年に時計の針を早回ししてみよう。二〇一〇年にティーンエージャーだったサミーは、三〇歳代半ばになっている。はじめて本格的な管理職のポストに就いたところだ。自己描写の時代の到来は、二〇二五年のサミーの働き方にどのような影響を与えるのか。仕事の世界で自分の印象を管理し、それに対する反響を受け取ることがますます重要になることは間違いないだろう。

数年前、私は研究仲間と共同で、ビジネススクールのＭＢＡ課程で学ぶＹ世代——二〇二五年に企業で指導的立場に就く世代だ――を対象に調査をおこなった[7]。学生たちに自分の仕事とキャリアがどのように変わると思うかを自由に語ってもらい、それを録音した。そのうえで、言葉の選択と使い方を分析し、学生たちがなにを気にしていて、仕事になにを期待しているのかという全容を描き出そうと試みた。

興味深かったのは、仕事に関して学生たちが矛盾する願望をいだいているように見えたことだ。否定的な文脈で最も頻繁に用いられていたのは、「マイクロマネジメント」という言葉だった。学生たちは、上司に細かく指図され、厳しく管理されることへの抵抗感をしきりに口にした。

その半面、最も好ましいニュアンスで用いられた言葉は「フィードバック」だった。上司や同僚や仕事上の知人が自分のことをどう思っているかをもっと知りたいと、学生たちは熱望していたのだ。社会に向けて自分のイメージを構築することが常に求められる時代には、自分のイメージに関してフィードバックを得ることがきわめて重要だからだ。

第3部で述べるように、このような自己意識の時代の到来は、明るい未来につながる可能性も秘めている。私たち一人ひとりが大衆社会のなかの没個性的な一人ではなく、揺るぎない個性の持ち主となり、もっと自分らしく生きるチャンスが生まれるかもしれない。しかしその半面、自己中心主義が広がり、社会的地位に関する不安感が蔓延する暗い未来への道を開くおそれもある。

ところで、フェイスブックでのサミーの自己描写の仕方に関して、なにか気づかないだろうか。そう、モノの名前が延々と列挙されているのだ。MINI、iPhone、UGG、ジューシークチュール、セフォラ、ハドソン――。サミーは、どのブランドの商品を消費しているかを通じて、自分がどういう人間かを印象づけようとしている。フェイスブックの世界では、サミーだけでなく何百万人もの人たちがそういう行動を取っている。

フェイスブックのプロフィール欄の短い文章に、サミーが生きている世界の性格がよく表れている。テクノロジーが進化してこれまでより世界が一つに結びつくようになって、何百万人、ことによると何十億人もの人々に対して自分を印象づけなくてはならなくなった。サミーが生まれた一九九〇年代半ばから十数年の間にグローバル化が一挙に進み、世界中のどこでも名の知れているブランドがいくつも登場した。

改めて、サミーのフェイスブックの書き込みを見てみよう。

好きなものは、タトゥー、MINIの自動車、iPhone、UGGのブーツ、エクササイズ、カワイイ飲み物、パピルスのグリーティングカード、ジューシークチュールの洋服と小物、セフォラのコスメ、肌を焼くこと、ハドソンのジーンズ、ブリトニー・スピアーズ。

さて、ここで質問。サミーは、どこに住んでいるのだろうか。東京？　ムンバイの富裕地区？　ひょっとしてロンドン？　モスクワ？

実は、あなたを惑わすために、私はちょっとズルをした。サミーの書き込みをここで再度引用するに当たって、地理的な手がかりとなる唯一の固有名詞を取り除いたのだ。最初にサミーの書き込みを引用した箇所を見てもらえば明らかなように、本当は「レッドソックス」も好きなものの一つに挙げられていた。つまり、サミーは大リーグのボストン・レッドソックスの地元、アメリカ東海岸のボストンに住んでいる可能性が高い。

しかし、私が言いたいことは伝わっただろう。二〇一〇年の時点ですでに、サミーがフェイスブックに書き込んだような有名ブランドは、自分がどういう人間かを印象づけるための「世界共通通貨」になっているのである。

## 繁栄から締め出される未来を生む要因

未来の暗い側面の一つは、貧しい国だけでなく、先進国でも経済的繁栄から締め出される人が珍しくなくなることだ。そういう事態を生み出す要因はいろいろある。

まず、バブルの形成と崩壊が繰り返され、経済が不安定化する結果、ブリアナの祖父のような大勢の人たちの蓄えが底をつく。それに、高度な専門技能がないブリアナの父親のような人たちが次第に機械やロボットに取って代わられるようになり、きわめて多くの人が職を失う。二〇二五年にブリアナやアンドレが労働市場で競い合う相手は、機械やロボットだけではない。地球の裏側にいる何十億人もの人たちとも競争しなくてはならない。そのうえ、グローバル化にともない、ブリアナやアンドレが暮らしている先進国の経済がますます厳しい状況に置かれ、政府も企業も個人も倹約を余儀なくされる。

とりわけ優秀な人材は次第に出身国を飛び出し、自分と同じような考え方と専門技能・能力の持ち主が集まっていて、豊かな生活を期待できそうな土地に移り住むようになる。その半面、収益性の高い産業が育つ余地がほとんどない地域も出現する。そういう土地にとどまって生きる人たちは、高給の職に就けるチャンスがきわめて限られる。人生の選択肢は乏しく、未来への明るい見通しもほとんどいだけない。

苦しい生活をしいられる高齢者も増えるだろう。景気のよかった時代に老後の生活資金を十分に蓄えた人もいるかもしれないが、多くの人は蓄えが足りず、六〇歳代半ば以降も引退生活に入れない。しかも、生計を立てるために働き続けようにも、いい仕事は簡単に見つからないだろう。また、自然災害などの環境上の惨事がますます頻繁に起きるようになり、そのような惨事にたびたび見舞われる地域が経済的な繁栄から取り残される可能性も高い。

## バブルの形成と崩壊――グローバル化の要因

未来の世界で多くの人が困窮した生活をしいられる主たる要因の一つとしては、バブルの形成と崩壊が繰り返されることが挙げられる。経済が不安定化すれば、人々の貯蓄が消し飛びかねないからだ。とりわけ、世界が結びつきを強めると、小さなバブルや相場暴落が瞬時にして世界中に「感染」し、世界規模のバブル拡大や相場大暴落を招く場合がある。

二〇一〇年五月六日、ニューヨーク証券取引所の平均株価が午後一時〇〇分から一時一五分の間に六ポイントも下落した。原因については、さまざまな説が唱えられている。いわゆる「ファットフィンガー（太い指）症候群」に原因を求める説もある。トレーダーの指が太く、キーボード入力の際に隣のキーを押してしまうなどの誤入力により、なんらかの発注ミスが起きたというのである。最初の原因はともかく、大量の売り注文の影響を爆発的に拡大させたのは、株式の自動売買システムだったようだ。オンラインネットワークに結びついた世界中の無数のコンピュータに株式の自動売買システムが組み込まれていて、株価が一定額まで下がると同時に売り注文を出すように設定されている。そのシステムが作動して売りが売りを呼ぶ展開になり、みるみるうちに株価が大幅に下落した可能性が高い。

言うまでもなく、バブルの形成と崩壊は、最近になって生まれた現象ではない。一七世紀のオランダで起きたチューリップ・バブル以来、投資の世界では、いとも簡単に狂乱が理性をわきに押しやってきた。しかし近年は、テクノロジーの進化とグローバル化の進展により世界の一体化が進んだ結果、ローカルなバブルや相場暴落の衝撃波がその地域にとどまらず、一瞬のうちに全世界に波及するようになった。

二〇〇一年一二月二日、アメリカのエネルギー大手エンロンが連邦破産法第一一条の適用を申請した。資産総額六二〇億ドルに達していた巨大企業の破綻は、当時史上最大の企業破綻だった。これをきっかけに株式相場が急落し、アメリカとイギリスの株価は二〇〇一年の最高値に比べて半分の水準まで落ち込んだ。これで、株式相場のバブルに終止符が打たれた。同様のパターンは、二〇〇八年九月にアメリカの投資銀行リーマン・ブラザーズが破綻して、巨大な不動産バブルが終焉を迎えたときにも繰り返された。

世界規模で規制がもっと強化されれば、経済環境が平穏になり、好況と不況の波が葬り去られると予測する人たちもいる。しかし、いくら規制を強化しても問題は解決しないと考える経済学者もいる。アメリカの経済学者ジョージ・アカロフとロバート・シラーの著書『アニマルスピリット』によれば、バブルを生み出し、それを崩壊させるのは、経済的合理性に基づいた判断ではなく、希望、願望、感情、意図などの人間の心理――この二人の経済学者はそれを「アニマルスピリット」と呼ぶ――だという。[8]

この点は二〇〇八年以降の世界金融危機で浮き彫りになったと、アカロフとシラーは指摘する。好況のとき、私たちは浮かれ気分に浸って、根拠のない楽観と自信過剰に陥る傾向がある。実際、二〇〇八年までアメリカの不動産相場が右肩上がりで上昇し続けたとき、人々は経済の先行きと自分の返済能力を過信して借金を重ね、空前の規模の債務を積み上げた。しかし、バブルが崩壊して不況に突入すると、人々は打って変わって過度に自信を失い、株式市場が急激に冷え込んだ。

景気が上向くと、私たちはえてしてお祭り気分のなかで自信満々になり、そのうえ、他人の成功物語を聞いて、ますます楽観的になる。こうして大勢の人が自信を膨張させると、楽観的な空気がマーケットを支配し、過剰な投機が幅を利かせはじめる。一九九〇年代後半のドットコム・バブルもそうだったし、二〇〇〇年代前半の不動産バブルや二〇〇〇年代後半の資源バブルもそうだった。社会が自信過剰ムードに包まれると、現実離れした儲け話を鵜呑みにして投資詐欺にだまされる人が現れる。二〇〇八年に破綻したバーナード・マドフ元ナスダック会長のネズミ講は、強欲と軽はずみな自信と犯罪行為が混ざり合った結果、史上最大級の投資詐欺事件に発展した。

アニマルスピリットが生み出す逸脱行為は、景気悪化のプロセスでしばしば大きな役割を果たしてきた。アカロフとシラーによれば、近年のアメリカで起きた景気後退にはことごとく、経済スキャンダルが関係していた。一九九〇年七月から一九九一年三月にかけての景気後退は、ジャンクボンド（投資不適格債）への投資にのめり込んだ貯蓄貸付組合（S&L）の相次ぐ破綻と、「ジャンクボンドの帝王」こと大物投資銀行家マイケル・ミルケンのインサイダー取引容疑などによる逮捕・訴追がきっかけだった。

二〇〇一年三～一一月の景気後退は、不正会計スキャンダルを起こしたエンロンの破綻が一因と言われている。二〇〇七年一二月に始まった景気後退は、リスクの大きなサブプライムローン（信用度の低い個人向けの住宅ローン）への過剰な投資に牽引されていた住宅バブルが崩壊したことが導火線の一つになった。そして、住宅バブル崩壊の直撃を受けて二〇〇八年九月に大手投資銀行のリーマン・ブラザーズが破綻し、世界規模の金融危機の引き金が引かれた。

私たちはときとして、ほかの人から聞かされる「物語」のとりこになる[9]。新しいことを学び、知識や情報を交換するうえで、それが不可欠な場合も多い。しかし、それが好ましい結果に結びつく場合ばかりではない。一九九〇年代半ばから二〇〇〇年にかけての株式のバブル相場を生み出した一因は、インターネットという大いなる可能性に関する「物語」が人々をとりこにしたことだった[10]。精神を鼓舞されるエピソードや、新しいビジネスに関する威勢のいいニュース、ほかの人たちが大儲けした成功談を聞けば、私たちは過度に強気になりやすい。その半面、ビジネスや投資に失敗して無一文になったり、詐欺に引っかかって大金を巻き上げられたりした人の体験談や、株式市場の大暴落の物語は、記憶に長く残らない。記憶はたちまち薄らいで、やがて消え去ってしまう。

このような人間の性質を考えると、二〇二五年以降の世界でもバブルの形成と崩壊は繰り返されるだろう。一八九〇年代の不況や一九三〇年代の世界恐慌に匹敵する深刻な不況が再び訪れる可能性もある。興奮状態のなかで、自信過剰と、詐欺などの逸脱行為、そして強力な「物語」が組み合わされれば、いつ同じことが起きてもおかしくない。

アカロフとシラーはこう書いている。

こうした過去の出来事を生んだ根本的原因は、多くの場合、人間の性質である。人間のそのような性質は、いまも昔と変わらず猛威を振るい続けている。私たちは今日も不公正に対して神経をとがらせ、不正の誘惑に負けやすく、他人の悪行が明るみに出ると不快に感じ、インフレに惑わされがちで、合理的な思考より根拠薄弱な物語に振り回されている。二度の恐慌のような現象は、けっして過去のものではないのである。

二〇〇八年以降の経済危機では、問題が世界の広い地域に波及した。陶酔的な自信過剰と根拠薄弱な物語がアメリカのカリフォルニア州など、先進国の一部の地域でバブルをつくり出し、それがサブプライムローン危機につながり、さらには世界経済全体にはなはだしい打撃を及ぼした。急速にグローバル化が進んで、世界がますます一つに結びつくようになった結果、このような現象が起きるようになった。この点を踏まえると、働き方の未来を考えるに当たっては、経済的不安定に見舞われる可能性を計算に入れる必要がある。

## テクノロジーによる雇用喪失――テクノロジーの要因

未来の世界で人々が繁栄から締め出される原因としては、テクノロジーが仕事の世界に及ぼす影響も見落とせない。二〇二五年の世界では、機械が仕事のあり方を大きく変えているだろう。

ブリアナの父フランクがデトロイトの自動車工場の職を失う原因の一つは、最も原始的なタイプのものとはいえ、工場にロボットが導入されることだ。フランクは父親と同じく、学校を卒業するとすぐに、デトロイトの自動車工場の組み立てラインの職に就いた。父親が塗装工だった影響で、フランクも同じ仕事に興味をもったのだ。問題は、工場を取り巻く環境が父親の時代とは変わりはじめたことだ。二〇〇三年にはすでに、日本で開発されたロボットによる組み立て技術がデトロイトの工場でも導入されつつあった。

その昔、フランクの父親のような半熟練工には、工場の組み立てラインの雇用がほぼ約束されていた。しかし、フランクが見習い期間を終えて独り立ちして数年もしないうちに、その工場の組み立てラインの仕事のかなりの部分が二〇台の高性能ロボットアームに取って代わられてしまう。それから一〇年ほどの間に、組み立てラインの仕事が次々とロボットに奪われていく。それと並行して、自動車生産の中心がアジアの途上国に移ることも手伝って、フランクをはじめとする多くの工場労働者がフルタイムの職に就けなくなる。

二〇二五年、ブリアナの周囲にはいたるところにロボットの姿がある。秋になれば、アメリカ中西部の広大な畑で農作業ロボットがバイオ燃料用のトウモロコシの収穫作業に活躍する。インドの脳外科医ローハンの仕事の現場にも、ロボットが入り込んでいる。ローハンが難しい手術に専念できるのは、ロボットが簡単な手術を引き受けてくれるおかげだ。高齢者の介護もロボットがおこなうようになる。ロンドンのジルの母親は、家にロボットを置いていて、心拍数のチェックと簡単な身の回りの世話をさせている。高度な専門技能を必要としない単純労働に就いていた人たちは、ロボットや賃金の安い国の労働者に職をどんどん奪われていく。

興味深いのは、アメリカやドイツなど、テクノロジーの導入が早く進んでいる国々の状況だ。これらの国では、単純な繰り返し作業はコンピュータに取って代わられはじめたが、イノベーションや問題解決が必要とされる複雑な仕事はまだ人間が担い続けている。このような分野では、テクノロジーが人間の技能と経験を補完する役割を果たしているのである。[11] テクノロジーが発達する世界で職を見つけられるためには、高いレベルの専門技能が必要なのだ。

## 新興国の台頭——グローバル化の要因

新興国が台頭するにともない、世界の消費者の選択肢は拡大し続けている。テクノロジーが進化し、グローバル化が進んだおかげで、コンピュータの操作一つで膨大な種類の商品やサービスの質と価格を比較し、自分の好みのものを選んで買うことが当たり前になった。アメリカの経済学者ロバート・ライシュが著書『勝者の代償』で指摘したように、「人類史上、これほど多くの人がこれほど多くのものに容易にアクセスできた時代はなかった」[12]。それを「素晴らしい取引」の時代と、ライシュは表現する。消費者がもっと好ましい商品やサービスを簡単に見つけ、すぐに乗り換えられるという意味だ。

消費者の行動の変化は、すでに経済のあり方に大きな影響を及ぼしはじめている。市場で生き残るために、企業は商品やサービスの質をたえず改善し、コストを徹底して削減し、新たな企業買収の機会に抜け目なく目を光らせ、休みなくイノベーションを推し進めて、市場に送り出す商品やサービスを刷新し続けなくてはならなくなった。その努力をおこたれば、消費者はあっさりほかの企業やブランドに乗り換えてしまう。

このような時代が訪れたことは、働き方の未来に対してきわめて重い意味をもつ。ライシュはこう書いている。「買い手が商品の乗り換えをしやすくなれば、売り手としては、一人たりとも消費者を逃さず、一社たりとも顧客企業を手放さず、あらゆるチャンスをモノにし、すべてのきっかけを売り上げに結びつけるために、これまでに輪をかけて目の色を変えなくてはならなくなる。私たちはますます慌ただしい生活を送る羽目になる」

ビジネスの世界で競争が激化する結果、雇用は新興国など、賃金の安い地域にますます流出する。私たちは、地球の裏側にいる無数の人々と仕事を奪い合うようになるのだ。新興国の急激な成長は一九九〇年代半ばに始まったが、この現象は今後さらに加速する可能性が高い。エコノミスト誌のエイドリアン・ウルドリッジは、その理由を四つ挙げている。[13]第一に、新興国の企業は資本市場で資金調達がしやすくなり、これまで先進国企業の独壇場だった大型企業買収が可能になる。第二に、新興国は人口が多く、国内に消費者と労働者を潤沢に抱えている。第三に、新興国の企業は大量生産を得意とし、新しい市場を拡大していく可能性が高い。第四に、先進国の超優良企業のなかに、すでに新興国にイノベーションと成長の源泉を求める動きが見えはじめている。[14]

もう一つ注目すべきなのは、二〇一〇年前後に先進国を苦しめている景気後退が働き方の未来に影響を及ぼす可能性があることだ。消費者と企業、政府が財布のヒモを締める傾向は、向こう数十年にわたり、多くの先進国の経済を特徴づける要素になるだろう。二〇〇八年以降の世界金融危機が浮き彫りにしたのは、先進国の消費者と政府がそれまで一〇年間、過剰な借金をして身の丈以上に金を使ってきたという事実だ。アメリカの世帯債務の総額は、一九九〇年代半ばにはＧＤＰ（国内総生産）の六五％相当だったが、二〇〇九年には九五％にはね上がっている。平均的な中国人が所得の二〇％以上を貯蓄しているのとは対照的だ。

　フィナンシャル・タイムズ紙のマーティン・ウルフは、この状況をイソップ童話の「アリとキリギリス」の物語になぞらえた[15]。言うまでもなく、ウルフの見立てによれば、中国人やドイツ人、日本人がまじめに働いて、冬に備えてエサを蓄えたアリであり、アメリカ人と多くのヨーロッパの国の人々が夏の間ずっと能天気に遊びほうけ、散財をし続けたキリギリスである。このお話でアリとキリギリスにどういう運命が待っているかは、説明するまでもないだろう。

　明らかになりはじめたのは、先進国で大散財の時代が終わり、大倹約の時代がやって来るということだ。各国政府は財政支出を減らすための措置を導入しはじめているし、消費者も失業と資産減少を恐れて、これまでより安い商品やサービスに乗り換えるなど、支出を減らす傾向が目立つようになった。政府や消費者が支出を減らせば、景気が冷え込み、ますます緊縮財政と倹約が必要になるかもしれない。このような未来の一端は、すでに垣間見えている。ヨーロッパの国々、とりわけ南ヨーロッパの多くの国は、政府支出の大幅削減を避けて通れなくなっている。

## 新しいグローバルな貧困層の出現――グローバル化の要因

未来の世界では、これまでの先進国と途上国の色分けとは関係なく、世界のあらゆる地域に貧困層が出現する。引く手あまたの人材が続々と一部の地域に引き寄せられる半面、グローバルな人材市場に加わる専門技能や能力のない人たちは、経済成長から取り残された土地に縛られる。

一体化が進んだ世界では、ごく一握りの地域が世界経済の牽引役になる。高い能力をもった人材が世界全体に均等に散らばるのではなく、一部の土地に集中する傾向が強まるからだ。トロント大学のリチャード・フロリダは著書『クリエイティブ都市論』で、そういう世界を「デコボコな世界」と呼んでいる。[16] ジャーナリストのトーマス・フリードマンは著書『フラット化する世界』で、世界がフラット（平坦）になりつつあると主張したが、むしろ世界はデコボコになっていくと、フロリダは考えている。「デコボコな世界」は、クリエイティブ・クラスター（創造的人材の集積地）、巨大生産拠点、メガシティ（巨大都市）、地方部の四つのタイプの地域に分かれるという。

クリエイティブ・クラスターには、創造性の高い優秀な人材が移り住んでくる。[17] エンジニアリングにせよ、バイオテクノロジーにせよ、その他のテクノロジーにせよ、高度な専門技能と才能をもつ人材は、自分と似たような志向や能力をもつ人たちと寄り集まって生活するようになる。自然が美しい土地や気候が快適な土地が好まれる可能性もある。そういう土地には、創造的な人材の生活のニーズを満たし、わがままにこたえる仕事に就く人たちも集まってくる。マッサージ師、美容師、料理人、旅行代理業者、コーチ、教師、小売業者などである。

巨大生産拠点とは、既存のイノベーションや創造的アイデアを活用して、モノやサービスを生み出す土地のことだ。メキシコのグアダラハラやティフアナ、上海、フィリピンなどは、新たな巨大生産拠点として台頭しはじめている（シンガポールや台北などは、既存のイノベーションを利用するだけで満足せず、イノベーションを生み出す力を急速に強めつつある）。このような地域で個人が成功できるかどうかは、その土地が成長の過程にあるのか、衰退の過程にあるのかによって大きく変わってくる。アメリカでは、巨大生産拠点の多くが衰退過程にある。二〇〇七年一二月〜二〇〇八年一一月の一年間に、アメリカではブルーカラー労働者の雇用が一八〇万以上減った。二〇〇九年、製造業の失業率は一六％、建設業の失業率は一九％に達している。[18]

世界の巨大製造拠点がアジアの途上国に移るにつれて、先進国では製造業部門の半熟練レベルの雇用が何百万も失われた。ブリアナの生まれた町であるデトロイトは、その打撃をもろに受けた。二〇〇九年、デトロイトの成人の人口のうち大学卒業者はわずか一〇％。人口の三〇％は、フードスタンプ（低所得者向け食料品購入費補助制度）を受給している。自動車産業に頼りきりで、変化への敏捷な適応力に欠ける成長モデルがデトロイトの足を引っ張っている。[19] アメリカのほかの都市も事情は似たり寄ったりだ。近年のアメリカ政府の持ち家奨励政策のもと、多くの人がマイホームをもつようになった結果、家を売るに売れず、ほかの土地に移住できない人が増えたことも悪材料として作用している。

メガシティには、膨大な人口が集中しているが、住民すべての生活を支えるのに十分な規模の経済活動が存在しない。その結果、こうした巨大都市の多くに、成長を続けるグローバル経済から切り離される一方のスラム地区が出現しはじめている。ムンバイやカイロ、リオデジャネイロの貧困地区はその典型だ。今後、メガシティはますます厳しい状況に陥り、さらに人口が過密になり、物価が高くなる。メガシティがうまく機能するようになるためには、輸送・交通技術と環境技術を目覚ましく進歩させる以外にない。そういう方向を目指す取り組みは、すでに一部で動き出している。たとえば、中東のアブダビで建設中のマスダール・シティは、最先端のテクノロジーを導入して、温室効果ガス排出のきわめて少ないエコ都市を築こうとしている。

リチャード・フロリダが描く未来の世界では、才能と専門技能に恵まれている人たちが出身地を離れて、クリエイティブ・クラスターや成長途上にある巨大生産拠点に移り住む一方で、この数十年に鉄鋼産業や自動車産業を襲ったような過酷な競争と淘汰の時代が世界中のメガシティに訪れる。先進国の都市の多くが大きな打撃をこうむるだろう。

フロリダは次のように書いている。

オハイオ州クリーブランドやペンシルベニア州ピッツバーグのような都市は、二つのタイプの地域圏の間に挟まれて、次第に苦境に追い込まれる。ビジネスの中枢機能は、シカゴのような大規模な都市圏に吸い取られ、製造業は上海のような土地に移っていくのだ。テキサス州オースティンやノースカロライナ州のリサーチ・トライアングル地区など、ハイテク産業に支えられている都市圏は、アメリカのシリコンバレーだけでなく、インドのバンガロールやアイルランドのダブリン、イスラエルのテルアビブなどの新興勢力とも競い合わなくてはならない。未来の世界経済は、これまでより少数の巨大地域圏と、特定分野に専門特化した小規模な地区を中心に動くようになる。その一方で、ますます多くの地域が経済的に苦しむようになり、競争に踏みとどまることもおぼつかなくなる。

フロリダはアメリカを例に説明しているが、あなたの暮らす国や地域にどういう変化が起きそうかを考えてみてほしい。イギリスのニューカッスルやリバプールに、ドイツのドルトムントやドレスデンに、フランスのマルセイユやパリ北部郊外に、どういう未来が待っているだろうか。

メガシティの下層階級は、次第に都市の周辺にスラム地区を形づくるようになる。二〇二〇年までに、世界の一五億人がスラム地区で暮らすようになると予測されている。[20] このうち、四億人がアフリカ、八億五〇〇〇万人近くがアジアの住民だ。[21]

その昔、都市とその郊外や後背地の間には、有意義な結びつきが長期にわたり継続的に存在していた。二〇世紀前半には、都市の周辺地域は、都市に労働力を供給し、消費市場を提供するという重要な役割を果たしていた。両地域の間をモノと人が活発に行き来して社会的なネットワークが形成され、都市はますます過密になり、周辺地域はますます拡大していった。

しかしメガシティが生まれると、周辺地域は都市と結びつきを失い、スラム化していく。スラム地区は「人間があり余る」ばかりで、その土地ならではの特色や個性をもたず、極度の貧困に陥り、進むべき方向を見いだせなくなる。[22] この傾向を加速させるのが都市化の大々的な進行だ。膨大な数の人々が出身地を離れて、もっとよい生活が待っていると思って都会に出てくる。しかし、今日のムンバイやヨハネスブルク周辺のスラム地区を見れば明らかなように、そうした期待が満たされることはほとんどない。

二〇二五年の世界に出現する第四のタイプの地域は、広大な地方部と遠隔地だ。人口密度がきわめて低く、経済活動の集積がほとんどなく、グローバル経済との結びつきが非常に弱い地域である。このような地域にもグローバルな下層階級が形成される。

地方部の人々がどのような経済的境遇に置かれるかは、テクノロジーをどの程度利用できるかによって決まる面もある。その意味で、いまウルグアイやルワンダで実施されているような、子どもにコンピュータを配布する取り組みが功を奏すれば、その土地の若者たちにグローバルな人材市場に加わるチャンスを提供できるかもしれない──本人にそれだけの意欲と知性があれば、の話だが。

もっとも、グローバルな人材市場で活躍できる資質をある程度身につけた人たちが実際に取る行動はさまざまだろう。一つには、生まれ故郷にとどまったまま、バーチャルな人材市場に加わるという選択肢がある。たとえば、業務発注者とフリーランスを結ぶ「オー・デスク」のような求人・求職サイトを利用して、IT関連の仕事をする人もいるかもしれない。しかし、専門技能に磨きをかけ、それまでより高い収入を得るために、自分の専門技能への需要があるクリエイティブ・クラスターやメガシティや巨大生産拠点に移住するという選択肢もある（労働者の国際移動を妨げる障壁があれば、この可能性は閉ざされてしまうが）。いずれにせよ、教育を受けられない子どもたちがグローバルな人材市場から締め出されることに変わりはない。

都市と地方の格差は、多くの途上国で深刻な問題になっている。とくにアフリカとラテンアメリカでは、国内の所得格差が開発の大きな障害となっている。都市の貧困が緩和されはじめても、地方は取り残されたままの場合が多い。たとえば二〇〇五年、アフリカのガーナでは、首都アクラの住民の貧困率が二%なのに対し、地方のサバンナ地帯の貧困率はなんと七〇%に達している。ガーナの経済成長の恩恵は、国内で均等に配分されていないのである。[23]

国内に大きな格差が存在することの弊害は見過ごせない。格差が深刻な社会では、都市の住民がいかに裕福になったとしても、平等な社会に比べて経済発展が実現しづらく、政治が不安定化し、社会システムの効率性がそこなわれやすいうえに、子どもの死亡率が高く、教育水準が低く、平均余命が短い傾向がある。[24]

## ベビーブーム世代の貧しい老後——人口構成の要因

未来には、世界中で人々の寿命が延び、生産的な活動に携わる高齢者が増える。二〇二五年には、六五歳以上の人が世界の人口の一〇%を占めるようになる。二〇歳未満の若者と六五歳以上の高齢者の人口比は、一九九五年には一〇〇対一六だったが、二〇二五年には一〇〇対三一になる見通しだ。世界の平均余命も、一九九五年の六五歳から二〇二五年には七三歳に延びる。国民の平均余命が五〇歳に満たない国は存在しなくなるだろう。[25]

七五歳をはるかに超えても健康を保っていて、働き続けたい人も多くなるはずだ。[26] 知的な刺激を得るため、健康な肉体を保つため、人とのつながりを絶やさないために働きたい人もいるだろう。意義のあることに時間を使うために仕事を続けたい人もいるに違いない。[27] しかし現実には、生活資金を得るために働かざるをえない六〇歳以上の人がきわめて多いはずだ。

二〇二五年までに、アメリカと多くのヨーロッパ諸国、日本では、ベビーブーム世代の大半が一線を退く。[28]この世代以降は、年金だけでは老後の生活を支えられない人が増えるだろう。

一九五〇年代に現在の企業年金の仕組みが設計された当時に想定されていたのは、二〇歳で就職し、同じ会社でずっと働き続け、六五歳で退職し、五年か、長くてもせいぜい一〇年間の引退生活を送って七〇～七五歳で死ぬという人生だった。このシナリオどおりであれば、勤務先の会社の企業年金制度を利用して四五年間にわたり継続して年金を拠出し続けたのち、一〇年間だけ給付を受けることになる。しかも、一九五〇～二〇〇〇年は経済環境が比較的安定していたので、年金の拠出金を運用すれば、先進国では年四%程度の利回りでお金が増えることが期待できた。[29]

未来の世界では、こうした前提が崩れる。なにより、一つの企業で生涯勤め上げる人が減る。そもそも、同じ会社に五年以上勤める人が珍しくなるだろう。そうなれば、勤務先の会社の企業年金制度を利用して継続的に年金拠出を続ける人も減る可能性が高い。それに、せっかくコツコツと年金を蓄えても、好景気と不景気の波にもまれて運用損を出し、資金が大きく減りかねない。

将来、引退生活に入ったベビーブーム世代と、その老後を経済面で支える羽目になるX世代・Y世代との間に、深刻な摩擦が生まれると予測する論者もいる。『ピンチ――ベビーブーム世代はいかにして子どもたちの未来を奪ったか、そして、いかにしてその未来を返還すればいいのか』と題した著書を二〇一〇年に著したイギリスの保守党政治家のデービッド・ウィレッツはその一人だ。[30]ベビーブーム世代がすべて老後の生活に入る二〇三〇年に、イギリスに重大な窮地（ピンチ）が訪れると、ウィレッツは考えている。

この本の論調は、ベビーブーム世代に厳しい。ウィレッツによれば、ベビーブーム世代は先進国の歴史上最も甘やかされている世代であり、倹約家の親世代が遺した財産を食いつぶした挙げ句、子どもたちの世代にはほとんどなにも遺すつもりがなさそうに見える、というのである。実際、ベビーブーム世代は持ち家を担保に入れて借金をし、レジャーや自動車購入に散財してきた。対照的に、それより若い世代は、大学の学費負担にあえぎ、莫大な負債に苦しんでいる。仕事を見つけるのは難しく、マイホームを段階的に大きな家に買い替えていくことはそれに輪をかけて難しい。老後のために年金を積み立てることなど、とうてい無理だ。

未来の世界で大きな問題になるのは、六五歳以上の人がどの程度働いて収入を得られるのかという点だ。高齢者を労働力として受け入れることに、企業は腰が引けている。一八八一年にドイツの宰相ビスマルクが六五歳定年制をはじめて導入した当時、平均寿命は四三歳だった。先進国で暮らす人のほとんどがその二倍近くの年齢まで生きるようになったが、それに応じて定年年齢を見直している国はほとんどなく、その結果、高齢者は一〇年前後の労働機会を奪われている。しかし、経済的な現実を前に政治が動かざるをえなくなるのは時間の問題だろう[31]。事実、イギリスでは二〇一一年の法改正により、企業が六五歳定年制を無条件に採用することが許されなくなった。

では将来、六五歳以上の人たちはどういう職に就くのか。多くの先進国では、政府の規模が縮小されて、ボランティア団体や非営利組織の役割が拡大する。そうした組織で雇用されて、公的機関と協力しながら地域コミュニティの再生や社会奉仕活動に携わる高齢者も増えるだろう[32]。もちろん、これは選択肢の一つにすぎない。ほかにもさまざまな可能性がある。いずれにせよ、人口統計上の趨勢からはっきり言えるのは、二〇二五年の世界では六五歳以上の人口がかつてなく増え、この年齢層がますます働き続けようとするということだ。

## 環境上の惨事による打撃――エネルギー・環境問題の要因

産業革命以降、化石燃料に依存するエネルギーの枠組みを採用してきた結果、地球の大気中に蓄積されている二酸化炭素の量は約四〇％増えた。世界の多くの地域はいまも化石燃料に経済を依存しており、世界の二酸化炭素排出量は年間約八〇％のペースで増え続けている。いまや大気中の二酸化炭素蓄積量は、過去六五万年の自然な変動幅の上限をはるかに上回っている。[33] 二酸化炭素の蓄積の量は、地球の歴史を通じて氷河の形成と溶解のサイクルにともなって大きく増減してきたが、化石燃料を生産活動のエネルギーとして用いはじめて以降、増加のペースが不自然に加速し、地球環境が耐えられる限界を踏み越えつつある。

二〇世紀の一〇〇年間で、地球の平均気温は〇・六度上昇した。一世紀で〇・六度という変動幅は、最近の一〇の世紀のなかで最も大きい。地球の温暖化にともない、一九五〇～九〇年の間に、自然災害など気象関連の原因による経済損失は一〇倍に拡大した。[34]

二〇〇七年、気候変動に関する政府間パネル（ＩＰＣＣ）がこの問題に関して現在の科学界の最も権威ある見解を報告書にまとめた。それによると、すでに地球上の多くの生態系が変容しはじめているという。環境上の重圧に反応して生物学的システムに変化が起きたり、海水面が上昇したり、風の吹き方が変わったり、熱波と旱魃《かんばつ》の頻度が高まったりしている。[35] ＩＰＣＣによれば、温暖化とそれが環境に及ぼす打撃が原因で、人間の健康にも悪影響が及びはじめている。高温にまつわる要因で命を落とす人が増えたり、感染症の流行が拡大したりするなどの影響が見られるという。

石油、石炭、天然ガスへの依存から脱却するための対策を世界がいっさい講じなければ、二一世紀には〇・六度の気温上昇どころではない事態が現実になるだろうと、ＩＰＣＣをはじめとする多くの団体や機関が警鐘を鳴らしている。ＩＰＣＣの報告書によれば、二一〇〇年までに地球の平均気温は、最も控えめな予測でも一・八度、悲観的な予測では四・〇度上昇する見通しだという。〇・六度の気温上昇で早くも大きなダメージが生じていることを考えると、平均気温の上昇幅が一・八度にとどまったとしても悪影響は計り知れない。アマゾンの熱帯雨林のかなりの部分が旱魃や山火事で失われ、主要穀物の収穫高がことごとく落ち込むおそれがある。世界の人口の三分の二以上が水不足に苦しめられ、海水面上昇により何百万人もの人々が住居を追われる可能性がある。[36]

水不足は、途上国の一部ですでに深刻な緊張を生み出している。二〇〇〇年には、南米ボリビアのコチャバンバで市営水道が民営化されて、水道料金が多くの住民にとって支払い不能なレベルまで引き上げられたことをきっかけに、激しい抗議運動が起きた。[37] 生活水準に関する人々の期待が高まる半面で、人口が増加し、しかも地球温暖化により旱魃が増えた結果、石油だけでなく水も需要に供給が追いつかなくなりはじめている。

二〇世紀に、世界の総取水量は大幅に増加した。農業用水の年間総取水量は、一九〇〇年には約五五〇立方キロだったが、二〇〇〇年には約二六〇〇立方キロにふくらんだ。この数字は、二〇三〇年には少なく見積もっても三三〇〇立方キロまで増加すると試算されている。[38] その二〇三〇年には、インドのほとんどの河川が深刻な水量不足に陥ると予測されており、中国では三億人が安全な飲用水を得られなくなるおそれがあり、南アフリカも降雨不足により重大な打撃を受ける可能性がある。[39] このような環境上の惨事により、きわめて多くの人がグローバルな下層階級に仲間入りすると予想される。

## 暗い未来を抜け出す道はあるのか？

これまでの三つの章では、五人の未来ストーリーを通じて、二〇二五年の職業生活の暗い側面について見てきた。ジルはいつも時間に追われていて、腰を据えて高度な専門技能を学ぶことができない。ローハンとアモンは、気楽な仲間関係や家族との密接な結びつきを得られず、孤独な生活を送っている。ブリアナとアンドレは、グローバルな人材市場に加われず、先進国の住人でありながら新たなグローバル下層階級の一員になっている。

これらのストーリーは、突飛な空想ではない。私たちの働き方の未来を形づくる五つの要因がマイナスの方向に作用した場合に導き出されるシナリオだ。テクノロジーがさらに進化すれば、暗い側面をいくらか和らげられるかもしれない。人工知能アシスタントの性能がもっと向上した場合、せわしなく仕事に追われ続ける日々に終止符を打てる可能性もある。超高性能の人工知能アシスタントが登場すれば、大量のデータに圧倒されずに、データを咀嚼できるようになるだろう。

しかし、どんなにテクノロジーが発達しても解消されない問題がある。孤独を味わう人が増えることは避けられないと、私には思える。私たちが消費するブランドを通じて自分を表現し続ければ、大量消費より上質な経験を重んじる生き方への移行もなかなか進まないだろう。

暗い未来を避けるために、私たちが取れる行動はあるのか？　暗い側面を和らげる方法を子どもや友達にアドバイスするとして、それと引き換えになにを諦めるよう伝えるべきか？　どういう能力を習得することが有益なのか？

暗い未来のシナリオを書き換えるためには、さまざまなことを試し、対抗策を取ること、そして厳しい選択をおこない、新しい能力を身につけることが不可欠だ。暗い未来を避けるために必要とされる変化の多くは、個人単位では実行できないように思えるかもしれない。しかし第3部で論じるように、世界が一つに結びつく時代には、それまでの時代にはありえなかったような形で世界の人々が共同行動を取る道が開ける。未来の世界で成功を収めるうえでは、そういう共同行動が非常に重要だと私は考えている。この点は、第4部で論じる〈第二のシフト〉のテーマである。

それに輪をかけて重要なのは、未来に価値をもつ専門技能と能力を見極めて、それを身につけ、しかも、新たに価値をもちはじめた専門分野に次々と「脱皮」していく心構えをもつことだ。この点は、本書の〈第一のシフト〉のテーマである。しかし、本章で検討した未来ストーリーから読み取れるメッセージがもう一つある。環境に及ぼすダメージを最小限に抑え、人生の満足感と幸福感を最大限に高めるためにどうすべきか、という点である。この課題を成し遂げるために必要なのは、ひたすら消費を追求する人生から脱却し、創造的になにかを生み出す人生に転換すること。これが本書の〈第三のシフト〉のテーマである。

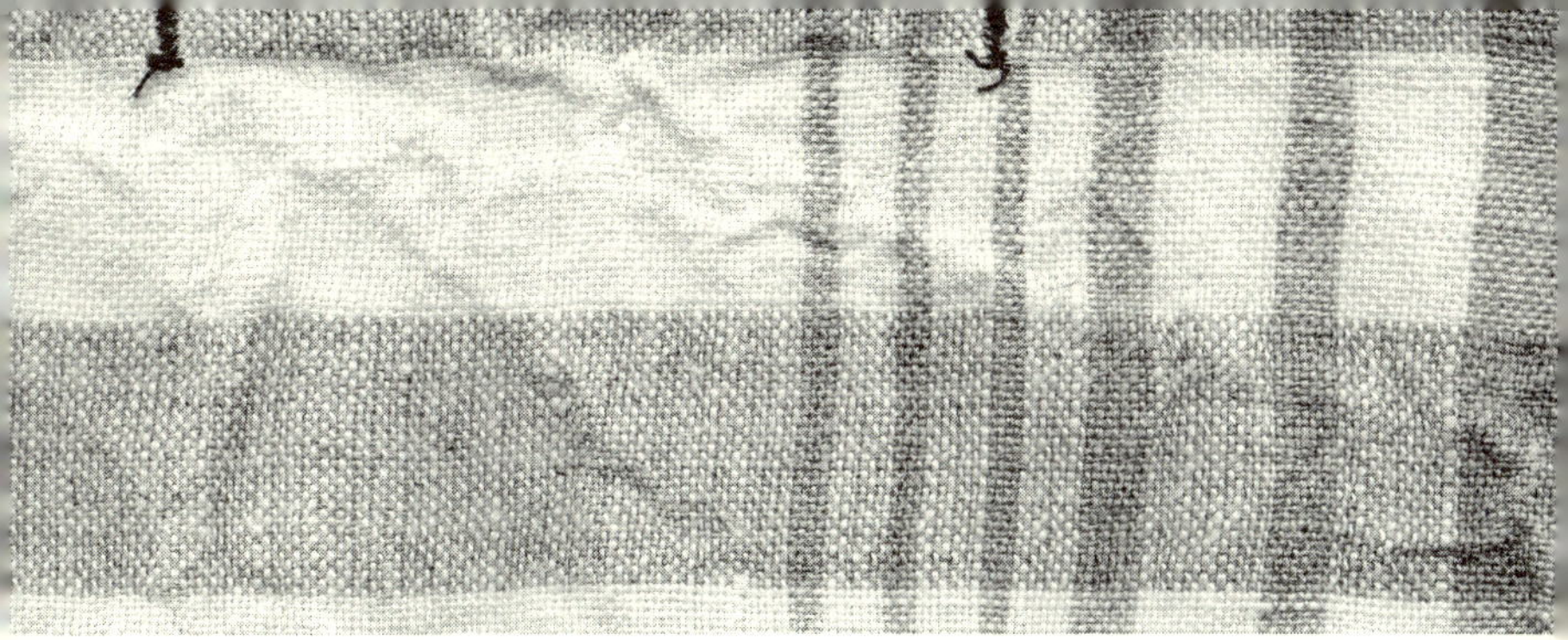

The Shift

The Future of Work Is
Already Here

第3部

# 「主体的に築く未来」の明るい日々

私たちの働き方の未来を形づくる五つの要因はすべて、暗い未来を生み出す可能性がある半面、明るい未来を生み出す可能性も秘めている。

暗い未来のシナリオが実現すれば、テクノロジーの進化にともない、私たちはいつも時間に追われ続け、バーチャル化が加速する結果、多くの人が深刻な孤独を味わうようになる。そのうえ、グローバル化の影響により、いわゆる勝ち組と負け組の格差が拡大し、グローバルな下層階級が新たに出現する。ベビーブーム世代が大量消費時代の最後の乱痴気騒ぎを繰り広げ、Z世代がそのツケを払わされる。家族の結びつきが弱まり、消費するブランドを通じて個人の評価が決まる傾向に拍車がかかり、大企業や政府に対する信頼感がむしばまれ、先進国では人々が幸せを感じにくくなる。地球の気温がさらに高くなり、海水面が上昇し、乏しい資源の争奪戦が激化する。

しかし、ピンチは常にチャンスと表裏一体の関係にある。第2部で紹介した「漫然と迎える未来」のストーリーは、五つの要因の最も暗い側面が現実になった場合を想定したものだ。働き方の未来を形づくる五つの要因を検討すると、もっと明るいシナリオが実現する可能性もある。

テクノロジーが進化すれば、いつも仕事に追われて孤独にさいなまれるようになることは避けられないだろうが、世界の五〇億もの人々がインターネットを通じて結びつき、みんなで力を合わせて難しい課題に取り組む時代がやって来る可能性もある。新しいテクノロジーのおかげで、地球上のすべての子どもが人類の叡智に触れられるようになる可能性もある。

なるほどグローバル化がさらに進めば、世界のあらゆる地域に新たな下層階級が出現し、先進国は製造業大国の座をインドや中国に奪われるだろう。しかし、世界が一体となってイノベーションに取り組んだり、低コストでイノベーションを成し遂げる方法を途上国が先進国に教えたりする時代が到来するかもしれない。先進国が大倹約時代に突入すれば、大量消費社会に終止符が打たれて、消費より充実した経験を重んじる社会への転換が実現するかもしれない。

高齢化が進めば世代間の対立が深まるだろうが、七〇歳まで働くのが当たり前の時代が来れば、高齢になっても充実した人生を送れるようになるかもしれない。社会の変化にともない、家族のあり方が大きく変わり、混乱を招く面もあるだろうが、企業で重要な意思決定をおこなう地位に就く女性が増え、家庭で父親がもっと育児に参加するようになる可能性もある。

エネルギー資源の枯渇と地球温暖化に関する懸念が高まれば、工業主導の経済成長が減速することは避けられない。しかし、エネルギー消費の少ないライフスタイルに転換し、遠距離通勤をやめて職住接近型の生活を選び、飛行機をあまり利用しなくなければ、それも悪くはない。

未来を予測することは基本的に不可能だが、どのような要因が未来に大きな影響を及ぼす可能性が高いかはわかっている。そして、そうした要因がどのように作用すれば、どのような結果が生まれるかもわかっている。つまり、私たちがどういう行動を取れば、どういう未来が訪れるかというシナリオを複数パターン描き出すことは可能だ。第3部の三つの章では、働き方の未来を形づくる五つの要因を構成する三二の現象に改めて目をやり、それらが最も好ましい結果を生み出す場合のストーリーを描き出してみたい。

# 第5章　コ・クリエーションの未来

## みんなの力で大きな仕事をやり遂げる

### 【ミゲルのストーリー】二〇二五年、リオデジャネイロ

舞台は、二〇二五年一月の朝、ブラジルのリオデジャネイロ。午前六時、最初の朝日が寝室に差し込むなか、ミゲルはこれから始まる一日に思いをめぐらせて、期待に胸をふくらませる。新しいアイデアを考え、手ごわい問題を解決するという大好きな仕事が待っている。ミゲルは都市の交通問題に強い関心があり、この一カ月は仲間たちと一緒に、ある難しい問題に取り組んでいた。

ミゲルは一九九六年生まれ。ブラジル経済の高度成長を目の当たりにして育った。世界中の企業がこぞってブラジルに投資し、リカルド・セムラーが創設した複合企業セムコなどのブラジル企業が世界的に大きな成功を収めるようになった。祖国ブラジルの成功をミゲルは誇りに感じている。しかし、繁栄がもたらした代償も痛感していた。工業が発展して、リオデジャネイロをはじめとす

る大都市に大きな負担がかかるようになった。職を求めて一〇〇万人もの人が地方からやって来た。リオデジャネイロの人口は一三〇〇万人を突破し、郊外の丘陵地帯に数多く点在する「ファベーラ」と呼ばれるスラム地区に貧困層が住みつくようになった。

ティーンエージャーだったミゲルは、リオデジャネイロの交通渋滞が深刻化しつつあることに気づいていた。都市交通システムに関する明確な戦略が欠けているせいで、問題がいっそう悪化していた。そこで、ミゲルは大学で都市計画を学びたいと考え、ブラジル南部の都市クリチバにあるパラナ連邦大学に入学した。この時期、都市再生に情熱を燃やす若者が増えはじめていた。

大学を卒業すると、ブラジル以外の世界を見たいと思い、政府の奨学金とアルバイトで貯めた金を頼りにコペンハーゲン大学（デンマーク）の夏季プログラムに参加した。このとき、コペンハーゲンがどのようにして温室効果ガス排出量を減らしているかを直接目にした。とくに感心したのは、電気自動車などの電動輸送手段への投資と、道路の自転車専用レーンの整備、車両乗り入れ禁止地区の設定を組み合わせた複合的なアプローチだった。この手法をリオデジャネイロに取り入れたいと、ミゲルは考えている。

帰国後は、非常勤で市の評議員に就任。同僚評議員たちとともに、市民運動家たちと協力して、交通手段に関する市民の意識を変える活動に取り組んでいる。評議員は、市政府と多くの非営利団体が共同で資金を負担して設けられた役職である。昨日は、市民運動家たちと一緒に市内の中流層の多い地区に足を運び、渋滞緩和のために混雑時間帯に道路通行料を徴収する案について、市民の意見を尋ねて回った。この種の制度は世界の多くの都市で導入されているが、リオデジャネイロのマイカー利用者たちは一貫して反対してきた。市民の不安に耳を傾け、考えを変えさせる戦略を練るのがミゲルの役割だ。

今日は、インド北部の都市ラクナウの市当局に提出する提案書の作成に大半の時間を割くつもりだ。このプロジェクトは、世界中にいる仲間たちと一緒に進めている。ラクナウはインド有数の急成長中の都市で、交通渋滞に悩まされている。インドの都市では珍しくない話だ。

ミゲルがラクナウの悩みを知ったのは、一カ月ほど前。市当局が課題解決策募集ウェブサイトの「イノセンティブ」に、市民の公共交通機関利用を増やす方策を募集するメッセージを掲載したのだ。具体的には、二年間で公共交通機関の利用を二〇%増やしたいとのことだった。ミゲルは常々、このウェブサイトをチェックして、自分の興味を引く課題が掲載されないかどうかチェックしていた。最も優れた解決策を提案した人に、一〇万ドルの報奨金が支払われることも魅力だった。

二〇〇一年に創設されたイノセンティブは、イノベーションを必要としている組織が課題の解決策をつのるためのウェブサイトだ。発足以来、民間企業や学術機関、政府機関、非営利団体など、さまざまな組織に活用されてきた。サイトに登録している「課題解決者」のネットワークは、グローバルに拡大し続けている。二〇一〇年の時点で、課題解決者の登録者数は二〇万人以上。二〇二五年には、その数が一〇〇万人を突破している。

ラクナウ市の募集メッセージを見てすぐ、ミゲルはコペンハーゲンで知り合った二人の友達に連絡を取った。二人とも都市の交通問題にのめり込んでいる専門家だ。テレビ会議で相談を重ねるうちに、プロジェクトのメンバーを増やす必要があると思いはじめた。そこでミゲルは先週、大学時代の友達で、いまはクリチバで都市計画の仕事をしているホセに声をかけた。昨晩、ホセが参加を決断し、今日の午後早くに打ち合わせをすることになっていた。

予定どおり、午後に打ち合わせがスタートする。ホログラム（立体映像）を使って話をする。充実した二時間の始まりだ。提案の締め切りは二日後。今日は最後の仕上げをおこなう。デンマークの二人が自分たちの町で実践している方法論を披露する。二人の住んでいる都市は、住民一人当たりの二酸化炭素排出量がきわめて低いことで知られているのだ。クリチバで暮らしているホセも多くのアイデアを提案する。クリチバは渋滞緩和を目的に設計された都市で、リオデジャネイロと異なり、世界有数の充実した都市交通システムを擁している。

一同が思うに、ラクナウの渋滞問題の根底にある原因は、インドの都市住民がこぞってマイカーを保有しはじめたことだ。自動車の利用の仕方を変えるよう市民を説得し、変化を後押しする工夫が必要となる。そこで、適切なインセンティブを設計するために、デンマーク人の人類学者、イェンスの力を借りることにした。

イェンスは都市住民のバス利用行動に関して長期間の調査をおこなったことがあり、すでに八〇歳代になっているが、プロジェクトの知恵袋役を引き受けてくれた。ミゲルはコペンハーゲン大学留学中にイェンスと出会い、以来ずっと連絡を取り合っていたのだ。

打ち合わせの途中から、アプルナというインド人起業家が加わる。ホログラム技術で財をなした二三歳の女性だ。アプルナもミゲルと同じく、交通量の多い都市の温室効果ガス排出問題を心配していた。故郷であるラクナウの温室効果ガス排出量削減を目指す非営利財団を設立したのは、二年前のことだ。その財団の顧問をイェンスが務めていた関係で、ミゲルと知り合った。この日の打ち合わせでは、アプルナが地元住民の立場からの意見を述べる。

提案書の最初の草稿が完成すると、ミゲルはそれをイノベーション精神に富んだ五〇人の知人に送る。この面々であれば、有益なコメントを寄せてくれるはずだと思っている。翌朝、目が覚めたときには、すでにいくつか反響が戻ってきているに違いない。

ミゲルの仕事の進め方は、マス・イノベーション（大勢の人間が共同でおこなうイノベーション）のお手本だ。まず少人数のグループでアイデアの中核部分を練り上げたうえで、もっと多くの人の参加を呼びかける。プロジェクトを成功させるために貢献する力をもっている大勢の人たちがそれに興味をいだき、やりがいを感じて協力を申し出る。テクノロジーを活用すれば、アイデアを迅速に大勢の人に伝達できるので、素早くアドバイスをもらってプランに磨きをかけられる。提案書がラクナウ市当局に提出されるときには、すでにほかの専門家による徹底した吟味を受けており、不適切な点は修正され、好ましい点はさらに強化されているはずだ。[1]

イノセンティブのウェブサイトに公開された課題にミゲルが応募するのは、今回がはじめてではない。世界が抱えている重要な問題を解決することを通じて世界に貢献し、面白いアイデアを実現するためにほかの人たちと協力し合うことに、なによりも強い魅力を感じているのだ。それに、提案した解決策が採用されれば高額の報奨金を受け取れる。最近だけでも二件の課題に応募した。一件は中国南西部の都市再生に取り組む非営利団体の案件、もう一件はタンザニア政府の案件だった。いずれも採用にはいたらなかったが、イノセンティブのコーチ陣の講評を読んで、自分のアイデアの基本的な方向性は間違っていないと感じていた。

この二〇二五年の一日、世界のいたるところで、ミゲルやホセやイェンスやアプルナのような人たちが互いに協力しながら問題解決に取り組んでいる。そういう状況は、どうして生まれるのか。一つには、本書でこれまで触れてきた五つの要因が生み出す数々の課題を解決するために、昔とは比較にならないほど高度なイノベーションと創造性が必要になるからだ。昔と変わるのは、課題の難易度だけではない。イノベーションの性格も変わる。イノベーションは、特定のグループなり、企業なり、政府なりが単独でおこなうものではなく、コラボレーション的・ソーシャル（社交）的性格がきわめて強くなり、多くの人の努力が積み重なって実現するものになる。異なる専門技能や世界観、意見をもつ人たちがアイデアを共有し、それを発展させていくケースが増えるのである。

一九五〇年代、第4章に登場したブリアナの祖父がデトロイトで勤めていたような工場が大量生産（マス・プロダクション）を実現し、それが大量消費（マス・コンサンプション）社会の到来に道を開いた。二〇二五年の世界では、インターネットなどのテクノロジーの力により、イノベーションと創造が「マス（大量）」型の活動に変わる。大勢の人がそのプロセスに参加するようになるのだ。「思考の余剰」を手にした世界中の人々が毎日何十億時間もの時間を捧げ、互いの専門技能とアイデアを持ち寄って、大きな課題を成し遂げる時代がやって来るのである。[2]

## 一九九〇年の一日

### コ・クリエーションが活発化する前の時代

明るい未来のシナリオが現実になれば、協力とコ・クリエーション（協創）が当たり前になり、世界中の人々がアイデアと情熱と労力を提供し合って、共同でものごとを成し遂げるようになる。この変化がいかに大きな意味をもつかを理解するために、第2部と同様、変化が起きる前の時代を振り返ってみよう。「一九九〇年の典型的な一日をできるだけ詳しく思い出してください」と、当時すでに仕事に就いていた人に尋ねてみてほしい（すでに働いていた人は、その頃の自分を思い返せばいい）。第2部では仕事でどういう行動を取っていたかに光を当てたが、ここで着目するのは、私たちの頭の中だ。当時、なにを考えていたかという点である。

一九九〇年代、社会の主役に躍り出ようとしていた世代は、第二次世界大戦の爪痕が残る一九五〇年代に生まれたベビーブーム世代だ。この世代は同世代の人口が非常に多いので、他人と競争することが当然だと思って育ってきた。また、この世代は消費することを習慣づけられて育った世代でもある。大量消費時代の扉を開き、モノを所有することが人々の心理のなかできわめて大きな意味をもつ社会をつくり出したのは、ベビーブーム世代だった。一九九〇年、ベビーブーム世代は二〇歳代半ば～四〇歳代半ばで、仕事の世界の多数派になっていた。この世代の志向や希望が次第に仕事のあり方を形づくりはじめていた。

当時は、株主価値と市場の力の重要性を強調する経済理論が全盛の時代。人間はもっぱら私利私欲に突き動かされて行動するものと考えられていた。私たちは自分にとって最も得になる行動を取り、ほかの人たちのニーズをほとんど考慮しない、というわけだ。この考え方を前提にすれば当然、企業はアメとムチの原理で社員の行動を管理しようとする。

この種のマネジメント手法には、かねてより異論もあった。アメリカの心理学者ダグラス・マクレガーは一九六〇年に『企業の人間的側面』という著書を刊行し、権威主義的なマネジメント哲学（＝X理論）は人間的なマネジメント哲学（＝Y理論）より効果が乏しいと主張した。[3] たいていの部下は仕事を嫌っていて、あわよくばサボろうとすると、X理論派のマネジャーは考える。したがって、罰の脅しをちらつかせるなり、ご褒美でやる気をかき立てるなりして、部下を駆り立てて働かせようとする。まさに、アメとムチである。それと違って、Y理論派のマネジャーは、もっと人間味のあるアプローチ手法を取る。エイブラハム・マズローの自己実現理論に基づき、人間にとって仕事は遊びと同じように自然な行為であるという前提に立ち、人々は組織の抱える問題を解決するために高度な想像力と独創力と創造力を発揮できると考えるのだ。[4]

しかし一九九〇年当時、企業はおおむねX理論に従って行動していた。当然、そういう企業で働いていた人たちは、アメとムチのことばかり考え、競争し、勝利することにもっぱら関心があった。戦争による荒廃のなかであらゆる不安が噴き出した時代に育ったことを考えれば、ベビーブーム世代の間でこのような発想が主流になったのは意外でない。それに、同世代の人口がきわめて多いので、この世代は他人を蹴落として競争に勝ち抜くことを当たり前と感じるようになった。そういう発想は、学校教育の現場で子どもたちの心理に植えつけられ、企業で社員同士がいわば勝ち抜き戦形式で出世を競い合う仕組みを通してさらに強化された。アメリカの有力複合企業ゼネラル・エレクトリック（GE）のCEOを長く務めたジャック・ウェルチにいたっては、成績下位一〇％のマネジャーを自動的に解雇するという「一〇％ルール」を取り入れていた。

弱肉強食の世界だ。トップに立つために懸命に努力を重ね、自分を社内のライバルより光り輝かせる必要があった。自分の人生にとって最も重要な人物は、直属の上司とその上司たち。出世の階段を上るために最も重要なのは、上司のご機嫌を取ることだった。与えられる社用車の車種、個人用オフィスの広さ、専属秘書の権限の大きさによって、社内での地位をはっきり思い知らされた。コ・クリエーションを実践するためにほかの人と手を携えることは、テクノロジーの面でまだ難しかっただけでなく、競争心の強いベビーブーム世代にはそもそも縁遠い考え方だったのである。

## 多様性はイノベーションの触媒

ミゲルの未来ストーリーで際立っている点の一つは、協力関係がプロジェクトの核をなしていること。[5] そして、都市再生に情熱を燃やす世界中の人々に声をかけた結果、非常に多様性に富んだ顔ぶれと一緒にプロジェクトに取り組んでいることだ。[6]

国籍の多様性だけではない。考え方もきわめて多様だ。プロジェクトに参加している面々は、都市再生に強い思いをいだいていることこそ共通しているが、もっている知識と経験はそれぞれ異なる。デンマークのイェンスには、人類学研究の豊富な経験と六〇年以上にわたって人間の行動を観察してきた知識がある。インドのアプルナには、斬新なアイデアとインド人の思考様式に関する実際的な知識、そしてバンガロールの一流ビジネススクールであるインド経営研究所で学んだ超一級の経営学の視点がある。

このような多様性がプロジェクトの大きな強みになっている。単に多様な情報を得ているだけではない。大量の情報を手に入れるだけでよければ、ウィキペディアやグーグルを活用すればいい。重要なのは、ミゲルのチームが問題解決アプローチの多様性も確保できていることなのだ。

問題解決のプロセスで多様性がいかに大きな強みになるかは、歴史を見ても明らかだ。第二次世界大戦時にイギリスなどの連合国がドイツ軍の暗号「エニグマ」の解読に成功したプロセスは、その典型と言えるだろう。ロンドン近郊のブレッチリー・パークに設けられた暗号解読施設には、数学者や暗号学者だけでなく、さまざまな専門分野のエキスパートが集められた。エンジニア、言語学者、道徳哲学者、古典学者、古代史学者、さらにはクロスワードパズルの達人も解読作業に加わった。こうした多様な人材のアイデアと知恵を組み合わせることによってはじめて、「エニグマ」は解読されたのである。

ミゲルはラクナウの交通問題に取り組むに当たって、大学時代の友達だけにアドバイスを求めるより、このように多様な人材を世界中から集めてチームをつくるほうがうまくいくと、はっきり理解している。[7] 多様な人材を呼び集めることのメリットは、多様な視点が持ち込まれることにある。ミゲルの視点は、リオデジャネイロのスラム地区で目の当たりにした現実と、都市計画について大学で学んだことが土台になっている。イェンスの視点は、人類学研究の知識と経験に裏打ちされている。アプルナの視点は、社会に貢献したいと意気込む若いインド人ならではのものだ。

人類学者のイェンスは渋滞問題を一種の部族行動の問題とみなし、ラクナウ市民という大きな「部族」の振る舞いに影響を及ぼせるキーパーソンの行動を変えることが重要だと考える。具体的には、地域コミュニティに新しいアイデアを売り込む方策を提案するだろう。一方、ミゲルがコペンハーゲン大学で知り合った都市交通専門家の友人たちは、公共交通機関への交通利用の問題と考えて、バス利用客の行動パターンとバスの運行頻度に関するデータにおそらく興味をいだくだろう。

このように多様なアイデアや視点が組み合わさる結果、単純な足し算以上の効果が生まれて、斬新で有効な解決策が編み出される（これは、ベイズ統計学の考え方によって想定されるとおりの結果だ）。すべての組み合わせが問題解決に役立つとは限らない。それでも、多様な考え方が組み合わさることにより、重要なイノベーションへの道が開ける場合もある。イェンスの人類学的な視点と、アプルナのインドの家族構造に関する知識が組み合わされれば、ラクナウ市民にバスを利用させる有効な方策が見つかる可能性もある。たとえば、ティーンエージャーをバス利用派に転向させられれば、家族のほかのメンバーも追随する可能性が高いと判断できるかもしれない。

ひとことで言えば、ダイバーシティ（＝多様性）はモノカルチャー（＝単一文化）を凌駕する。多様な視点をもつ人々のグループと、同じ視点をもった人ばかりが集まったグループが競い合えば、たちまち前者のグループが後者に大きな差をつける。

ミゲルと仲間たちの日々から見て取れるように、二〇二五年の世界は、人と人との協力関係を原動力に動く世界になる可能性がある。ベビーブーム世代の競争志向の発想は、新しい世代の協力志向の発想に取って代わられる。それを後押しするのは、テクノロジーの進化とグローバル化の進展だ。人々が互いに結びつき、協力し合い、アイデアや知識を共有するようになる。この変化は働き方の未来に大きな影響を及ぼす。孤立したまま競争に血道を上げるのではなく、ほかの人たちと連携し協力しながらイノベーションを成し遂げる必要性が高まるのだ。この点は第4部で論じる。

## コ・クリエーションの未来を生み出す要因

世界中の五〇億人を超す人々が結びつけば、イノセンティブのような場を活用することにより、世界中の人々の想像力と創造力を生かしやすくなる。また、世界のほとんどの書籍がデジタル化されて、しかも無料で読めるようになれば、誰もが利用できる知識基盤が整備され、貧しい家庭に生まれた子どもたちの未来の可能性が大きく広がる。

世界の人々が漫然とテレビを見て過ごす代わりに、「ソーシャルな」活動に積極的に参加するようになる可能性もある。新しいテクノロジーのおかげで時間に余裕ができれば、余暇時間に思考力と創造性を発揮して、持続可能性を重んじる文化を築こうとする動きが活発になるかもしれない。

### 五〇億人が結びつく世界――グローバル化の要因

二〇二五年のミゲルは、世界中の多くの人たちとつながっている。二〇二五年までの十数年で、世界の人々を結びつけるテクノロジーの普及が一挙に進む。二〇〇〇年、自分専用の携帯電話を持っている人は、アメリカで一億九〇〇〇万人、アメリカ以外の南北アメリカ大陸で七三〇〇万人、中国で八五〇〇万人、ヨーロッパで三二〇〇万人、アフリカで一〇〇〇万人、インドで四〇〇万人だった。その一〇年後、中国の一カ国の携帯電話利用者数だけで、このすべての数字の合計を上回っている。二〇二五年には、携帯電話利用者数が世界で五〇億人を超すと予想されている。

二〇一〇年の時点で、世界のインターネット利用者人口の三分の二がSNS（ソーシャル・ネットワーキング・サービス）やブログサイトにアクセスした経験をもつ。これらのオンラインサービスは、インターネット利用時間全体に占める割合ですでに電子メールを上回った。フェイスブックなどのSNSは、コミュニケーションサービスを充実させ続け、人々がコミュニケーションを取り合うための重要な場となっている。ネットワーク効果（サービスの利用者数が増えるほど、サービスの質が向上する現象）にも後押しされて、SNSは目覚ましいペースで成長し続けている。

SNSだけではない。一方通行的な性格がきわめて強いタイプのウェブサイトでさえ、ユーザーが記事にコメントしたり、友達に記事を紹介したりする機能を取り入れはじめた。このように、オンライン上で人間的なつながりを簡単に楽しめる「ソーシャルな」機能を備えたオンラインサービスが拡大している。

こうしたいわゆるソーシャルメディアを利用することにより、世界中の人々が容易にコミュニケーションを取り合える時代がやって来た。それを可能にしたのは、コンピュータや携帯端末の普及と、データを送受信できるネットワークの拡大だった。コンピュータもしくは携帯端末と電話回線を組み合わせて利用するのが最も素朴な形態だが、もっと高度な形態になると、高性能のコンピュータにクラウド経由でソフトウェアやデータをダウンロードすることも珍しくなくなる。

とりあえず、携帯電話を持っているだけでも、インターネットの恩恵に存分に浴せる。最も原始的なインターネット接続技術さえあれば、インドの漁民は、近隣の各漁港の海産物相場を携帯電話でチェックし、いちばん有利な漁港に水揚げできる。ケニアの農村で織物をつくって生計を立てている女性は、携帯電話で少額の融資を受け、原料の糸を購入できる。ウガンダの農民は詳細な天気予報をチェックして収穫時期を計画できるし、中国の肉体労働者は勤務スケジュールを把握できる。

世界中の人々がインターネットで結びつけば、グローバルな人材市場に加わるチャンスを得る人が何百万人も増えるかもしれない。[8] その恩恵を期待して、子どもたちにコンピュータを支給する活動が多くの国の政府や非営利団体によっておこなわれている。アメリカのコンピュータ科学者ニコラス・ネグロポンテらが設立した「OLPC財団」は、そういう団体の一つだ。OLPCとは、「ワン・ラップトップ・パー・チャイルド（＝子どもたち一人ひとりにノートパソコン一台を）」の略。「すべての子どもに、壊れにくくて、安価で、エネルギー消費量が少なく、インターネットに接続可能なノートパソコンを支給すること」と「ほかの子どもたちと一緒に、楽しく主体的に学習する助けになるコンテンツとソフトウェアを提供すること」を使命として掲げている。

二〇〇七年、OLPC財団は「ギブ・ワン・ゲット・ワン（＝一台を寄付して、一台を自分のものに）」と銘打ったキャンペーンを始めた。寄付者が所定の金額をOLPC財団に支払うと、財団が開発した低価格のノートパソコン「XOパソコン」が一台送られてきて、もう一台が途上国の子どもに寄贈されるというプログラムである。同財団は、アフガニスタン、ウルグアイ、ブラジル、パラグアイ、ハイチなどでとくに活発に活動している。

このほかにも、半導体大手のインテル、中国のコンピュータ企業シノマニック（四川国芯科技）、アメリカの非営利団体「インベネオ」などが競うようにして、すべての子どもにインターネット利用環境を提供することを目指して活動している。

次第に明らかになってきたのは、インターネット利用環境を整備するうえで、経済的な豊かさ以上に重要なのが政治の意思だということだ。アフリカのルワンダは、ポール・カガメ大統領が非常に熱心なこともあって、ＯＬＰＣ財団の活動に多額の予算をつぎ込んでいるが、ほかの多くのアフリカ諸国は同様の政策を打ち出すことにいまだに腰が引けている。[9]

インターネット利用環境が整えば、才能とやる気のある子どもは、人類共通の知識基盤を利用して学習できるようになる。もちろん、すべてがその恩恵を生かせるわけではない。親が子どもの学習を支援しなかったり、勉強以外の活動をしいたりする場合もあるだろう。勉強好きな子どもが同世代の子どもたちに馬鹿にされたり、継続的に教育を受けられないケースもあるだろう。

それでも、インターネットを利用できるようになれば、大勢の子どもたちの人生が大きく変わることは間違いない。第3章に登場したインドの脳外科医ローハンは貧しい農村で生まれたが、聡明で向上心が強かったので、インターネット上の膨大な情報を利用して知識と技能を磨き、豊かな生活を送れるようになった。子どもたちがインターネットを通じて学習できる環境をつくる取り組みに早い段階で着手した国や地域は、二〇三〇年以降、グローバルな人材市場で活躍できる有能な人材を続々と生み出しはじめるだろう。

また、インターネット利用環境が充実すれば、エジプトのプログラマー、アモンのように、オンライン上で仕事の情報を入手し、世界中のライバルと張り合ってグローバルな規模で仕事を獲得することも可能になる。二、三〇年早く生まれていれば、アモンがどんなに高度な教育を受けたとしても、それを生かす機会はなかっただろう。高度なプログラミング技能をもつ人にふさわしい職がエジプトにはほとんど存在しなかったからだ。

一方、インターネット利用環境が十分でない地域で働く人たちは、きわめて不利な状況に置かれる。グローバルな人材市場で自分の能力に見合った仕事を得にくくなり、グローバルなプロジェクトチームに加わってほかの土地に住む人たちと一緒に働くことも難しくなる。そういう人たちの子どもは、グローバルな人材市場に加わることがいっそう困難になる。

## 知識のデジタル化——テクノロジーの要因

充実したインターネット利用環境は、二〇二五年にミゲルが世界中の仲間たちと一緒に仕事を進めることを可能にしている。しかし、インターネットにつながることと同じくらい重要なのは、インターネットを使ってなにをするかだ。

近年、紙に印刷された知識のデジタル化が強力に推し進められている。古くからデジタル図書館の構築に取り組んできたプロジェクト・グーテンベルク、二〇〇四年以降に書籍のデジタル化に乗り出したグーグルやオープンコンテント・アライアンスのような団体、大英図書館やアメリカのカーネギー・メロン大学など、さまざまな団体やグループが紙の書籍をスキャンしてデジタル化しはじめた。テクノロジーが進歩して、その作業をますます安価に素早く実行できるようになっている。デジタル化された資料は、無料公開されているケース（主に著作権保護の対象外の作品）もあれば、有料で販売されているケースもある。[10]

二〇二五年には、電子書籍・文献が重要な情報源になっているはずだ。ローハンの弟はインドの故郷の村にとどまり、先祖代々の農地を耕していても、村にいながらにして、種子の開発に関する最新の情報を得られるようになる。国連食糧農業機関（FAO）とアメリカ国立農業図書館の提携により、農業関連の重要な情報を農家に提供する情報ネットワークが確立されるかもしれない。カーネギー・メロン大学の主導で二〇〇一年から始まった書籍のデジタル化計画「ミリオン・ブック・プロジェクト」を通じて、有益な情報が手に入る可能性もある。[11] 書籍や文献のデジタル化に助けられるのは、ブラジルのミゲルも同じだ。都市の交通問題の解決策として打ち出すアイデアの多くは、ミゲルや仲間たちが世界中の電子資料に手軽にアクセスすることによって得られる。

さまざまな非営利団体などが高度な教育素材をインターネット上に無料で公開しはじめており、世界の何十億人もの人々がその恩恵を受けるだろう。二〇二五年にプログラマーとして活躍するアモンは、もしかすると五歳のときに、非営利団体「eラーニング・フォー・キッズ」のプログラムでコンピュータの基礎を学んだのかもしれない。二〇〇四年に設立されたこの団体は、子ども向けに、外国語、サイエンス、コンピュータ技能、環境関連の技能、数学、生活や健康維持に役立つ技能などを学べるオンライン講座を用意している。[12]

## 「ソーシャルな」参加の活発化——テクノロジーの要因

未来の世界で人々が才能を開花させるのを助けるのは、電子図書館やオンライン学習プログラムだけではない。ユーザーがインターネット上につくり出すコンテンツも大きな役割を果たす。

二〇〇五年にはすでに、アメリカだけでも一〇〇〇〇〇〇〇〇〇〇（要するに、一〇億）のウェブページと、七〇三九二五六七（要するに、七〇〇〇万あまり）のウェブサイトがあった。世界全体のウェブページの数は、二〇〇七年の時点で三〇〇〇億に達していた。二〇〇九年のある二カ月間にユーチューブに投稿された動画の本数は、一九四八年以降にアメリカのテレビネットワークで放映された新規の番組の合計数を上回った。フェイスブックには二〇〇九年、毎週二億二〇〇〇万点の新しい写真が投稿されていた。[13]

有力なソーシャルメディア・サイトの二〇一〇年のサイト訪問者数（ユニークユーザー数）は、フェイスブックが五億四〇〇〇万人以上、ユーチューブが四億二五〇〇万人、ツイッターが九七〇〇万人、マイスペースが七三〇〇万人、リンクトインが三八〇〇万人に上った。[14] このようなソーシャルメディアの利用が盛んになるにつれて、次第に個人のプライベートな人間関係や行動や関心対象がパブリックな（＝公の）知識として共有されはじめた。

そういうデータの分析・解釈を可能にする「セマンティック・ウェブ」も進歩するだろう。この種のテクノロジーを活用したサービスとしてはすでに、検索サイトのウルフラム・アルファがある。このサイトに、「一七七六年のアメリカの人口は？」とか、「ブラジルでいちばん高い建物は？」といった問いを投げかけると、「三四七万人」「ブラジリアのTVタワー」というふうに正しい答えが返ってくる。ウルフラム・アルファは統計データをもとに、セマンティック・ウェブの技術を駆使してユーザーの問いに答えるが、未来の検索エンジンは、ソーシャルメディアに蓄積される膨大な量のデータをもとに、そうした技術を用いてユーザーの求める情報を提供するようになる。[15]

ユーザーがつくり出したコンテンツの代表格の一つは、オンライン百科事典のウィキペディアだ。二〇〇一年に誕生し、八年後の二〇〇九年には、二〇〇の言語で一三〇〇〇〇〇〇本（要するに、一三〇〇万本）の記事が書かれるまでに成長した。創設者のジミー・ウェールズの言葉を借りれば、ウィキペディアは、「地球上のすべての人に対して、可能な限り最も上質な百科事典を、その人の母語で、しかも無償で提供すること」を目指している。

ユーザーの参加を加速させる要因の一つは、余暇時間の量と使い方の変化だ。二〇世紀半ば以降、先進国のＧＤＰ（国内総生産）の増加、教育水準の向上、寿命の延びなどに後押しされて、人々が自由に使える時間が目覚ましく増えた。その多くは、テレビ視聴に費やされてきた。すでに述べたように、二〇〇九年、先進国の人々は平均して週二〇時間以上、テレビを見ている。[16]単純計算すれば、一九六〇年に生まれたX世代は、二〇一〇年までに合計五万時間テレビを見ていることになる。[17]

テレビでお気に入りのバラエティ番組や連続ドラマを見て過ごす時間の多くは、ほかの人たちと関わり合うことなく、独りぼっちで、しかも受け身的に費やされている。しかし、人々の余暇時間の使い方は大きく変わりはじめる。もっと能動的に、ほかの人たちと一緒に時間を過ごすようになるのだ。漫然とテレビを見るのではなく、ＳＮＳでほかのユーザーとペットの写真を披露し合ったり、もっと高度なレベルでは、ミゲルのように手ごわい課題を解決するためにインターネットを介してほかの大勢の人たちと協力し合ったりするなど、「ソーシャルな」活動に参加するようになる。
人々がせめて一日一時間テレビを見る時間を減らせば、メディア専門家のクレイ・シャーキーが言う「思考の余剰」が世界全体で一日九〇億時間以上生み出される。[18] 単に、人々が「ソーシャルな」活動に参加するために費やす時間が増えるだけではない。一〇〇万人がテレビを一時間見ても、一人ひとりの活動は分断されたままだが、インターネットでコミュニケーションを取り合いながらその時間を過ごせば集積効果が生まれる。
大勢の人々が結びついて、集積効果を生み出すようになった結果、専門家より正しい判断をくだせる「賢い群衆」が誕生し、世界の最も優れたアイデアを結集させるオープンソース運動が実現するようになった。それにともない、古いヒエラルキーが崩れはじめた。未来の世界では、対等の関係の人間同士が協力して仕事を進めるケースが増え、世界が抱える課題を解決するうえで集合知の重要性がもっと評価されるようになるだろう。アメリカの物理学者フィリップ・アンダーソンの有名な言葉を借りれば、「量は質の変化を生み出す」。世界の五〇億人が結びつき、能動的に活動すれば、過去の延長線上にない画期的なアイデアが誕生し、集積効果を通じて、新しいものごとの創造と共有が前例のないレベルまで進む。[19]
二〇二五年のミゲルは、インターネットを介したグローバルなコラボレーションを促す場である課題解決策募集サイトのイノセンティブの活動に参加している。イノセンティブは、それ自体が解決策を生み出すのではなく、個人や企業、学術機関、公共機関、非営利団体などを結集して、問題の解決策を編み出すよう後押しする。このような場を通じて、難しい課題を抱えている人と、手ごわい課題の創造的な解決策を考えることが好きなミゲルのような人が結びつくようになる。

さまざまな新しいテクノロジーを駆使して人々が結びつけば、新しい機会が生み出されるだろう。都会から遠く離れた土地で金融サービスを利用しやすくなったり、地理的な距離の壁を乗り越えたオンライン学習が実現したり、まったく面識のない人同士の間でビジネスが成立したりする。[20]

## 持続可能性重視の文化——エネルギー・環境問題の要因

二〇二五年には、ミゲルのように、世界の何百万人もの人たちが持続可能なライフスタイルの創造を目指すようになるだろう。ミゲルは一九九五年以降に生まれたZ世代。二〇二五年頃には、世界中の企業で中心的な役割を担いはじめる世代だ。インターネット利用率の高さが際立った特徴で、テレビのリアリティ番組と二四時間放送の国際ニュース番組を見て育ち、二〇〇八年に始まった世界金融危機と深刻な景気後退を子ども時代に肌で感じ、地球温暖化の脅威をよく知っている。「リ・ジェネレーション（再生の世代）」とも呼ばれるように、[21]この世代に求められるのは、再検討し（= rethink）、刷新し（= renew）、再生する（= regenerate）こと。気候変動や資源の枯渇など、直面している課題の多くで、これまでになく目に見える行動が必要とされている。その意味で、Z世代は現実主義者・実用主義者の世代だ。

しかし、Z世代はリアリスト（現実主義者）である半面、ハイパーリアル（現実を超えた現実）なインターネット上の世界を中心に活動する。インターネット技術の勃興を目の当たりにして育ったのがY世代だとすれば、ミゲルのようなZ世代は、インターネットが当たり前の環境で育った最初の世代だ。Z世代はリアルな世界とハイパーリアルな世界をつなぎ合わせ、インターネットを強力な武器に、現実の問題の解決に乗り出す。

世界の化石燃料依存を弱めるためのカギは自分たちが握っていると、ミゲルは強く信じている。[22] 企業や政府の行動は、何十億人もの個人の意思が集約されたものだと考えているからだ。二〇二五年の世界には、ミゲルのような考え方をする人たちの世界規模のコミュニティが形成されているだろう。もっとも、化石燃料への依存を弱めるといっても、交通手段の利用を減らすために引きこもり、世界との関わりを絶って生きなくてはならないとは、ミゲルも考えていない。物理的な行動半径は狭まっても、インターネットを活用すればバーチャルな行動半径を拡大できると思っている。

ミゲルたちが目指すのは、環境への負荷を最小限に抑えつつ、(単に所得を向上させるだけでなく)生活の質を高めること。そのためには、ものごとの優先順位を明確にすると同時に、エネルギーを効率的に用いる方法を見いだす必要がある。ミゲルのような人たちは、エネルギーの無駄遣いを徹底して減らしたいと考え、エネルギー効率を高めるための新しいアイデアが登場すると片端から試してみようとする。

現状では、国によるエネルギー効率の違いが際立っている。二〇一〇年、日本人とロシア人の平均的なエネルギー使用量はほぼ同じだが、生活水準では日本人がロシア人の三倍に達している。アメリカ人は平均してイギリス人の二倍以上のエネルギーを消費しているが、国民一人当たりのGDP(国内総生産)はイギリス人より一〇%しか多くない。[23] つまり、エネルギーを大量に使えば使うほど所得や生活の質が高まるとは限らないのだ。日本人やイギリス人は、ロシア人やアメリカ人よりエネルギーを効率的に用いていると言えるだろう。

今後は、個人レベル、企業レベル、国や地域レベルでエネルギー消費量を減らす必要がますます高まるだろう。その点で、ミゲルや世界中の同志たちがとくに手ごわい問題と感じるのは中国とインドの工業化だ。二〇一五年までに、この両国は世界有数のエネルギー消費国になると予測されている。[24][25]ミゲルがインドのラクナウの交通問題に取り組んでいる理由の一つは、この点にある。

ミゲルの未来ストーリーには、未来の世界で成功するために欠かせない三つの〈シフト〉の重要な要素が詰まっている。都市計画に関して自分の専門技能と知識に磨きをかけていくミゲルの姿勢は、第4部で提案する〈第一のシフト〉そのものだ。私たちはミゲルのように、自分が情熱をいだくことができ、自分の職業生活を価値あるものにできると思える分野で、専門技能を身につけるために打ち込む必要がある。

ほかの人たちとの関わり方の面では、ミゲルは〈第二のシフト〉を実践している。インターネット利用環境がいっそう充実し、世界中の知識を無制約に入手できるようになれば、誰もが「ビッグアイデア・クラウド（大きなアイデアの源となる群衆）」の一員となり、お互いに刺激し合いながらアイデアを交換するチャンスが飛躍的に拡大する。

加えて、ミゲルは〈第三のシフト〉をおこなうことにより、大きな満足感を得ている。いくつか難しい選択をしいられるだろうが、この〈シフト〉を実践すれば、ひたすら働き、ひたすら消費する日々から抜け出し、実り豊かな経験とやりがいのある仕事の日々を送れるようになる。

# 第6章 積極的に社会と関わる未来

## 共感とバランスのある人生を送る

### 【ジョンとスーザンのストーリー】二〇二五年、チッタゴン

二〇二五年一月のその日、ジョンは日没とともに仕事を終える。一日の仕事の締めくくりは、村の長老の家を訪ねて挨拶をすること。バングラデシュ南東部のチッタゴン近郊にある小さな村でボランティア活動をしているジョンにとっては、欠かせない日課なのだ。

ジョンの朝は早い。この日も朝早く起きて、村の送水ポンプの様子を見に行く。ポンプの具合が悪いと聞いていたので、原因を調べる必要があると思ったのだ。一〇時には、携帯電話でアメリカの仲間に連絡し、最近一週間の状況を報告する。一二時、ジョンとパートナーのスーザンは、地元のボランティアたちと一緒にコメと野菜の質素な昼食をとる。一時から三時間は、この貧しい村に浄水設備をつくるために野外で過酷な肉体労働をおこなう。四時、ほかの援助団体の職員と会い、

近くの川の上流にあるダムが決壊するおそれがある問題にどのように対処するべきかを話し合う。もしダムが決壊すれば、近隣の村が甚大な打撃をこうむるからだ。晩ごはんは、この援助団体職員と一緒にとる。その後は、家までのんびり歩いて帰る。ジョンは質素なゲストハウスで、スーザンと子どもたちと暮らしている。

ジョンとスーザンは一年間の予定でこの村に滞在し、近隣の村のために水利権に関する交渉をおこなう人道援助団体の活動に参加しているのだ。ジョンはアメリカの大手小売企業でフルタイムの職に就いているが、五年に一度、六カ月間仕事を離れて、チッタゴンの最貧層の支援活動に携わってきた。

はじまりは、二〇〇七年だった。ガンジス川デルタ地帯で起きた大洪水がこの一帯に及ぼした打撃を知り、現地の人たちの力になりたいと思い、救援活動のための募金集めを始めた。二年後にはもっと現地の人たちを助けたいと思い、村を訪れ、水との戦いを手伝った。以来、村人と連絡を取り、日々の状況について話を聞いていた。その後も川の水位は上昇し、さらに多くの耕地が水没し、塩害のダメージを受けていた。二〇一五年、ジョンは半年間、現地の村でボランティア活動をおこなった。二〇二〇年にも再び村に半年滞在し、洪水で住めなくなった村の移転を手伝った。そして二〇二五年、会社の所属部署の第二オフィスを村につくり、家族と一緒にやって来た。

ジョンとスーザンが息子たちをバングラデシュに連れてきたのは、村人たちの苦しみを理解させたいと考えたからだ。アメリカで学校に通わずに在宅教育を受けていた一三歳の長男ジミーと一〇歳の次男ガブリエルは、バングラデシュで在宅教育を続けている。一日四時間、強力なインターネット回線を利用してオンライン上でほかの生徒たちと一緒に勉強する。残りの時間は、両親と一緒に地元の行政関係者や援助団体スタッフと協力して援助活動を手伝っている。

村で過ごす日々は、一家の全員にとって素晴らしい経験になっている。長男のジミーは、地球温暖化の打撃に苦しめられている地域のティーンエージャーと交流する団体の活動にのめり込んでいる。週末は、村の様子を撮影した動画をオンライン上に公開したり、オンライン学習の素材を利用する方法を村の子どもたちに教えたりしている。

ジョンにとっては、小売企業の管理職としての仕事とチッタゴンの村でのボランティア活動をブレンドさせることが人生の重要な一部になっている。二〇二五年は、バングラデシュで水問題に携わってきた二〇年の活動の集大成の年だ。元来はこの問題の専門家ではなかったが、実地の経験を通じて、地元の人たちが直面している課題とその解決策について知識を蓄えていった。二〇二五年の世界では、ジョンのように専門知識を備えたボランティアが世界に大勢登場するだろう。

### 共感の世界が訪れる前の時代

## 一九九〇年の世界

どうしてジョンやスーザンのような大勢の人たちが、遠く離れた土地の人々を助けようと思うのか。その大きな要因は、いわば「グローバル思考」の拡大だ。この新しいトレンドを理解するために、これまでの章と同様、そういう思考様式があまり存在しなかった時代に――一九九〇年に、時計の針を巻き戻してみよう。

一九九〇年には、先進国の国民でも休暇に外国旅行に出かける人は少数派だった。アメリカ人のなかでパスポートを持っている人はごく一部にすぎず、ヨーロッパでも外国旅行はお金がかかりすぎた。グローバル思考より、ローカル思考が当たり前だったのである。その点では、企業もおおむね同じだった。エレクトロニクス製品のフィリップス、食品のネスレやコカ・コーラ、自動車のトヨタのような大企業は、本国以外に工場を設けてはいたものの、本社との交流は乏しかった。本社のマネジャーがときおり「海外出張」して国外拠点を視察し、場合によっては将来有望な幹部候補生が派遣されて赴任することもあったが、「海外業務」の経験をもつマネジャーは社内でほんの一握りにすぎなかった。

一九九〇年の世界では、国籍や経験、ものの考え方が自分と似通った人たちと一緒に人生のほとんどの時間を過ごす人が多数派だった。しかも、パソコンを持っている人がごく一部に限られていて、インターネットを利用できる人はそれに輪をかけて少なかった。インターネットとの結びつきが強まると、時間に追われ、孤独になるという暗い側面があることはすでに述べたとおりだが、インターネットのおかげで世界の人々が互いを深く理解し、ほかの国や地域の状況に感情移入しやすくなるという明るい側面もある。要するに、グローバル思考が生まれるのだ。こうした共感の世界への移行が最初に明確に表れたのは、世界規模の世論調査「世界価値観調査」の二〇〇七年版だった。[1] この調査は、少なくとも先進国の若い世代の間で、他者への共感の強まりを浮き彫りにした。

ジョンとスーザンをバングラデシュと結びつけたのも、そういう共感の精神だった。この二人が特殊なわけではない。二〇二五年の世界では、共感の精神に目覚めて、社会貢献のために自分の時間を捧げようとする人が何百万人も現れる。ジョンのように最しい国の人々を助けたいと考える人もいるだろうし、オンライン上に学習素材を公開する活動に自分の時間と専門技能を生かそうとする人もいるだろう。世界の人々を教え導いたり、相談に乗ったりする活動に取り組む人や、特定のテーマで政府や企業の行動を変えさせるためのロビー活動に打ち込む人もいるだろう。ひとことで言えば、人々の共感の精神が強まり、家族や身近な人たちだけでなく、国籍や文化が異なり、一度も会ったことがない人たちの力になろうとする人が増える。愛情と仲間意識と社交性と共感が人間の基本的な性質になっていくのだ。

## バランスの取れた生活を実践する

二〇二五年のジョンとスーザンの生活の大きな特徴は、社会活動の比重が高まる結果、仕事、社会奉仕、育児、地域の活動など、生活のさまざまな要素のバランスが取れていることだ。ジョンは、高校卒業後にギャップイヤー（大学入学を一年間遅らせて長期の旅行やボランティア活動などを経験する期間）を取ったときから、バランスの取れた生き方を実践してきた。バングラデシュの状況に強い関心をいだいたのは、そのギャップイヤーの期間だった。大学卒業後は、アメリカの大手小売企業に就職。この世代には珍しく、ずっと同じ会社に勤めている。給料は別に高くないが、仕事は気に入っている。それになにより、この会社は同業の多くの企業に先駆けて、社員が仕事のスケジュールを自分で決められる制度を導入している。そのおかげで、子どもたちと過ごす時間をたっぷり確保し、社会活動にも時間を割ける。

ジョンのように、自分の選択について、そして、その選択がもたらす結果について真剣に考える人が世界中で増える。ジョンが最優先するのは、子どもたちと一緒に過ごす時間だ。自分の子ども時代を振り返ると、父親との思い出らしい思い出はほとんどない。ジョンの父親はアメリカの大企業に勤めていて、家にいる時間が少なかった。家にいても、携帯端末に仕事の連絡がひっきりなしに入ってきた。父親が一生懸命働いて、一家の生活を支えてくれたことには感謝している。充実したギャップイヤーを経験できたのも、父親が稼いだお金のおかげだった。しかし、その半面、父親の選択が一家にどういう結果をもたらしたかをジョンはよく知っている。確かに大きな家に住めたし、立派な自動車も二台買えた。だがその代償として、父親とほとんど一緒に過ごせず、祖父母と会う機会もめったになかった。ジョンは寂しく、孤独な子ども時代を送った。

スーザンと結婚するとき、じっくり話し合ったことの一つは、どういう職業生活を送りたいかという点だった。当時スーザンは研修医で、癌の専門医を目指していた。話し合いの末、二人は親の世代よりバランスの取れた生活を送ろうと決めた。その決断に従って、ジョンは給料の高くない会社に勤め続け、スーザンは週三日勤務の仕事に就いた。こういう選択をした結果、二人が払うことになった代償もある。マイホームは手に入らないし、マイカーも買えない。それでも、家は借りればいいし、歩いて通勤できる場所に住めばいいと考えた。どうしても自動車が必要なときは、街のメインストリートに出ればレンタカーを借りられる。

二人がくだしたもう一つの大きな選択は、子どもたちを学校に通わせないことだった。ジョンは子ども時代、在宅教育を受けている子どもを近所で二、三人知っていて、そういう教育のあり方に好印象をもっていた。[2] それに、二〇一五年頃からオンライン上で手に入る学習素材が一挙に増えて、かなり専門的な内容でもオンラインで手軽に学べるようになっていた。

インターネットでチッタゴンの学校と交流できることも、ジョンとスーザンが在宅教育に強い魅力を感じた理由の一つだった。村の子どもたちにとって、いちばん近くの学校に通うことも簡単でないのだと、ジョンは知っていた。そこで、現地の学校にコンピュータを数台寄贈し、アメリカの自分たちとインターネットでつながれるようにした。最初の数年はインターネットの回線状態が心もとなかったが、次第に接続が安定してきた。こうして、ジョンの地元の町で在宅教育を受けている子どもたちは、自分たちが勉強している内容をチッタゴンの子どもたちに教えたり、逆にチッタゴンの子どもたちに勉強を教わったりできるようになった。

この活動のハイライトは、ジョンとスーザンがアメリカの子どもたちを引率してチッタゴンの学校を訪ねたときだった。両国の子どもたちは、インターネット電話のスカイプで自己紹介をすませていたし、合同のバーチャル授業も経験していた。一緒にオンラインゲームをプレーしたこともあった。それでも、直接顔を合わせるのははじめてだった。大好きなクラスメートたちとの初対面に、子どもたちは興奮し感激した。この日の経験はジミーとガブリエルにとっていい思い出になっていて、二人はその後も村の子どもたちを支援し続けている。

ジョンとスーザンは、自分の働き方を自分で選択した。あなたの働き方の未来にも多くの選択肢があるだろう。やりがいがあって充実した働き方ができるかどうかは、あなたがどの道を選ぶかによって決まる面が大きい。

二人の未来ストーリーから見て取れるのは、ジョンとスーザンが自分たちのやっていることを愛していることだ。仕事とそれ以外で大切にしたいことのバランスを取り、両方をブレンドするために、二人は主体的に選択をおこなった。それにともない、主に生活水準とライフスタイルの面でいくつかの代償を受け入れた。子どもたちと一緒に過ごす時間と、大好きなバングラデシュの村を支援する時間を確保するのと引き換えに、たとえば広いマイホームとマイカーを諦めたのである。

## 積極的に社会と関わる未来を生み出す要因

どういう要素を人生で優先させたいかは、一人ひとり違う。あなたの選択は、あなた自身のニーズに沿っておこなえばいい。職業生活でなにを望むのか？　それを実現するために、どのような代償を覚悟するのか？　こうした点を誰もが真剣に考えなくてはならない。これは、未来に押しつぶされない職業生活を築くための〈第三のシフト〉をおこなう第一歩だ。

### Y世代の台頭——人口構成の要因

ジョンとスーザンの未来ストーリーの重要な側面の一つは、二人ともY世代だということだ。同世代の多くがそうであるように、ジョンはベビーブーム世代の両親から愛情をたっぷり注がれて育った。Y世代は、それ以前のどの世代よりも長い思春期を経験した世代だ。ジョンは子どもの頃すでに、世界には自分と「違う」人たちがいること、そして遠い国の出来事が自分の生活に影響を及ぼす場合があることに気づいていた。サハラ砂漠以南のアフリカの飢餓についても、地球温暖化の脅威についても、テレビで見て知っていた。高校を卒業した後はすぐ大学に入学せず、世界中の何十万人もの同世代の若者たちと同じように一年間のギャップイヤーを取り、バングラデシュに赴いてボランティア活動をした。このとき、人口爆発と海水面上昇がバングラデシュにどれだけ大きなダメージを生み出しているかを目の当たりにした。

Y世代のもう一つの特徴は、以前の世代より経済のグローバル化を明確に理解していることだ。自分たちが履くスニーカーをつくっているのがインドで児童労働をさせられている子どもたちだと知っている。自分の親が失業したのは、アメリカの五分の一の賃金で労働者を働かせている中国の工場と競争する羽目になったせいだということも知っている。

ライフスタイルのコスモポリタン化もY世代の特徴だ。今日はスシを食べたかと思えば、明日はメキシコ料理のタコスを食べ、今年はイタリアのフィレンツェに旅行したかと思えば、来年はカンボジアに足を運ぶ。アマゾン川流域やオーストラリアの奥地にもフェイスブックの「友達」がいる。ひとことで言えば、Y世代は、歴史上はじめて世界中の人々が本当の意味で一つに結びついた世代だ。世界にはいろいろな人たちがいることを知っていて、ほかの人たちの考え方を受け入れられる。要するに、他者への深い共感をもっているのだ。

Y世代は、オンライン上のバーチャルなコミュニティを舞台に活動する世代でもある。テクノロジーを活用することに長けていて、電子メールやテキストメッセージでほかの人とやり取りすることを好み、情報拡散や学習の手段としてウェビナー（ウェブ上でおこなうオンラインセミナー）を利用するなど、オンラインテクノロジーを難なく使いこなす。

Y世代の行動を理解するために私たちが実施した調査によれば、この世代が仕事でとりわけ重きを置く要素は、学習と成長の機会を得られることだった。[3] 多くのことを学べて、学ぶべき点の多い同僚たちと働ける仕事を選ぶ傾向が強い。仕事でなにが不満かと尋ねると、飛び抜けて多かった回答は、ベビーブーム世代の上司が過剰に管理したがる一方で、十分なコーチングをしてくれないことが不満だというものだった。

二〇二〇年代に入って管理職に就くY世代の多くが大切にするのは、ワークライフバランスだ。この世代は、家庭で親としての役割を果たすことを重んじ、子どもと一緒に多くの時間を過ごすことを望む。育児で積極的な役割を担いたいと考える男性も増える。また、Y世代はチームの一員としてほかの人たちと協力し合うことが当たり前の環境で育ち、チームプレーヤーとして振る舞うことを非常に重んじる。競争意識の高いベビーブーム世代と異なり、協力志向が強いのである。

働き方の未来を描き出すために私が発足させた「働き方の未来コンソーシアム」のY世代の参加者の一人は、次のように述べている。

私たちの世代は、職務内容うんぬん以上に、上司から多くのことを学べるという理由で仕事を選ぶことがけっして珍しくありません。若くて優秀な人材を引きつけることに大きな成功を収めているのは、スタッフの能力開発のために直接会って話す時間を設け、自分のもっている知識を伝授し、事務アシスタントにいたるまでチームの全員に課題を与えるマネジャーや雇用主のように思えます。

こういう発想は、先進国のY世代に限ったものではない。インド人のある多国籍企業幹部は、ムンバイで働く部下のY世代たちについて、こう述べている。

仕事の世界で、Y世代は大きな自由を求めます（課題をこなしているのに、上司から口を挟まれたくないと、この世代は思っています）。専門分野の技能に磨きをかけ、労働市場で自分の価値を向上させたいと思い、目の前の仕事だけでなく、もっと大きな取り組みに参加したいと望んでいます。この世代のいちばん手ごわい点は、自分たちの願望を雇用主が満たさない場合に我慢する時間がきわめて短いことです。X世代とY世代の大きな違いは、煎じ詰めればこの面での忍耐心の強弱だと思います。X世代は概して長期志向で、キャリア全体のことを考え、いくらか不本意なことがあっても我慢して会社に勤め続けます。ところが、Y世代は短期志向で、プロジェクト単位で働く意識が強く、少しでも不愉快なことがあればさっさと辞めてしまいます。

### 自分を見つめ直す人の増加——社会の変化の要因

ジョンとスーザンは数々の選択を自発的におこなっている。ジョンは、高校卒業後に自発的に一年間のギャップイヤーを取り、大学卒業後はバングラデシュでのボランティア活動を続けやすい会社を自発的に選んで勤務している。ジョンとスーザンは自発的に、子どもたちに在宅教育を受けさせることを決め、子どもたちと一緒にバングラデシュで一年間過ごすことにした。自発的に、家を買わずに借り、自動車も所有しないことを選択した。このように、誰かが決めた基準に従って受け身的に生きるのではなく、自発的に選択をおこない、主体的に自分の職業生活を形づくっている。自分自身のストーリーを自分で紡ぎ出すことを通じて、ほかの誰とも違う自分だけの人生を歩んでいるのだ。

最も明るい未来が現実になれば、二〇二五年にはジョンのような人が大勢現れるだろう。世界で何十億人もの人たちが主体的に自分の職業生活を形づくり、自分の価値観や願望に沿った働き方を実践するようになるかもしれない。本当にそうなれば、生き方の選択肢が昔とは比較にならないほど大きく広がる。

どうして、そのような変化が起きるのか。ジョンはあくまでも自分自身の判断でさまざまな選択をおこなうが、そこには社会の大きな変化が投影されている。社会学者のアンソニー・ギデンズによれば、大勢の他人によって踏み固められた道を歩むのではなく、自分自身のニーズや志向を反映させた道を選ぶ傾向が高まりつつあるのだ。この新しい傾向は、会社と社員の関係の変化と、結婚生活における男女の関係の変化に表れていると、ギデンズは考える。人々の意識の変化がこの二つの変化を突き動かし、さらに、それが人々の意識の変化を後押ししているというのだ。

恋愛と結婚の歴史を振り返ると、私の祖父母たちが結婚した一九二〇年代を境に、欧米諸国では結婚が経済的な必然性に基づく行為だった時代が終わり、もっとロマンチックで情緒的な行為に変わりはじめた。少なくとも私の両親は、経済的な必然性に基づいて結婚したわけではなかった。なにしろ、駆け落ちしてそれぞれの母親を悲しませたくらいだ。両親の時代には、「ロマンチックな恋愛」という概念がすでに定着していた。[4]

この半世紀、家族のあり方はきわめて多様になった。それをよく映し出しているのがテレビドラマだ。一九六〇～七〇年代、欧米の家族が見ていたテレビドラマに登場するのは、働き者のパパと家庭的なママ、それにお行儀のいい子どもたちで構成される家族だった。『アイ・ラブ・ルーシー』や『わが家は一一人』のようなホームドラマの世界だ。一方、私の息子たちが見て育ったのは、たとえばアニメの『ザ・シンプソンズ』。パパのホーマーはかなりキテレツな人物だが、それでもパパとママと三人の子どもたちという比較的安定した家族が描かれている。家族のドラマではないが、強い絆で結ばれた二〇歳代の友達グループの面々を描いた『フレンズ』も、息子たちの好きなドラマだ。

では、二〇一〇年に息子たちがいちばん夢中になったドラマは？　それは『モダン・ファミリー』だ。このドラマでは、ロサンゼルスの男性同性愛者カップルが養子を迎え、そこに、カップルの片方の父親と、その再婚相手と幼い息子がからんでくる。そのほかにも、誰それの義理の母親や父親や、義理の子どもが大勢出てくる。家族のあり方の多様化を反映したドラマと言えるだろう。

こうした家族形態の多様化は、ギデンズが近代社会の特性として挙げる「内省性（再帰性）」――議論と内省を通じて自我を形成すること――の産物だ。「私はどういう人間なのか？」という問いを足がかりに、私たちは自分だけの人生の物語を織りなし、その物語をいっそう豊かなものにするストーリーの筋書きを精力的に描くようになったのだ。

内省性が強まっていることは、私たちの本棚を見ればよくわかる。私の書斎を見渡すと、かなり愛読した痕跡のあるゲール・シーヒィの自己啓発書『パッセージ――人生の危機』が目に飛び込んでくる。[5] 一九七六年に出版された本で、書き込みを見ると、私は一九七八年に読んだらしい。本棚に並んでいる本の顔ぶれは、私と子どもたちの成長の過程を反映している。最初は赤ちゃんの育て方の本、その次はティーンエージャーの子どもへの接し方の本、そして離婚に関する本。この後も、私と子どもたちの人生の段階に応じて、また新しい本が加わっていくのだろう。

このような「自分」に関する本が読まれるようになったのは、比較的最近の現象だ。昔の人は、いまほど自己分析をしなかった。あなたの両親は、どういう本を読んでいただろうか。もしかすると、一、二冊は、自己啓発書をもっていたかもしれない（昔、母の食器棚に『ジョイ・オブ・セックス』という本を見つけて後ろめたい気持ちになったことがある。もっとも、この本を読んだのは母だけではない。なにしろ八〇〇万部も売れたのだ）[6]。しかし、あなたの祖父母は「自分」に関する本など、まったく読まなかったのではないか。私の二人の祖母は、ビートン夫人の『家政術』はともかく、自己啓発書はもっていなかった。自分について内省することをあまりしない世代だったのである。私は自分について内省する世代の一人だ。Y世代やZ世代は、そういう傾向がいっそう強まるだろう。私たちの内省性が強まり、自分について深く考え、自分の人生を主体的に選択するようになれば、家庭生活と職業生活の両面に関して、社会で許容される生き方の選択肢が広がる可能性が高い。

## 女性の地位の向上――社会の変化の要因

ジョンはアメリカの有名な小売企業で働いている。アメリカの国内外に一〇〇万人を超す従業員がいる大企業だ。一九九〇年代、この会社と社員の間の「契約」はきわめて単純だった。ひとことで言えば、社員は原則としてフルタイムで働き、会社はそういう社員にフルタイム相当の満額の給料を支払うものとされていた。しかし二〇〇〇年代に入ると、もっと柔軟な勤務形態を取り入れる企業が増えはじめた。ジョンの勤務先もそういう企業の一つだった。ジョンのような人たちを会社につなぎとめる決め手が勤務形態の柔軟性だと、経営陣が気づきはじめたのだ。

すべての人に一つの共通の道筋しか認めないキャリア観が崩壊して、一人ひとりが自分の利害や願望に沿ったキャリアを築きやすい時代がいよいよ本格的に訪れつつある。この変化を突き動かす要因の一つは人々の内省性が高まることだが、企業などで高い地位に就く女性が増えることの影響も大きい。そういう女性のなかには、職業生活と私生活をブレンドするライフスタイルのお手本を積極的につくり上げていく人たちもいるだろう。

今後数十年の間に、働く女性たちの生き方が世界中で大きく様変わりする可能性が高い。一九五〇年頃に生まれた私たちの世代は、女性が男性と肩を並べて働くことが夢でなくなった最初の世代だ。私たちはフロンティアの開拓者さながらに、地図のない土地に足を踏み入れ、結婚と家庭と仕事の変化に合わせて、自分自身の人生に対する願望や自我の意識を変えてきた。

ビジネススクールのMBA課程で学ぶ学生を教えていて感じることだが、いまの若い女性たちは、自分に幅広い選択肢が開けていると考えていて、自分が仕事の世界に大きく貢献できると自負している。母親としての役割とキャリアのバランスの取り方に不安を感じていないわけではないが、ほとんどの人の周囲には、さまざまな選択肢を示してくれる同性のお手本が大勢いる。

「働き方の未来コンソーシアム」の女性参加者たちもこの変化を実感している。ある参加者はこう述べている。

> 最近は、昔であれば女性の役割とされてきたことをおこなう男性が増えています（この前も専業主夫の男性に三人会いました。三人とも、奥さんが忙しく働く間、育児を立派にこなしています）。逆に、これまで男性優位だった世界で活躍する女性も増えています。二〇二〇年か二〇三〇年にはきっと、女性管理職が男性管理職より多くなっているはずです！

二〇一〇年の時点ですでに、先進国では、大学を卒業して企業に入社する新入社員のおよそ半分を女性が占めている。多くの先進国では、男性より女性の教育レベルが高い（二〇一一年、アメリカの女子大学生の数は男子大学生より二六〇万人も多い）。もちろん、業種や職種による違いは大きい。エンジニアリングや製造では比較的女性が少なく、広報やマーケティングでは逆に女性が多い。

問題は、企業に採用される数こそ男性と肩を並べるようになったものの、トップまで上り詰める女性がまだきわめて少ないことだ。業種や職種による違いはあるが、二〇一〇年、企業の管理職に占める女性の割合はおよそ三〇％程度にとどまる。ましてや、企業の幹部レベル、取締役レベルの役職では、女性の割合が一〇％程度でしかない。一五％を超えている企業はほとんどない。[7]

なぜ、このような状況が生まれているのか。複数の要因が作用しているという見方が一般的だ。すなわち、個人の資質の問題もあれば（女性は男性ほど強い姿勢で交渉したり、実力者とのコネづくりに励んだりしない）、構造的な問題（女性は、法務や人事など、トップへの出世に結びつきにくい専門職に就くケースが多い）や組織文化の問題（いまだに幹部レベルの役職では「マッチョ」な資質が過度に重視される）もあるし、家族のあり方の問題もある（女性が産休・育休で仕事を中断した後で、再び企業の出世コースに戻るのは難しく、育児で妻と同等の負担をする覚悟が本当にできている男性はまだ少数派だ）。

しかし、状況は変わっていくだろう。変化を加速させる要因の一つは法改正だ。たとえばノルウェーでは二〇〇六年、取締役の四〇％以上を女性とすることを企業に義務づける法律が制定された。それを受けてノルウェー中の企業経営者は、女性取締役を増やすために懸命に努力した。二〇〇八年末の時点で、ノルウェー企業の女性取締役の割合は四四・二％に上昇した。[8] この成果を目の当たりにして、ほかの国の政府も同様の制度に興味を示しはじめている。

Y世代とZ世代の男性の意識も変わる。家族と一緒に過ごす時間を大切にしたいと考える男性が増えるのだ。それにともない、マッチョな企業文化が和らぎ、企業の現場で個人の多様なニーズが受け入れられやすくなる。

こうしたさまざまな要因により、二〇二五年には企業で高い地位に就く女性が目覚ましく増えているだろう。幹部職の半分を女性が占める企業も出てくるはずだ。企業のトップに立つ女性が多くなれば、若い女性にとって人生のお手本となりうる人物が大幅に増える。画一的な人生の道のりを歩むのではなく、自分なりにカスタマイズした人生を送るチャンスも広がる。女性トップのなかには、自分の生き方を通じて、家庭での役割を十分に果たすことを前提に働き方を決めてもいいのだというメッセージを打ち出す人も多いだろう。

## バランスの取れた生き方を選ぶ男性たち――社会の変化の要因

二〇二五年にジョンやスーザンの職業生活のあり方に大きな影響を及ぼすのは、女性の地位の変化だけではない。前の項でも簡単に触れたように、男性の意識にも大きな変化が起きる。すでに、男女の役割に関する常識が少しずつ変わりはじめている。

社会学者のアンソニー・ギデンズは一九九二年の著書で、「男たちはなにを欲しているのか？」と問いかけた。ギデンズの答えはこうだ。「一九世紀以降に男たちが欲してきたのは、男たちのなかでの地位である。男たちは、物質的な報酬を受け取ることを通じて、また、男同士の絆を維持する儀式と結びついた形で、地位を認められることを望む」[9]。男たちのこうした性質は、いくつかの社会的な要因によりお墨つきを与えられてきたと、ギデンズは指摘した。その社会的な要因とは、男性が公的な場を支配し、女性の発想や言動があいまいで非合理的だと見くだされ、両性の役割が固定化されている状態のことである[10]。

しかし、女性が企業で要職に就くにつれて、状況に変化が起きはじめている。公的な場における男性優位は弱まり、女性があいまいで非合理的だというレッテルもはがれつつある。家事や育児の負担の多くを女性が担うのが当たり前だという風潮も薄らぎはじめた。その結果、多くの企業でマッチョな企業文化が和らぎ、男性たちは職業生活のなかに私生活の要素を持ち込みやすくなる。

ジョンのように、さまざまな要素のバランスが取れた人生を送るためには、どのような〈シフト〉が必要なのか。見てのとおり、ジョンは〈第二のシフト〉を実践して、世界中の人々と結びつき、協力し合っている。しかしそれ以上に重要なのは、〈第三のシフト〉をおこない、バングラデシュでの活動のような経験を通じて生きがいと幸福を感じられる職業生活を築いていることだ。

今後、私たちの仕事の世界は劇的に変わるだろう。とくに、これまでの男女の役割が大きく様変わりするはずだ。そうした変化を追い風にするためには、ジョンとスーザンのような判断力と内省性を身につけることが不可欠だ。自分にとってなにが本当に大切かを理解し、その優先順位に沿った職業生活を送るために必要な選択をおこなわなくてはならない。

# 第7章 ミニ起業家が活躍する未来
## 創造的な人生を切り開く

### 【シュイ・リーのストーリー】二〇二五年、河南省鄭州

二〇二五年一月のその日、シュイ・リーは朝の六時に起き出し、中国中部の河南省鄭州市郊外にある小さな家の庭で伸びをする。素晴らしい一日になるに違いない。今日は孫のチェンゴンが訪ねてくる。最新の映像作品とアニメ作品を見せてもらうのが楽しみだ。

八時に質素な朝食をとり、二人の刺繍職人とテレビ会議を始める。ファッションに興味をもったきっかけは母親だった。よく母親の昔話を聞かされていた。文化大革命の時代、体制から強制された醜悪な服装ではなく、自分の好きな服を着たかったと、母親はいつも言っていた。そんな母親の影響もあって、ファッションとこの地方の名産である手工芸品に強い関心をいだくようになった。

最初は、オーダーメードで洋服をつくる地元の小さな業者に就職し、昔のヴォーグ誌の型紙をも

とに、ウェディングドレスやその他の記念日用のドレスをつくっていた。そうするうちに、評判が遠方まで広がりはじめた。とくに、手作業の刺繡が高い評価を受けた。小さな淡水パールを使った刺繡は一級品だった。しばらくして、縫い子を何人か雇い、自前の店を開いた。

いまは、もう自分の店をもっていない。香港の大手企業リー&フン（利豊）の約一万人いるビジネスパートナーの一人になったのだ。一〇年前、友達から同社のパートナーの一人を紹介されて、この会社の存在を知った。最初は、パールの刺繡をほどこしたデシン織り（ちりめん）のブラウスを少しだけつくった。そのとき、大きなコミュニティの一員として働くことの快適さを実感した。現在は、週に二五着のドレスの制作と刺繡を取り仕切る。すべて、ほかに類のないデザインの刺繡をほどこす。リー&フンのパートナーシップに加わったおかげで、店を構える必要がなくなった。

刺繡職人たちとは、厳しい話し合いになる。リー&フンのパートナーシップでは、きわめて高い水準が要求される。ついこの前も、指定どおりの重さと色の生地を納入するように、シルク生地の生産者に厳しく言い渡したばかりだ。今日は、シルクの品質にいっさい問題がないか確認し、この日の昼までに市中心部にあるリー&フンの倉庫に生地が確実に届くよう手配する。

週に二、三着のドレスをつくり、自分の小さな店で売っていた頃に比べて、日々の仕事は過酷になった。リー&フンの要求水準を満たす商品を納めるのは簡単でないからだ。しかも、刺繡の最終仕上げのためにドレスがシュイ・リーのもとに届くまでには、デザインに始まり、シルクの購入と染色、縫製など、実にさまざまな工程がある。その全工程に携わるパートナーの間の調整も必要だ。顧客がある特定の色のドレスが欲しいと言う以上は、そのとおりの色以外は認められないのだと、シュイ・リーは以前、痛い思いをして学んだ。すべての工程の最新の状況をいつも把握できるのは、工房に置いてあるコンピュータのおかげだ。シュイ・リーはパートナーの全員とオンラインで結びつき、ドレスの制作工程の隅々でなにが起きているのかを分刻みで把握する。

一一時、テレビ会議を終え、ようやく一息。娘のバオ・ユーとお茶の時間だ。バオ・ユーは、世界最大の企業間オンラインマーケットであるアリババ（阿里巴巴）を通じて販売している商品の配送上の問題で相談があり、母親の家を訪ねてきていた。シュイ・リーは淡水パールの仕入れで、バオ・ユーは地元製のかごバッグの販売でアリババを利用している。バオ・ユーはアリババの英語版サイトを通じて、アメリカのボストン地区やカリフォルニア地区などに向けて商品を売っている。[1]一方、シュイ・リーが中国全土の卸売業者からパールを仕入れるために用いているのは、主としてアリババの中国語版サイトだ。この一〇年ほど前、アリババの使い勝手が一挙に高まった。同社がクラウド・コンピューティングに多額の投資をおこない、データ処理の高速化とデータのカスタマイズが可能になったのである。シュイ・リーが二〇一〇年にアリババを利用しはじめたとき、登録者数は約五〇〇〇万人だったが、二〇二五年には一〇億人を突破している。

配送の問題について話が終わると、バオ・ユーが自作の曲を母親に聞かせる。二人は三〇分ほど、その曲を聞いて過ごす。バオ・ユーは地元の鄭州大学に進学した後、韓国に交換留学した。音楽と執筆への情熱に目覚めたのは、このときだった。韓国でもう一つ強い印象を受けたのが市民参加型ニュースサイトのオーマイニュースだ。このニュースサイトの専任スタッフはごく少数だったが、何万人もの「市民記者」がさまざまなニュース記事や論説を投稿していた。

留学先のソウル教育大学では、ほとんどの人が「ミニホムピ」を持っていた。オンライン上で日記や写真を公開したり、ほかのユーザーと交流したりするミニホームページのことを韓国ではそう呼んでいた。バオ・ユーは中国に戻るとさっそく、自分のミニホムピをつくった。それを利用して韓国の友人たちと連絡を取り続け、友人たちの子どもが中国留学したときにホームステイのホストファミリーを引き受けたことも二度あった。

注目すべきなのは、シュイ・リーとバオ・ユーが二人とも企業に雇われずにリー&フンやアリババを活用して、独立した個人事業を営むことだ。なにを売るのか、いつ売るのか、どういうふうに宣伝をするのか、いくらに値づけするのかは、すべて自分で決める。

## ミニ起業家たちの「生態系」

二〇二五年には、世界中で何十億人もの人たちがミニ起業家として働き、ほかのミニ起業家とパートナー関係を結んで、相互依存しつつ共存共栄していく仕組み――「エコシステム（生態系）」と呼ばれる――を築くようになる。[2] 特定の大企業ではなく、こうしたミニ起業家たちのエコシステムが市場の方向性を大きく左右するようになる。

ミニ起業家たちはたいてい、自分が夢中になれる対象を仕事にしている。シュイ・リーはファッションと刺繍への情熱、バオ・ユーは地元の伝統工芸を未来に残したいという情熱に導かれて、いまの仕事を選んだ。仕事に情熱をいだく人の割合は、企業などに雇われて働く人に比べて、自営業やフリーランスなどのミニ起業家のほうが約二倍も高い。[3] シュイ・リー母娘も仕事を心から楽しむ。
リー&フンやアリババなどの企業は、ミニ起業家たちがほかのミニ起業家と結びつき、原材料の納入業者や製品の買い手を見つける場をつくることを通じて、ミニ起業家たちの相互協力とイノベーションを後押ししている。アリババは大規模なオンラインマーケットをつくり、いくつかの簡単なルールを定め、ミニ起業家たちがビジネスに参加しやすい環境をつくった。こうしたオンラインサービス企業は、商品の買い手を探すための簡便な出品申請システムを採用したり、買い手が売り手を採点する格付け制度を導入したりして、ミニ起業家同士が一緒にビジネスをおこなう手立てを充実させていくだろう。
大勢のミニ起業家たちが活躍するエコシステムがすでに充実している土地の例としては、イタリアのトスカーナ州の都市プラートが挙げられる。プラートは織物産業の盛んな土地で、一万五〇〇〇を超す小規模企業が協力し合ってビジネスをおこなっている。従業員の数が五人に満たない企業がほとんどだ。といっても、原始的な家内工業が寄り集まっているわけではない。最先端の設備を擁する業者が原材料の購入や研究開発を共同で進めているのである。こうしたビジネスのエコシステムの内部には、パートナー関係を結んで協力し合うミニ起業家たちのほかに、そうしたミニ起業家たちを結びつける仲介者が存在する。プラートの織物産業では、多数の小規模企業が一緒に仕事をするのを助ける「インパナトーレ」と呼ばれるコーディネーターが活躍している。[4]
ミニ起業家たちは、エコシステムから支援と後押しを得るが、誰かから管理や支配を受けるわけではない。シュイ・リーとバオ・ユーの母娘が楽しく仕事に臨める大きな理由の一つは、ここにある。誰とどういう条件でビジネスをおこなうかは、二人ともすべて自分で決める。このような自律性は、ビジネスの業績にも好結果をもたらし、プラートの織物は世界で有数の高い評価を得ている。

二〇二五年にシュイ・リーが加わるエコシステムは、働き方の未来を形づくるさまざまな要因が生み出す必然の産物だ。ごくわずかなコストで何千人もの人たちが結びつけるようになったのは、インターネット関連のテクノロジーが進化した結果にほかならない。一九九〇年には、そんなことはとうてい不可能だった。当時の仕事の世界では、手紙でやり取りをするのが普通だった。二〇〇〇年には、電子メールで個人が結びつくようになっていたが、オンライン上に大勢の人間がつながり合う場は生まれていなかった。しかし二〇〇〇年代以降、オークションサイトのイーベイやアリババなどのサービスを通じて互いに結びつき合う人たちが驚異的なペースで増えていった。こうした環境に後押しされて、多くの人たちがミニ起業家となり、会社に雇われずにビジネスをおこない、モノやサービスをつくり出し、互いに商取引をおこなうことが可能になりはじめた。

二〇二五年一月の一日に目を戻そう。シュイ・リーが自宅でバオ・ユーと過ごしていると、たった一人の孫であるチェンゴンが訪ねてくる。チェンゴンは、上海の大学で電子工学の課程を修了したばかり。この日の午後は、いまチェンゴンが取り組んでいる映像制作やアニメ制作のプロジェクトについて話を聞いて過ごす。

なにを買い、所有するかより、なにを創造するかを通じて自分を表現するほうがはるかに重要だと、三人は考えている。一九六〇年代前半に生まれたシュイ・リーの場合、そういう基本姿勢は子ども時代にはぐくまれた。文化大革命の時代に貧しい家庭に育ったので、手持ちのものを最大限活用するコツを学び、自分の手を使ってなにかをすることが好きになった。ドレスの刺繡作業は市内に住む刺繡職人たちに任せるようになったが、デザインはいまも自分で手がけている。

一九八一年生まれのバオ・ユーは、自由を愛する発想とものごとを楽しむ姿勢を母親から学んだ。二〇二五年のいまは、暮らしている町の境界を軽々と飛び越えて、広い世界で創造性を思う存分発揮している。かごバッグの仕事をしていないときは、楽譜作成ソフトウェア「シベリウス」のユーザーで構成されるコミュニティを舞台に、セミプロ作曲家として活発に楽曲を発表している。二〇一〇年にバオ・ユーが利用しはじめたとき、すでに四万五〇〇〇人がシベリウス・コミュニティで楽曲を発表していて、公開される楽曲の数は一日平均二〇点に上っていた。[5] 二〇二五年にはさらに多くの人が世界中から参加し、複雑な楽曲を共同で制作しているだろう。シベリウスのようなテクノロジーや場が登場して、世界中の大勢の人たちが自己実現を経験できるようになった。二〇二五年の世界では、創造性は「クリエイティブ系」の職種に就くごく一握りの人だけのものではなく、もっと多くの人が実践できるものになる。

シュイ・リーとバオ・ユーは昼食の後、チェンゴンが動画投稿サイトのユーチューブに投稿した映像を見る。チェンゴンが映画づくりを始めたきっかけは、一〇歳のとき、ユーチューブでラッセ・イエルツェンという映像作家のショートフィルムを見て魅了されたことだった。イエルツェンがユーチューブに相次いで発表した作品を視聴した人は、世界で二〇〇万人以上に上る。[6] チェンゴンは目下、都市化の急速な進行により完全に変貌してしまう前に、河南省の農村の暮らしぶりを映像に残す活動に取り組んでいる。

二〇二五年の世界では、社会問題を解決するために市民運動に加わる人が増える。チェンゴンもその一人だ。改めるべきだと考える現状を映像に収めて、オンライン上で公開する「ウィットネス（目撃者）」というグローバルな活動にも早くから加わっている。[7]チェンゴンがとくに力を入れているのは、河南省の一部の工場で労働者が劣悪な労働環境で働かされている実態を告発することだ。

そうした活動に取り組んでいる以外の時間は、世界規模のグラフィック・アーティストのグループの一員としてアニメを制作している。中国の若い世代にとって、アニメは欠かせない娯楽になっているのだ。チェンゴンはさまざまな場に作品を発表し、アニメ制作者として評判を確立しつつある。遠くの丘に夕陽が沈もうとするなか、シュイ・リーは絶品の中国茶を飲みながら、孫の最新作を見て過ごす。

## ミニ起業家と創造性の未来を生み出す要因

シュイ・リーとバオ・ユーとチェンゴンの三世代の未来ストーリーの舞台背景をなすのは、インターネット利用環境の目覚ましい充実だ。第2章のジル、第3章のローハンとアモン、第6章のジョンと同じく、中国の三人も最新の携帯端末を利用して、クラウドから高度なプログラムをきわめて安価にダウンロードしている。三人が職業生活で成功を収められるのは、テクノロジーが進化して仕事の生産性が向上するおかげでもある。新しいテクノロジーに後押しされてリー&フンのようなメガ企業（巨大企業）が台頭する一方で、シュイ・リーのようなミニ起業家が大勢登場し、そういう人たちが活動できるエコシステムが形成されることも、二〇二五年の世界の大きな特徴だ。

しかし、二〇二五年に三人の生活を形づくる大きな要因は、テクノロジーの進化だけではない。グローバル化が進展するとともに、中国は目を見張るペースで経済成長を遂げ、世界有数の豊かな国になる。そのうえ、二〇二五年には、中国とインドが世界屈指の人材輩出大国にのし上がるだろう。イノベーションのグローバル化も進む。かつてイノベーションは先進国の独壇場だったが、中国やインドで多くの企業が低コストでイノベーションを成し遂げるようになる。その結果、シュイ・リーのような何十億人もの人たちの生活の利便性が飛躍的に向上する。

もう一つ見落とせないのは、寿命がますます延びることだ。二〇二五年、シュイ・リーは六〇歳代後半だが、世界中の何百万人もの同世代の人たちと同じく、いまの仕事を楽しく感じていて、少なくともあと一〇年以上は精力的に働き続けたいと思っている。

## 生産性の向上――テクノロジーの要因

二〇二五年にシュイ・リーたちが生産的な職業生活を送れる大きな要因は、テクノロジーが発展して、インターネット利用環境が目覚ましく充実することだ。[8] 歴史上、仕事の生産性は、主としてテクノロジーのイノベーションに左右されてきた。たとえば、一九三〇年代にアメリカ南部で生産性が向上したのは、この高温多湿の地域にエアコンが普及した結果という面が大きい。[9]

一九九五〜二〇〇〇年には、大々的なＩＴ投資がおこなわれ、ＩＴ製品・サービスが改善されたことにより、先進国で生産性が大きく向上した。二〇〇〇年頃からは、生産性の源泉がテクノロジーそのものではなく、テクノロジーを組み合わせる能力や組織上の強み（イノベーションに積極的な企業文化やチームワークなど）に変わりはじめた。シュイ・リーが参加するリー＆フンのパートナーシップは、高度なテクノロジーと組織上の強み（適切なコラボレーションの仕組みをつくり、適切な人材を厳選し、人材の訓練と能力開発を精力的におこなっている）を組み合わせることで成功を収めている。[10]

シュイ・リーと仕事仲間たちは、テクノロジーのおかげで、ほぼコストゼロで情報やアイデアを交換できる。費用をほとんどかけずに情報を丸ごと複製することなど、昔は不可能だった。孫のチェンゴンは、オンライン経由で一〇〇〇人の売り込み先にパンフレットを送ったり、オンライン百科事典のウィキペディアを利用したりして、きわめて少ない予算で生産性を高めている。このような現象が起きる一因は、シュイ・リーたちが購入する品物の価格が概して年々上昇していくのをよそに、コンピュータではそれと反対の現象が起きることにある。コンピュータは年々、性能が大幅に向上する一方で、価格は大きく下落し続けるだろう。[11]

### メガ企業とミニ起業家の台頭――テクノロジーの要因

二〇二五年にシュイ・リーたちの職業生活に影響を及ぼすもう一つの大きな要因は、企業の組織構造の変化だ。とくに、企業の「社内」と「社外」を隔てる境目に劇的な変化が起きる。一方では、テクノロジーが進歩する結果、企業の規模が拡大する。強力なテクノロジーを利用すれば、大人数の活動を調整しやすくなるからだ。しかし他方では、シュイ・リーのような零細事業者が新しいテクノロジーを武器に活躍するようになり、企業のフルタイムの社員と、プロジェクト単位で参加する個人やパートナー企業の社員が入り混じって働くようになる。

莫大な数の顧客に製品やサービスを提供するために、リー&フンやアリババのようなグローバルなメガ企業（巨大企業）が何十万もの働き手の活動を迅速に調整する一方、そうしたメガ企業を核にして、何千人ものミニ起業家で構成されるエコシステムが形づくられ、大勢のミニ起業家がコラボレーションを通じて活動を調整し合うようになる。アップルのスマートフォン、iPhoneのアプリ開発のプロセスを思い浮かべればわかりやすい。アプリの多くは、小規模な企業やミニ起業家がアップルを核とするエコシステムのなかで開発している。

要するに、垂直の関係を築かなくても、水平の関係を築くことを通じて大勢の人たちの行動を調整することが可能になりつつあるのだ。オープンソースのOS（オペレーティングシステム）である「GNU／リナックス」の開発・改良のプロセスや、オンライン百科事典ウィキペディアの執筆・編集のプロセスはその先駆けと言える。

**中国の経済成長——グローバル化の要因**

二〇二五年のシュイ・リーたちの未来ストーリーを理解するうえでは、中国の経済成長を無視できない。一九七八年に当時の最高指導者、鄧小平が改革開放路線を打ち出して以降、中国経済は目覚ましい発展を遂げてきた。二〇〇五～一〇年の経済成長率は一〇%を突破。二〇一〇年頃には、中国人が経済の先行きを楽観するようになった。[12] 中国がGDP（国内総生産）でアメリカを追い抜くのは、時間の問題だろう。[13]
シュイ・リーは、多くの友達と同様に、精力的に貯蓄に励んだ。[14] 二〇一〇年当時、生活は楽でなかった。工場の仕事は過酷で、受け取る給料は一年間に三五〇〇ドル相当にすぎなかった。収入はけっして多くなかったが、将来のための貯蓄はおこたらなかった。中国人の貯蓄好きは、クレジットカードの普及状況にも表れている。シュイ・リーがはじめてクレジットカードを手にしたのは、二〇〇八年。この年、中国人の所有するクレジットカードの総数はわずか五〇〇〇万枚だったが、アメリカ人が所有する枚数は合計で一三億枚に上った。アメリカの人口は中国の四分の一に満たないのに、である。[15] 二〇〇八年、中国の世帯、企業、政府機関の貯蓄の合計はGDPの五四％に達していた。この数字は、アメリカが一五％前後、ほとんどのヨーロッパ諸国が二〇％前後にとどまる。[16]
一九八〇年代以降、中国は「世界の工場」の地位を確立していく。シュイ・リーの友達のなかには、ナイキのスニーカーやアップル製品の部品をつくる工場で働いている人も多かった。中国の製造業が大きく発展したのは、一つには中国の賃金水準が先進国に比べて低いからだが、中国政府が製造業の振興を目指す政策を推進したからでもある。たとえば、インフラの整備が急速に進められた。二〇一〇年、中国の国内で建設中の空港は四五カ所に上った。交通・輸送インフラが整うことにより、工場でつくられた製品を出荷したり、部品を調達したりすることが容易になった（交通網が発達して、都市化の進行も加速した）。
二〇一〇年頃、自分や周囲の人たちの仕事の仕方が垢抜けはじめたことに、シュイ・リーは気づいたはずだ。それまでは、工場で働くかたわら、一、二、三人を雇って自前の刺繍業を営んでいたが、この時期に工場を辞めて自分の事業に専念した。コスト削減と顧客価値の向上を目指して熱心にイノベーションに取り組み、ますます価値の高い製品をつくるようになった。[17] シュイ・リーがリー＆フンのパートナーシップに加わるのは、二〇一五年。これにより、四〇以上の国の一万二〇〇〇社を超す企業で構成される柔軟なネットワークの一員となり、ほかの業者と緊密に協力し合いながらビジネスができるようになった。わずか一〇年の間に、シュイ・リーの世界はローカルからグローバルに一挙に拡大したのである。

ただし、中国の驚異的な経済成長を牽引してきたのは、ごく一握りの地域だ。一部の地域が国内の優秀な人材の多くを引きつけ、中国で生まれるイノベーションのかなりの割合を生み出している。上海や北京、シンセンなどの都会は、国の大半を占める地方部とは別世界と言っていい。二〇一〇年、中国の地方部では、住民の半数以上が月収一五〇ドル未満で生活している。[18] 二〇二五年の中国では、優秀な人材が一部の地域に集中する傾向に拍車がかかり、地域間の格差がますます拡大しているだろう。

それに、いくら経済が急成長していると言っても、二〇一〇年の段階で、中国はまだ新興国だ。世界経済フォーラム（WEF、通称ダボス会議）が発表する「国際競争力ランキング」では三〇位、国連開発計画（UNDP）の「人間開発指数」では八一位にとどまっている。充実したインフラ、高い識字率、高度な専門技能をもつ労働力などを武器に、中国は国際競争力を強めていくだろうが、製造業と知識産業が急成長を遂げることの恩恵を、人口の大多数を占める地方部の住人に行き渡らせることが大きな課題となる。

## 新たな人材輩出大国の台頭――グローバル化の要因

インドや中国をはじめとするアジアの国々はすでに、バオ・ユーやチェンゴンのようにグローバルに活躍する「クリエイティブ・クラス（創造階級）」を続々と生み出しはじめている。その原動力になっているのが教育だ。とはいえ、二〇一〇年の時点で、高いレベルの教育を受けている子どもの割合はヨーロッパやアメリカより小さい。それどころかインドでは、人口の三三％が文字を読めない。一五歳以上の人口の二七％が大学院修了の学位をもつフィンランドは極端な例としても、ヨーロッパの教育大国と比べ、インドと中国は教育面でまだまだ大きく後れを取っているように見える。

それでもこの両国が教育レベルの高い人材を大量に生み出しはじめている理由の一つは、単純に人口の総数がきわめて多いことにある。二〇一〇年、アジアの人口は四〇億人を上回っており、二〇三〇年には、五〇億人に達すると予想されている。これに対して、ヨーロッパとアメリカの人口は一五億人程度のまま変わらない見通しだ。

もう一つ見落とせないのは、インドと中国の学生がなにを学んでいるかという点だ。欧米の学生が学ぶジャンルが人文系の学問や芸術なども含めてきわめて多岐にわたるのに対し、チェンゴンや第3章に登場した脳外科医のローハンのように、中国やインドの学生は理工系の学問を勉強するケースが非常に多い。二〇〇八年、インドと中国はそれぞれ、エンジニアリングとコンピュータ科学の分野で大学院修了レベルの学生をアメリカの二倍生み出した。同じ年、アメリカでエンジニアリング分野の修士号を取得した学生の四〇％、博士号を取得した学生の六〇％が外国人で、そのほとんどがインド人と中国人だった。

インドと中国は、教育のレベルを向上させているだけではない。企業の社員研修にも積極的に取り組みはじめている。アモンの弟のアミトは、同世代の大勢の若者と一緒に、インドの有力IT企業インフォシスで新人研修を受けて基礎的な技能を身につけるかもしれない。

しかし、二〇二五年におそらく際立ってくるのは、インドと中国の成長著しい産業で経営人材が慢性的に不足することだ。教育インフラの整備は急速に進むが、それを上回るペースで人材のニーズが増す。一九五〇年代から経営人材の育成に組織的に取り組んできたGEやフィリップス、シェル、ユニリーバなどの欧米の多国籍企業と比べれば、インドと中国の経営人材の層はきわめて薄い。両国の歴史に足を引っ張られている面もある。インドでは、一九九〇年代に経済が自由化されるまで、経営人材の育成がほとんどなされていなかった。中国では、文化大革命の期間、シュイ・リーの親世代の大半が教育や訓練を受けられなかった。[19]

教育の質の問題もある。インドと中国のいくつかの一流ビジネススクールには世界のトップレベルの優秀な教員と学生が集まるが、そういう大学は一握りにすぎない。イギリスのタイムズ紙が作成した二〇〇九年の「世界大学ランキング」によれば、上位二〇校のなかに欧米以外の大学は二校しか含まれておらず、アジアの大学は一つも入っていない。中国で最も順位が高かったのは、清華大学の四九位。インドの大学は、上位一〇〇校に一校も名を連ねていなかった。[20]

中国やインドなどの新興国で急速にビジネスを拡大させるリー&フンやアリババのような企業にとっては、人材を確保し流出を防ぐことが大きな課題となる（二〇一〇年、両国のハイテク関連の人材の退職率は二五～三〇％に達している）。しかも、経営人材の層がきわめて薄いなかで、世界中の企業と競い合わなければならないのだ。

## 倹約型イノベーションの普及――グローバル化の要因

二〇二五年、シュイ・リーに快適な暮らしを可能にしている冷蔵庫、浄水器、自動車などの製品はことごとく、中国やインドで成し遂げられた低コストのイノベーションの産物だ。

ある時期まで、イノベーションの中心地と言えば、欧米か日本と決まっていた。アメリカ西海岸のシリコンバレーは、グーグルをはじめとする有力なテクノロジー企業を次々と生み出した。ドイツは世界中で人気のある高級工業製品をつくり、日本は一九五〇年代以降、数々のイノベーションを成し遂げてきた。多国籍企業の研究開発拠点もおおむね先進国に置かれていた。

しかし、状況は変わりつつある。研究開発とイノベーションは、一握りの先進国だけでなく、世界のさまざまな地域で実行されるようになった。積極的な投資と教育レベルの向上、新技術開発を後押しする政策が相乗効果を発揮し、新興国にもイノベーションの活発な地域が続々と生まれている。北京ではナノテクノロジーとバイオテクノロジー、ソウルではデジタルメディアと遺伝子研究、ブラジルではバイオ燃料、ポーランドでは自動車関連技術のイノベーションが極立っている。

国外で活躍しているインド人や中国人の起業家が、祖国のイノベーションを力強く牽引している面もある。一九八〇~九九年にシリコンバレーで設立された新興企業の二五%は、インドもしくは中国の起業家が立ち上げたものだった。その後、この割合はさらに上昇し、二〇〇五年には三〇%に達した。[21] 二〇一〇年頃からは、そうした起業家たちが専門技能と人脈を駆使して、続々と祖国でビジネスを始めている。世界経済のエネルギーがアジアに移りつつあると感じているのだろう。

インドに関して特筆すべき点は、ＩＴ産業が力強く成長していることだ。その先陣を切ったウィプロ、インフォシス、タタ・コンサルタンシー・サービシズ、ＨＣＬテクノロジーズなどの企業は、多くの場合、先進国の企業の社内ＩＴ業務を受託することから出発したが、中国の製造業が価値の高い製品をつくりはじめたのと同じように、インドのＩＴ産業も次第に価値の高いビジネスに転換していった。一九九五年、欧米の有力航空機メーカーであるエアバスとボーイングは、社内の事務処理部門の一部業務をインド企業に外注しているだけだった。しかし二〇〇九年、両社はもっと複雑な課題に取り組むためにインド企業とパートナー関係を築いている。インフォシスはエアバスのジェット旅客機「Ａ３８０」の翼の設計に参加しているし、ＨＣＬテクノロジーズは航空機の衝突回避と視界不良時の着陸のための重要なテクノロジーの開発に関わっている。

中国とインドのイノベーションの際立った特徴は、コスト削減に重きを置いていることだ。資源を効率的に使い、コストをなるべく抑えることを目指して、製品を設計し直しているのである。たとえば、インドのタタ・モーターズが二〇〇八年に売り出した超小型車「ナノ」は、すべての工程でコスト削減を目標にイノベーションを追求した。その結果、一〇万ルピー（約二〇〇〇ドル）という、ヨーロッパメーカーの小型車の四〇％程度の低価格が実現した。製品のイノベーションだけではない。インドの通信会社バーティ・エアテルは、納入業者との関係に劇的なイノベーションを成し遂げ、携帯電話通信料を大幅に引き下げた。

ときには、イノベーションにより、まったく新しいビジネスが誕生する場合もある。二〇一五年、シュイ・リーと家族の面々はみな、携帯電話を使った送金サービスを利用している。このサービスは、先進国で開発されたものではない。サファリコムというケニアの携帯通信会社が、二〇〇七年に送金サービスを打ち出したのが始まりだった。[22] このビジネスが大成功したことを受けて、アフリカ最大の携帯通信会社MTNがアフリカの多くの国で送金サービスを展開。その後、中国とインドでも同様のサービスが始まった。[23]

## 長寿化の進行——人口構成の要因

シュイ・リーの職業生活を形づくる材料がもう一つある。それは長寿化である。二〇二五年には、六〇歳代後半のシュイ・リーのように、世界中で何百万人もの六〇歳代や七〇歳代の人たちが生産的に働いている。なかには、もっと高齢になっても仕事を続ける人もいるだろう。

現代の職業生活に起きた最も重要な変化はなにかという問いに対して、経営思想家の故ピーター・ドラッカーが挙げた答えは、テクノロジーの進化でもなければ、グローバル化の進展でもなく、平均余命の目覚ましい上昇だった。ドラッカーは、長寿化を二一世紀の奇跡と位置づけていた。[24] 一九五〇年代以降、世界の多くの国で寿命が延び続けてきた。二〇一〇年に生まれた健康な子どもの多くは、一〇〇歳以上生きると予測されている。二〇二五年の世界では、引退の時期、高齢者の雇用、年金の支給について従来の常識が変わりはじめるだろう。[25]

ドラッカーも言うように、これほどまでに寿命が長くなったことは、昔を考えればまさに奇跡だ。西ヨーロッパでは、六〇年以上生きる男性の割合が一八〇〇年には全体の二五％に満たなかったが、二〇一〇年には九〇％以上に達している。一八〇〇年に六〇歳といえば老人だったが、二〇一〇年の六〇歳はまだ中年だ。

二〇二五年、シュイ・リーのまわりにも、二、三〇年前であればもっと若い世代がやることと思われていたことをする六〇歳代や七〇歳代の仲間たちがいる。ハイキングを楽しみ続けるために、八〇歳代になって人工膝関節の移植手術を受けた友達もいるし、九〇歳代になって心臓の手術を受けた友達もいる。[26]

友達との会話では、自分が何歳まで生きられるのかが大きな話題になる。シュイ・リーは、一〇〇歳になっても生産的に活動し続けるつもりだ。なにしろ、医療の進歩には目を見張るものがある。アメリカの未来学者レイ・カーツワイルによれば、人間の寿命は大幅に延び、しかも年齢を重ねても病気や衰えにさいなまれなくなり、やがて年を取るほど生活の質が高まるようになるという。まず老化の進行を遅らせることが可能になり、次は老化を止めることが可能になり、そしてついには若返りが可能になるというのだ。たとえば、高度なナノテクノロジーが医療に導入されれば、極小ロボットを体内に送り込んで、あらゆるダメージを分子レベルで修復できるようになると、カーツワイルは予測する。[27]シュイ・リーは、最新の医療テクノロジーに関して情報収集をおこたらない。長く健康に生きるために利用できるテクノロジーが登場すれば、なんでも取り入れるつもりだ。[28]

本章では、中国で暮らすシュイ・リーと娘、孫の未来ストーリーを通じて、テクノロジーの進化とグローバル化の進展、そして長寿化が二〇二五年の職業生活に及ぼす明るい影響を見てきた。シユイ・リーは企業に属さずにミニ起業家として働いているが、孤立しているわけではなく、ほかの大勢のミニ起業家たちと結びついて仕事をしている。

シュイ・リーの未来ストーリーを読んで、あなたはどのように感じただろうか？　最後に、次の三つの問いを自分に投げかけてみてほしい。

第一に、あなたは大きな企業の中心で働きたいのか、それともシュイ・リーのように、企業に属さずに自分でビジネスをおこないたいのか。もし会社に雇われない働き方を望むのであれば、本書で提案する第一と第二の〈シフト〉を実践し、たえず専門技能に磨きをかけるのと並行して、ほかの人たちと連携してイノベーションを推し進める能力を身につけることが不可欠だ。

第二に、あなたは何歳頃まで働きたいのか。七〇歳代まで生産的に仕事を続けたいのであれば、自分のエネルギーをさまざまな活動にどのように割り振るかが重要になる。第6章のジョンとスーザンのようにバランスの取れた職業生活を送りたいと思う人もいるだろう。

第三に、あなたはどこで暮らしたいのか。グローバル化が進めば、あなたが生活する土地の選択肢は大きく広がる。世界のさまざまな地域で、シュイ・リーのようにグローバルな市場と結びついて生きることが可能になるからだ。

The Shift

The Future of Work Is
Already Here

第4部

# 働き方を
# 〈シフト〉する

未来の職業生活に向けて準備するのは、刺激に満ちた経験だ。今後数十年の間に、仕事の世界で多くの変化が起き、キャリアや働き方に関する古い常識が次々と葬り去られる。世界中の企業でピラミッド型の組織構造が崩れ、全員が毎日午前九時から午後五時まで働くという勤務形態が揺らぐ。昔であれば不利な状況に置かれていた国に生まれた人たちも、グローバルな人材市場に加わるチャンスを手にする。

こうした変化は、私たち全員にとって好ましいものである半面、マイナスの部分がないわけではない。キャリアや働き方に関する古い常識は窮屈だったかもしれないが、安心を与えてくれていたことも事実だ。九時から五時という勤務形態は融通が利かないと言えばそのとおりだが、少なくとも生活にメリハリがあり、二四時間切れ目なく働き続けることはあまりなかった。世界のさまざまな地域の人々にチャンスが開けるのは好ましいことだが、もともと有利な状況にあった国の人々は過酷な試練を突きつけられる。

世界は、目まぐるしいペースで変化している。「仕事とはこうあるべし」「仕事はこのようにおこなうべし」という固定観念の多くが過去のものになり、新たな選択肢とチャンスが拡大する。お仕着せのキャリアの道筋ではなく、充足感とやりがいをいだけるキャリアを切り開けるようになる。

ただし、自分に合ったオーダーメードのキャリアを実践するためには、主体的に選択を重ね、その選択の結果を受け入れる覚悟が必要だ。ときには、ある選択をすれば、必然的になんらかの代償を受け入れなくてはならない場合もあるだろう。これまでの企業と社員の関係には、親子の関係のような安心感があった。私たちは、自分の職業生活に関する重要な決定を会社任せにしておけばよかった。それに対して、新たに生まれつつあるのは、大人と大人の関係だ。このほうが健全だし、仕事にやりがいを感じやすいが、私たちはこれまでより熟慮して、強い決意と情熱をもって自分の働き方を選択しなくてはならなくなる。そのために必要なのは、どのような人生を送りたいかを深く考え決断する能力だ。

私たちはどうすれば、幸福感とやりがいを味わえる職業生活を築けるのか。子どもたちに、どういうアドバイスを送ればいいのか。私自身、働き方の未来を研究しはじめたきっかけの一つは、息子たちにキャリアに関して適切な助言をしたいと思ったことだった。

未来を形づくる要因について理解を深めることは、出発点として間違っていない。この点について理解がおぼつかないと、どういう未来が訪れるかというシナリオを描けない。しかし、それだけでは十分でない。社会全体の大きなトレンドが一人ひとりの職業生活にどういう意味をもつかも理解しなくてはならない。第2部と第3部の各章で紹介した未来ストーリーは、マクロな要因がミクロな個人レベルにどのように反映されるかという具体例だ。

一連の未来ストーリーを見れば明らかなように、未来を形づくる要因の数々は、悲惨な未来を生み出す可能性もあるし、明るい未来を生み出す可能性もある。私たちは当然、暗い側面を最小限に抑え、明るい側面を最大限拡大する道を選びたい。

では、どうすればそれが可能なのか。明るい未来を切り開くためには、これまでの固定観念、知識、技能、行動パターン、習慣などを根本から〈シフト〉する必要があると、私は考えている。この第4部では、仕事の世界で必要な三種類の資本（＝資源）を切り口に、未来にどういう〈シフト〉が必要になるかを見ていきたい。

## 仕事の世界で必要な三種類の資本

第一の資本は、知的資本、要するに知識と知的思考力のことである。多くの国の社会では、キャリアの面でこの資本が最も重んじられており、学校教育はおおむね、この種の知識と思考力を養うことを目的としている。その人がどういう分野で能力を発揮するかは、どのような知的資本をどの程度備えているかによって決まる。未来の世界では、キャリアで成功を収めるうえで知的資本の役割がますます大きくなるだろう。

本書で提案する〈第一のシフト〉は、知的資本を強化することを目的とするものだ。昔は、幅広い分野の知識と技能をもつ人材が評価されたが、そういう状況は変わると、私は考えている。グローバル化が進展し、テクノロジーが進化して世界が一体化する時代には、あなたと同種の知識や技能をもっていて、しかもあなたより早く、安く、そしてひょっとするとあなたより上手に同種の仕事をおこなえる人が世界中に何千人、ことによると何百万人も現れる。そこで未来の世界では、その他大勢から自分を差別化することがますます重要になる。そのために、時間と労力を費やして専門分野の知識と技能を高めなくてはならない。いわば、熟練の技を磨き上げる必要があるのだ。

ただし、特定の一つの分野だけで専門知識と技能をはぐくむことには危険がともなう。もし、その分野が時代遅れになったり、あまり価値がなくなったりしたら？　もし、あなたがその分野の仕事を嫌いになったら？　昔は職業人生が短かったので、一つの分野だけでキャリアを終えるのが普通だった。しかし、職業人生が長くなれば、まず、ある分野の知識と技能を深めていき、やがて関連分野への移動や脱皮を遂げたり、まったく別の分野に飛び移ったりする必要が出てくる。つまり、未来の世界では、広く浅い知識をもつのではなく、いくつかの専門技能を連続的に習得していかなくてはならない。これが第8章で取り上げる〈第一のシフト〉である。

第二の資本は、人間関係資本、要するに人的ネットワークの強さと幅広さのことである。そこには、生活に喜びを与えてくれる深い人間関係も含まれるし、さまざまなタイプの情報や発想と触れることを可能にする広く浅い人間関係も含まれる。未来の世界では、そういう人間関係を意識的に築く必要があると、私は考えている。

孤独が深まる未来の世界では、活力を与えてくれる人間関係が不可欠だ。しかし、イノベーションと創造性の価値がことのほか高まることを考えると、多様性のある人的ネットワークを築くことの重要性も増す。幸せを得るためには、さまざまなタイプの人間関係のバランスを取る必要があるのだ。

それを実践するうえでは、成功するためになにが必要かという点について、古い思い込みの多くを捨てなくてはならない。群衆から自分を際立たせることは確かに重要だが、未来の世界では、成功を収める力になってくれるのも群衆、少なくとも「賢い群衆」なのである。つまり私たちは、専門知識と技能を磨いてほかの人たちとの差別化を図る一方で、高度な専門知識と技能をもつ人たちと一緒に価値を生み出していかなくてはならない。それができなければ、自分の力だけで大勢のライバルと競い合わなくてはならなくなる。ひとことで言えば、私たちは、孤独に競争するのではなく、ほかの人たちとつながり合ってイノベーションを成し遂げることを目指す姿勢に転換する必要がある。これが本書で提案する〈第二のシフト〉である。

第三の資本は、情緒的資本、要するに自分自身について理解し、自分のおこなう選択について深く考える能力、そしてそれに加えて、勇気ある行動を取るために欠かせない強靭な精神をはぐくむ能力のことである。自分の価値観に沿った幸せな生き方をするために、この種の資本が必要となる。

情緒的資本を強化することは、三つの〈シフト〉のなかでいちばん難しいかもしれない。一人ひとりが自分を見つめ直し、どのような職業生活を送りたいかを真剣に考え、ときには厳しい選択をしなくてはならない。未来の世界を形づくる要因の数々を考慮に入れると、私たちはおそらく、高い生活水準を手にするだけでは満足しなくなるだろう。大量に消費することより、上質な経験をすることが望まれるようになり、「豊かさ」や「贅沢」という言葉より、「幸せ」や「再生」という言葉が職業生活の質を評価する基準としてよく用いられるようになると、私は予想している。そういう時代には、際限ない消費に終始する生活を脱却し、情熱をもってなにかを生み出す生活に転換する必要がある。これが本書で提案する〈第三のシフト〉である。

第3部で紹介した未来ストーリーからわかるのは、誰もが自分の価値観と信念に沿った自分なりの人生のストーリーを描ける可能性があるということだ。一人ひとりがおこなう選択の違いがストーリーの多様性を生み出す。問題は、そうした選択を実践するのが簡単でないことだ。働き方について決断をくだす際に高い意識と多くのエネルギーを求められることに、ほとんどの人は慣れていない。それでも、本書で紹介した未来ストーリーの数々を見れば、そういう努力が無意味だとは思わないはずだ。序章で引用したSF作家ウィリアム・ギブスンの言葉をもじって言えば、「未来はすでに訪れている。ただし、あらゆる場に等しく訪れているわけではない」のである。

あなたとあなたの友達とあなたの子どもたちにとって、漫然と未来を迎えるという選択肢はもはやありえない。未来の暗い側面を知れば、なんの対策もなしにそんな世界にさまよい込みたいとは、誰も思わないだろう。問題は、どう行動すべきかである。やみくもに突き進むだけでは、「主体的に築く未来」の重要な要素であるコ・クリエーション（協創）、社会への積極的な関わり、創造性を発揮する生活を実現できる保証がない。

私たちは、第8～10章で詳しく論じる三つの〈シフト〉を意識的に実践しなくてはならない。具体的には、第一に、さまざまな専門技能を次々と身につけることを意識して行動し、第二に、いろいろなタイプの興味深い人たちとつながり合うために、善良に、そして精力的に振る舞い、第三に、所得と消費に重きを置くのではなく、情熱をいだける有意義な経験をしたいという思いに沿った働き方を選択する必要がある。

第8章

# 第一のシフト

## ゼネラリストから「連続スペシャリスト」へ

### なぜ、「広く浅く」ではだめなのか?

未来の仕事の世界で成功できるかどうかを左右する要因の一つは、その時代に価値を生み出せる知的資本を築けるかどうかだ。とりわけ、広く浅い知識や技能を蓄えるゼネラリストを脱却し、専門技能の連続的習得者への抜本的な〈シフト〉を遂げる必要がある。多くの分野について少しずつ知っているのではなく、いくつかの分野について深い知識と高い能力を蓄えなくてはならないのだ。

これまで、ゼネラリストであることの利点はリスクを抑えられることにあった。少しずつではあっても多くの分野の知識や技能をもっているので、自分が身につけた知識や技能のうちのいくつかが価値を失ってもダメージは限られていた。しかし未来の世界では、浅い知識や技能では用をなさなくなるので、その戦略は通用しない。未来を形づくる五つの要因に関する理解を土台に、どの分野で高度な専門知識や技能を磨くかを選ばなくてはならない。どういう技能が高い価値をもつかを予測し、どうすればそれを習得できるかを理解することが求められる。

まず、自分が選んだ専門分野の技能と知識を深める必要がある。そしてその後も、自分の能力を高めたり、新しい人的ネットワークを築いたりすることを通じて、ほかの専門分野に移動したり、脱皮したりすることを繰り返さなくてはならない。

〈第一のシフト〉に関して、私は次の二つの資質が重要だと考えている。

**＊専門技能の連続的習得**——未来の世界でニーズが高まりそうなジャンルと職種を選び、浅い知識や技能ではなく、高度な専門知識と技能を身につける。その後も必要に応じて、ほかの分野の専門知識と技能の習得を続ける。

**＊セルフマーケティング**——自分の能力を取引相手に納得させる材料を確立する。グローバルな人材市場の一員となり、そこから脱落しないために、そういう努力が欠かせない。

いわば「なんでも屋」のゼネラリストが仕事の世界に登場したのは、主に一九二〇年代以降のことだ。徒弟制度により専門的な技能や知識を磨くケースが少なくなり、一部の昔ながらの職種以外では、広く浅い技能と知識を身につけたゼネラリストが主流になった。特定の専門分野をもたないゼネラリストが管理職に就き、高度な専門技能をもたない労働者が大量に出現したのである。

ゼネラリストが管理職を務めるという形態は、企業のあり方の一つの柱になった。ゼネラリストたちは、職業人生の大半を通じて一つの会社、もしくは一つの業界で働き続け、いわゆる「会社人間」になった[1]。そのおかげで、自分の会社を熟知し、いつでもどこでも会社の代弁者になれた。会社の上層部と接点をもつことにより、自社の文化や精神を理解し、会社のトップに代わってさまざまな決断をくだせた。

ゼネラリストと会社の間には、社員がその会社でしか通用しない技能や知識に磨きをかけるのと引き換えに、会社が終身雇用を保障するという「契約」があった。大企業の多くはこのような「契約」を維持し、有望な若手社員向けの出世コースを用意する一方、社内の幹部候補生の層を厚くすることを心がけていた。そういう管理職たちは、会社の外で役に立つ高度な専門技能や知識をもっていない場合もあった。たとえば、フォード自動車の上級管理職に必要とされる知識や人脈はフォード特有のものなので、フォードの幹部がいきなり菓子メーカーに転職しても幹部職の役割は務まらない可能性が高い。しかし、それでも支障はなかった。会社が生涯にわたって働く場を保障してくれたからだ。

問題は、そうした旧来の終身雇用の「契約」が崩れはじめたことだ。ゼネラリストがキャリアの途中で労働市場に放り出されるケースが増えている。そうなると、一社限定の知識や人脈と広く浅い技能をもっていても、大した役に立たない。

広く浅い技能と知識しか蓄えていないせいで窮地に立たされるのは、幹部レベルの管理職だけではない。現場管理職や、情報の収集、報告書の作成、方針の提言などを仕事にしてきた人たちも、厳しい環境に置かれる。

その点を私が痛感したのは、当時一六歳だった息子のドミニクが学校のレポートを書くのを見ていたときだった。課されたテーマは、鳥インフルエンザ。鳥インフルエンザの歴史、世界での感染拡大のプロセス、大流行に備えてイギリス政府が用意している対策について書け、とのことだった。ドミニクは、まずオンライン百科事典のウィキペディアで「鳥インフルエンザ」の項目に目を通し、医学雑誌の論文をオンライン上で読んだ。そしてイギリス政府のウェブサイトにアクセスし、政府の報告書を検討した。こうして、いろいろなウェブサイトから情報を入手し、データをダウンロードして地図と図表を作成した。四時間後には、私が大学二年生の頃に書いていたくらいのレベルのレポートが出来上がった。

もちろん、専門的なレポートとはとうてい言えない。独創的な見解があるわけでもないし、ほかの人にない専門的な視点や分析があるわけでもない。ドミニクが鳥インフルエンザについて得た知識は、公開資料からかき集めた情報に基づいたものにすぎない。しかし、この程度の知識でよければ、ブロードバンドでインターネットに接続できる聡明な高校生なら誰でも手に入るのだ。

広く浅い知識しかもっていない「なんでも屋」は、オフィスで隣に座っている同僚や、インド企業で同じ仕事をしている人たちとだけ競い合えばいいわけではない。最大のライバルは、ウィキペディアやグーグル・アナリティクスなど、浅い知識や分析結果を手軽に提供するテクノロジーの数々だ。長い時間をかけて築いた人脈も、昔ほどの価値をもたなくなりつつある。リンクトインやフェイスブックなどのSNSを利用すれば、誰でも世界中に人的ネットワークを広げられる時代だ。

ゼネラリストからの脱却は、ある意味で産業革命以前の職人仕事の時代への回帰でもある。産業革命の後、職人と農民の多くが都会の工場で働くようになり、人々は工場の歯車になった。機械の普及にともない、仕事は最小単位に分割されて、限られた技能しかない人物でも――ロボットのように機械的に働くことさえいとわなければ――働けるようになった。繊維工場の現場で必要とされたのは、イノベーションや創造性ではない。工場労働者に期待されたのは、「作業時間」を会社に提供することだけ。労働者の全人格など求められていなかった。

第4章に登場したブリアナの曽祖父が一九三〇年代にデトロイトの自動車工場で働いていたときの毎日は、朝、工場に出勤し、同僚たちと一緒に組み立てラインで作業し、夕方になると帰宅するという繰り返しだった。工場を一つの大きな機械にたとえれば、そのなかの替えのきく部品の一つにすぎなかった。夏休みを取ったり、病気で休んだりしても、同僚が簡単に埋め合わせられた。

産業革命前の職人がスペシャリストでいられたのは、多くの場合、すべての工程を通じて自分一人で仕事をしていたからだ。椅子をつくるにせよ、洋服や荷押し車をつくるにせよ、職人たちは他人の助けをほとんど借りずに、最初から最後まですべて自力で仕上げていた。しかし、この方法でつくれるのは比較的単純な製品だけだ。分業制が取り入れられてはじめて、自動車の製造など、複雑な課題を成し遂げることが可能になった。

いま必要とされているのは、昔の職人のように自分の専門分野の技能と知識を深める一方で、ほかの人たちの高度な専門技能と知識を生かすために人的ネットワークを築き上げることだ。産業革命前とは比較にならないほど仕事の内容が複雑化しているので、いくら専門技能や知識があっても一人では仕事を仕上げられない。ひとことで言えば、私たちには、産業革命前の職人のような専門性と、産業革命以降の分業体制の両方が求められるのだ。[2]

誤解のないように述べておくと、一九世紀以降の職業がすべて、ゼネラリスト的な浅い知識しか必要としなかったわけではない。弁護士や医師、技師、建築家などの専門職に就く人々は、多大な努力を払って専門技能と知識を習得する。こうした専門職の人たちは、自分たちの縄張りを守るために、いわばフェンスを張り巡らせている。それぞれの専門職ごとに職業団体をつくり、メンバーの資格要件を定め、新規参入を制限し、料金基準を管理し、メンバーの仕事の質を維持してきた。将来はほかの職種にも同様の動きが出てくるだろうが、これまでのところ、専門職として働く人たちはおおむね、すべて自力で高度な専門技能と知識を磨かなくてはならなかった。

ここまでの議論をまとめよう。専門性の低いゼネラリスト的なマネジメント技能は、特定の企業以外で通用しない場合が多い。しかも専門性の低い技能は、ウィキペディアやグーグル・アナリティクスのようなオンラインサービスによって急速に取って代わられつつある。終身雇用や長期雇用が揺らいだ世界では、こういうタイプの技能しかもっていないと、袋小路にはまり込みかねない。

要するに、未来の世界で成功を収めたければ、高度な専門技能と知識を身につけるべきなのだ。そのためには、まず未来にどういう技能と知識が価値をもつかを見極める必要がある。そのうえ、リスクを回避するために、複数の専門分野に習熟しなくてはならない。ひとことで言えば、連続スペシャリストになることが不可欠なのである。

## 連続スペシャリストへの道

ではどうすれば、ゼネラリストを脱却して、専門技能の連続的習得者になれるのか。以下の手順で検討すると、自分にとって最善の道を見いだしやすいだろう。

**1　まず、ある技能がほかの技能より高い価値をもつのはどういう場合なのかをよく考える。未来を予測するうえで、この点はきわめて重要なカギを握る。**

**2　次に、未来の世界で具体的にどういう技能が価値をもつかという予測を立てる。未来を正確に言い当てることは不可能だが、働き方の未来を形づくる五つの要因に関する知識をもとに、根拠のある推測はできるはずだ。**

**3　未来に価値をもちそうな技能を念頭に置きつつ、自分の好きなことを職業に選ぶ。**

**4　その分野で専門技能に徹底的に磨きをかける。**

**5　ある分野に習熟した後も、移行と脱皮を繰り返してほかの分野に転進する覚悟をもち続ける。**

## 高い価値をもつ専門技能の三条件

ほかの専門技能より高い価値をもつ技能は、以下の三つの条件を満たしている。第一は、その技能が価値を生み出すことが広く理解されていること。第二は、その技能の持ち主が少なく、技能に対する需要が供給を上回っていること。第三は、その技能がほかの人に模倣されにくく、機械によっても代用されにくいことである。

### その専門技能は、価値を生み出せるか？

ある専門技能や能力が高い価値をもつためには、その技能なり能力なりが価値を生み出すことが誰の目にも明らかでなくてはならない。どういうものに価値があり、どういう専門技能が価値あるものとされるかは、時代によって変わる。たとえば一八世紀には、富裕層の間でガラス製品の愛用者が増えていたので、ガラスづくりの専門技能が価値ある技能だった。

一九世紀には、都市が繁栄するために鉄道が不可欠になり、エンジニアの専門技能がきわめて価値あるものになった。一八三〇年代のイギリスでは、当時開業した大西部鉄道の設計を手がけたエンジニアのイザムバード・キングダム・ブルネルが時代の寵児となり、エンジニアリングの技能を習得しようとする人が増えた。二〇世紀以降、イギリスではエンジニアリングの技能がそれほど価値あるものとはみなされなくなったが、ドイツでは違った。ＢＭＷやメルセデス・ベンツなどの自動車メーカーのエンジニアは尊敬を集め続けており、エンジニアリングの専門技能を身につければ非常に有益だと考えられている。

専門技能にも栄枯盛衰がある。投資銀行業務の技能はそのわかりやすい例だ。アメリカの大手投資銀行リーマン・ブラザーズのCEOを務めていたリチャード・ファルドは、二〇〇六年に四〇〇〇万ドル、二〇〇七年に三四〇〇万ドルの報酬を得ていた。ほかの有力投資銀行の経営者のなかにも、同程度の金額を受け取っている人たちがいた。それにふさわしい価値（この場合は企業収益）を生み出しているからという理由で、高額報酬が正当化されていたのだ。しかし、二〇〇八年九月にリーマン・ブラザーズが経営破綻し、それを引き金に世界経済が景気後退に突入すると、投資銀行の生み出す価値に疑問が投げかけられた。投資銀行業務の技能は、以前ほど価値あるものとみなされなくなった。投資銀行業界を目指す優秀な人材も減るだろう。[3]

## その専門技能には、希少性があるか？

ある専門技能や能力が高い価値をもつためには、その技能や能力の持ち主が少なく、そのことが一般に理解されていなくてはならない。当然のことだが、同様の技能や能力をもつ人が大勢いれば、その技能や能力は大した価値をもたない。

世界トップクラスのサッカー選手が高額の年俸を受け取っている理由は、これで説明がつく。世界中で何億人もの子どもたちがサッカーをプレーし、その多くはワールドカップの舞台で活躍したいという夢をいだく。有力なサッカーチームのスカウトは世界中に目を光らせ、豊かな才能をもつ

「ダイヤの原石」を探す。貧しい境遇に育った若者たちにもチャンスはある。サッカーのスター選手のなかには、南米やアフリカのスラム地区で育った若者もいる。こうしてチームに入団したプレーヤーは、試合でプレーするたびに、どのくらい稀有な才能の持ち主なのかを試され続ける。また、世界中の莫大な数のサッカーファンが試合を観戦し、選手の才能がどのくらい抜きん出ているかについて自分なりの結論を出す。[4] こうして徹底的にふるいにかけられて、ごく一握りのプレーヤーだけがトッププレーヤーとみなされる。

世界トップクラスのサッカー選手はきわめて少ないので、そういう人物の才能は高い価値をもつ。希少な才能や専門技能をもっているのは、サッカー選手だけではない。ある才能や専門技能に対する需要が供給を上回れば、その才能や技能には希少性がある。高齢化などにより、その職に就いている人が減ったり、その技能に対する需要が高まったりするとき、そういう状況が生まれる。

世界の多くの産業では、向こう二〇年間に退職する技能労働者の数に比べて、新たに働きはじめる人の数が際立って少ない。航空宇宙産業はその典型だ。たとえば、アメリカ屈指の製造企業で輸出企業でもあるボーイングでは、きわめて深刻な技能労働者不足（「スキル・ギャップ」と呼ばれる）が予測されている。二〇一五年までに、同社の技能労働者の四〇％が退職年齢に達し、高い専門技能と知識をもった六万人の社員が会社を去る可能性がある。[5] アメリカの製造業全体で見ても、二〇〇九年の時点で労働者の約一九％が五四歳以上なのに対し、二五歳未満の人の割合は七％にすぎない。

アメリカに限った現象ではない。先進国では、人類史上最も人口の多い年齢層であるベビーブーム世代が一線を退くのにともない、人材不足が深刻化するだろう。たとえばイギリスの産業界は、二〇〇七～一七年に一一五〇万人の人手不足に陥る。

すでにイギリス企業では、サイエンス、テクノロジー、エンジニアリング、数学、プロジェクトマネジメントなどの専門職の人材が足りなくなりはじめている。しかもイギリス政府の予測によれば、向こう一〇年間、これらの分野の専門職に対する需要は拡大し続ける。イギリスだけで、二〇一七年までに、高度な技能をもつ専門職を一三〇万人、管理職と上級専門職の人材を九〇万人増やさなければ、需要に追いつかない。[6]

高齢化などの要因により人材の供給が減る場合だけでなく、人材に対する需要が急激に高まる場合にも、専門技能をもった人材の希少性が高まる。典型的なのは、新しいテクノロジーが出現して新しい技能や能力が必要になるケースだ。プログラミング言語のＦＯＲＴＲＡＮやＪａｖａが登場したときは、これらの言語でプログラミングをおこなう技能の持ち主が引く手あまたになった。

**その専門技能は、まねされにくいか？**

技能や能力が高い価値をもつためには、ほかの人にまねされにくいものである必要がある。簡単にまねできる技能しか求められない職は、最も安い賃金で働く模倣者にやすやすと奪われてしまう。事実、一九八五～二〇一〇年に、企業の事務処理部門の七六万八〇〇〇人以上の雇用が賃金水準の低いインドに移転した。[7] 中国では、二〇〇九年の一年間に、先進国企業から業務を受注する企業が七〇万人近くを新規に雇用している。[8]

機械に技能をまねされるケースもある。一九世紀半ば、イングランドのランカシャー地方で織り機が導入されたときに何千人もの織工が職を失ったのは、その最初の実例だ。同じ現象は、デトロイトの自動車工場の組み立てラインにロボットが導入されたときも起きている。近年は、工場の大きな機械ではなく、コンピュータのソフトウェアに人間が取って代わられるケースもある。たとえば、DTPソフトが登場して、それまで大勢のデザイナーを動員する必要があった仕事を一人のデザイナーで処理できるようになった。高度な表計算ソフトを導入すれば、会社の総務・経理部門を大幅に縮小することも可能になった。ロボットの普及が進めば、サービス産業やケア産業の雇用がさらに奪われるかもしれない。[9]

未来を形づくる五つの要因に照らして考えた場合、どのような専門技能や能力が高い価値を生み出し、しかも希少性が高く、簡単にまねされにくいだろうか。[10]

## 未来に押しつぶされないキャリアと専門技能

以下では、向こう数十年の間に新たに開けそうなキャリアの道筋と、高い価値をもちそうな専門技能をいくつか挙げたい。本書で私は、自分と社会に恩恵をもたらすという広い意味で、「価値」という言葉を使っている。ここに挙げたキャリアや技能のなかには、生命科学関連の技能のように高い収入を得られるものもあれば、市民活動家のキャリアのように平均以下の収入しか得られないものもある。

働き方の未来を形づくる五つの要因を前提に考えると、時代を超えて常に価値のあるキャリア以外に、今後価値が高まりそうなキャリアの道筋が三つ浮かび上がってくる。草の根の市民活動家、社会起業家、ミニ起業家である。

**キャリア1——草の根の市民活動家**

二〇〇九年に石油大手シェルがエネルギー資源の未来について二通りのシナリオを描いたことは、第1章で詳しく述べた。その比較的明るいほうのシナリオでは、コミュニティレベル、国レベル、地域レベル、グローバルレベルの市民活動が大きな役割を果たすとされている。重要なプロセスの透明性が高まるにつれて、トップダウン型ではなく、地方レベルの市民活動家が主導して国レベルで変化が実現するケースが増えると、このシナリオでは考えている。世界中でおこなわれる個人単位の取り組みが互いに結びついて、影響力を増幅させ、国際的な議論を動かすようになるという。

問題解決のためのイノベーションを牽引したり、有効性が実証された方法を率先して取り入れたりするのは、草の根の市民活動家だろう。都市の温室効果ガス排出量を減らそうとしているミゲル（第5章）や、洪水被害に苦しめられているバングラデシュの村を支援しているジョン（第6章）、映像制作の技術を生かして地元の村の環境破壊の実態を世界に知らしめているチェンゴン（第7章）は、その典型だ。この三人に関して「キャリアの選択」という言葉を使うのは、厳密に言えば正しくない。三人は市民活動で生計を立てているわけではないからだ。しかし、ミゲル、ジョン、チェンゴンにとって、市民活動が職業生活の欠かせない一部であることは間違いない。

途上国の子どもの教育に始まり、伝染病の撲滅、中小企業の支援にいたるまで、人々が強い関心をもつ分野ではことごとく、市民活動が生まれるだろう。市民活動をおこなう技能や能力の持ち主を支援・育成する組織も増えるに違いない。その役割を担うのは、セーブ・ザ・チルドレンのような非営利団体の場合もあれば、プロジェクトアブロードのような企業の場合もあるだろう。「働き方の未来コンソーシアム」のメンバーでもあるセーブ・ザ・チルドレンは、ボランティア活動や啓蒙活動に携わりたい人のために充実した支援プログラムを用意している。プロジェクトアブロードは、教育、環境保護、医療、ジャーナリズムなどの幅広い分野で、二〇一〇年までに一万八五〇〇人を超すボランティア実習生を派遣した。[11]

**キャリア2——社会起業家**

社会をよくしたいと思う人が選ぶ道は、市民活動だけではない。自分のリーダーシップの技能とマネジメントの手腕を活用して、社会のニーズにこたえるための組織をつくろうとする人もいるだろう。いわゆる社会起業家の道である。社会起業家の行動の核をなすのは、社会を変えるために新しい事業を立ち上げ、それを運営したいという意思だ。ビジネスを目的とする企業の経営者が利益を業績評価の基準とするのに対し、社会起業家はもっと広い視点で業績評価をおこなう。

社会起業を志す多くの若者にとってヒーロー的存在なのが、経済学者のムハマド・ユヌスだ。ユヌスは一九七六年、祖国バングラデシュの農村の貧困層に融資を提供する実証調査プロジェクトを始めた。これが有名なマイクロファイナンス機関、グラミン銀行の原点である（「グラミン」とは、地元のベンガル語で「村」の意)。この銀行から少額の融資を受けた農村の最貧層（ほとんどは女性）は多くの場合、それを元手に小規模な事業を立ち上げ、貧困を抜け出している。二〇〇九年一一月までに、グラミン銀行は八〇〇万近くの人たちに総額八六億ドルの少額融資をおこなった。同様の事業は世界に広がり、マイクロファイナンスの融資総額は世界全体で三〇〇億ドルに達している。

トムズシューズの創業者、ブレーク・マイコスキーも注目を集めている社会起業家の一人だ。私がはじめて会ったのは、二〇一〇年の春にノルウェーで開かれたインタウン・カンファレンスというシンポジウムの場だった。ロサンゼルスから駆けつけたマイコスキーが語るトムズ設立にいたる物語は、たちまち聴衆を魅了した。トムズを設立したのは、旅行で訪れたアルゼンチンで裸足の子どもたちを見たことがきっかけだったという。そういう子どもたちの力になるために、靴販売のビジネスを立ち上げ、靴が一足売れるごとに、貧しい子どもたちに靴を一足寄贈する仕組みを考案したのだ。二〇一〇年四月までに寄贈した靴は六〇万足以上。「シュー・ドロップ」と呼ばれる靴の寄贈イベントは、大勢のボランティアの協力を得て二〇以上の国で実施されてきた。

ビジネスを通じて社会変革を目指す企業は、世界中に続々と登場している。たとえば、アメリカのボトル入り飲料水メーカー、ニカ・ウォーターは、途上国の人々に清潔な水を提供するために利益の全額を提供している。アメリカの自然食品メーカー、ニューマンズ・オウンも、利益の全額を教育関連の慈善事業に寄付している。

社会起業家たちは単独で活動するだけでなく、連携して社会変革を目指す。アジアとヨーロッパではとくにその傾向が強い。Y世代がこの分野でも大きな役割を担いはじめており、社会起業の動きはさらに勢いを増すだろう。たとえば、オーストラリアでは「ヤング・ソーシャル・パイオニアズ」というプログラムが若い社会起業家向けの教育・訓練と資金援助を提供しているし、トルコではイスタンブールのビルギ大学が同様の取り組みをおこなっている。

社会起業家の役割は大きくなるばかりだ。有力ビジネススクールは相次いで社会起業家養成コースを設けており、ビジネス雑誌の「ファストカンパニー」と「ビジネスウィーク」はそれぞれ社会起業家ランキングを毎年発表している。社会起業家がコラボレーションを通じて成果をあげるうえでは、SNSなどのオンラインサービスが欠かせない存在になりつつある。インターネットを介して社会起業家たちの声が世界中に届き、世界中にネットワークが広がり、世界中から資金が集まれば、開業資金が限りなくゼロに近くても、社会を変えられる。[12]

### キャリア3――ミニ起業家

第7章に登場したシュイ・リーとその娘、孫は、それぞれミニ起業家として働いている。三人とも会社などに雇われず独立して働いているが、大きなビジネスを営んでいるわけではなく、何人もの従業員は雇っていない。先進国でも新興国でも、小企業は以前から重要な役割を担ってきた。たとえば、二〇〇四年にアメリカで働いている人の四〇%は小企業に勤務している。[13] この割合は、同じ年のイギリスでも四七%に達している。[14]

しかし二〇二五年の世界では、ミニ起業家たちの働き方がこれまでとまるで変わる。大企業はなくならないだろうし、むしろ企業の規模は概してもっと大きくなるという予測もあるくらいだが、労働人口に占める割合で言えば、一人で働く人や、少人数のグループの一員として働く人が増える。とくに、大企業を中核に成り立つビジネスの「エコシステム（生態系）」のなかで働く人が多くなる。アップルのｉＰｈｏｎｅのアプリを開発している大勢の独立事業者のように、商品が消費者の手に渡るまでのプロセスの小さな一部を担う人もいるだろう。あるいは、シュイ・リーのように、規模の経済の恩恵に浴するために大規模なコラボレーション体制に加わって、その一員として活動する人もいるだろう。

いずれにせよ、企業で価値を生み出す活動を社外の独立事業者が担うケースが増える。この変化を突き動かす最大の要素は、言うまでもなくＩＴコストの下落とクラウドサービスの普及だ。非常に小規模の事業者でも、最先端の分析技術を活用すれば、注文の受注状況を常時把握したり、ほかの事業者と活動を調整したり、料金や代金を徴収したりすることが可能になりはじめている。インターネットの恩恵で、資金調達もずいぶん容易になった。世界中の多くの人がインターネットを通じて起業家のビジネスアイデアを知り、興味をいだいたり、有望だと感じたりしたアイデアがあれば投資しやすくなった[15]。この傾向は、今後ますます強まるだろう。

以上の三つのキャリアの道筋に加えて、未来の世界で価値が高まり、希少になり、模倣されにくいと思われる専門技能がいくつかある。働き方の未来を形づくる五つの要因の影響が本格化するにつれてとくに重要性を増す専門技能としては、生命科学・健康関連、再生可能エネルギー関連、創造性・イノベーション関連、コーチング・ケア関連の四つが挙げられる。

## 専門技能1——生命科学・健康関連

二〇二五年までに専門技能労働者の数が増える主要産業の一つが生命科学・健康産業だ。私たちはどんなに健康で長生きしていても、もっと健康に、もっと長く生きたいと思うものだからだ。

この分野では、二つのタイプの地域が台頭するだろう。第一に、いわば「ヘルス・ハブ（健康拠点）」が世界のさまざまな土地に出現し、高齢化する先進国の人々などのニーズにこたえるようになる。ヨーロッパではすでに、地中海沿いの温暖な地域にいくつもの医療・健康系のリゾート施設が建設されている。アメリカでは、フロリダ州など南部のリゾート地に出かける人が多い。トルコは、温泉が多いことを利用して医療・健康リゾートの国として自国を売り込もうとしており[16]、東ヨーロッパの多くの国は、病気療養や健康増進のために休暇を過ごしたいと考えるベビーブーム世代を呼び込むことを目指して体制を整えている[17]。

第二に、大学などの研究機関、製薬企業、サービス関連企業のコラボレーションが活発になり、生命科学関連の研究開発の中心地がますます地位を高める。アメリカのサンフランシスコ周辺のベイエリア地区と、マサチューセッツ州のボストンとケンブリッジの「ジーンタウン（遺伝子の町）地区」は、比較的狭い土地に産学のバイオテクノロジー関連の研究開発施設が集中しており、大きな相乗効果を生み出している[18]。ヨーロッパには、イギリスのオックスフォードとケンブリッジとロンドンを結ぶ三角地帯、フランスのパリ、スウェーデンとデンマークにまたがる「メディコン・バレー地区」に、生命科学産業の集積地が確立されている。

アジアで最大規模の生命科学産業の集積地は、関連産業で一万三〇〇〇人が雇用されているシンガポールだ。日本では、神戸と大阪に集積地が形成されるだろう。中国の場合、いくつかの一流大学が研究に着手しているが、この種の集積地がまだ十分に確立されておらず、基礎研究と商業化の隙間を埋められていない。しかし中国政府は今後、この産業を育成するためにもっと予算をつぎ込みはじめるだろう。

この分野の専門家の需要が高まっていることは間違いない。アメリカでは二〇一〇年、景気後退を尻目に生物医学工学分野の職に就く人の数が七二％も増えた。これは、アメリカのすべての専門技能職のなかで最も大きい数字だ。こうした専門家たちがＭＲＩ（磁気共鳴画像）検査装置や喘息患者用の吸入器、人工心臓などを開発していくことになる。

二〇二五年には、もっと目を見張る進歩も実現しているに違いない。たとえば、ナノ医療（ナノテクノロジーの医療への応用）により、分子レベルの治療・診断技術や医療装置の開発が進む。一例を挙げれば、ナノサイズの微小な粒子に抗癌剤を包んで血液中に送り込み、薬剤を癌細胞にだけ直接届けることが可能になるとみられている。記憶力を強化したり、知覚処理障害を改善したりする外科手術も実現するかもしれない。

幹細胞研究はすでに成功の兆しが見えており、将来は大規模なビジネスに発展するだろう。この技術を活用すれば、損傷した脊髄の修復、移植用の臓器や四肢の作成に道が開けるかもしれない。受精卵からつくられる胚性幹細胞（ＥＳ細胞）を用いた研究には倫理面で反対論も根強く、乗り越えなくてはならないハードルは高いが、二〇一〇年には、ヒト胚性幹細胞を人間に用いる臨床試験をアメリカ政府が認めた。これにより、きわめて重要な産業が最初の一歩を踏み出すと期待される。[19]

## 専門技能2——再生可能エネルギー関連

新しいエネルギー産業が続々と登場し、再生可能エネルギー関連の雇用も飛躍的に拡大すると予想される。風力発電、太陽光発電、波力発電は、すでに実用化されはじめている。インドでは、風力発電にかなりの金額が投資されているし、中国では、専門の科学者が太陽光発電の改良に取り組んでいる。温室効果ガス排出削減の義務を果たすために、各国政府が化石燃料以外のエネルギーを財政面で支援することにも背中を押されて、再生可能エネルギー関連の専門技能は目覚ましく進化するだろう。風力発電と太陽光発電の普及が進めば、バッテリー車や燃料電池車、ハイブリッド車など、電気自動車・車両の利用も増える。

再生可能エネルギー産業でエンジニアの需要が大幅に増えることは間違いないが、広報の専門家や送発電計画の専門家など、旧来のエネルギー産業でも必要とされていたさまざまな専門職への需要も拡大するはずだ。再生可能エネルギー産業は、発電量当たり、発電施設当たり、投資額当たりの雇用数が既存のエネルギー産業より多くなると予想されている。[20]

生命科学・健康関連産業と同じく、再生可能エネルギー産業でもグローバルな労働市場が形成される。この産業で必要とされる高度な専門技能や知識をもった人材は、世界のさまざまな土地で育成されている。二〇〇九年、インドでは四〇万人以上の学生がエンジニアリング系の専門教育を終えて学校を卒業した。[21]同年、中国ではＩＴ関連の専門技能をもつ人材が六一〇万人以上誕生した。[22]

こうした人材がグローバルな労働市場に加わる結果、将来性の高い産業では、先進国の人手不足がさまざまな国の人材により埋め合わされる可能性がある。未来の世界では、専門技能を生かすうえで、その人がどこに住んでいるかは大きな意味をもたなくなる。第5章のミゲルは、ブラジルで暮らしながら世界中の専門家と協力し合って、インドの都市の温室効果ガス排出量を削減しようとしている。第3章に登場した脳外科医のローハンは、最新のテクノロジーを活用し、ムンバイの自宅にいながらにして、世界中の病院スタッフと一緒に患者を治療している。

**専門技能3——創造性・イノベーション関連**

未来の世界では、機械的・画一的な仕事に代わり、有機的・非計画的・創造的におこなわれる仕事の重要性が高まり、創造性とイノベーションがこれまで以上に求められるようになる。消費と同じくらい経験に大きな価値が置かれるようになることがその一因だ。この種の専門技能の持ち主である「クリエイティブ・クラス（創造階級）」に関しては、トロント大学のリチャード・フロリダの著作で詳しく論じられている。[23] フロリダの試算によると、二〇〇八年に先進国で働くすべての人の二五〜三〇%が創造的産業で働いているという（フロリダは、科学技術関連、研究開発関連、テクノロジー系のアート関連、さらには医療、財務マネジメント、法律などの専門職もここに含めている）。

最近は、世界中の人々が没個性的なものに退屈し、色彩豊かな創造性の魅力に目覚めたかのように見える。私が最初に変化を実感したのは、初年度の「働き方の未来コンソーシアム」の場だった。プロジェクトの最後に、参加者の所属企業の幹部向けに報告書をまとめることになった。しかしジュリア・ゴガ＝クックとマルジア・アリコは、ありきたりの報告書でおしまいにしたくなかった。

そこで二人は、六〇枚のカードが入った箱を参加者一人ひとりに配った。それぞれのカードには、未来の世界を特徴づける重要な要素のいずれかが文字や写真、マンガなどによって描写されている。この小道具を使って、会社の幹部たちにゲームをさせようというのだ。箱の中に手を突っ込んでカードを何枚か取り出し、引き当てたカードの内容をもとに、未来のシナリオを描いてもらう。幹部たちはゲームを大いに楽しんだ。

おそらく、上質なデザインと創造性に触れたはじめての体験だったのではないだろうか。これをきっかけに、幹部たちの意識が変わったに違いない。次に普通の報告書を受け取ったり、普通のプレゼンを聞かされたりしたときは、少し不満を感じたはずだ。

ジュリアとマルジアのように、仕事の世界でデザインと創造性を追求する人が増えており、影響力も強まっている。そういう人たちは、既存のやり方をそのまま受け入れるのではなく、新しい方法をいつも探している。新しい試みが好ましい結果をもたらさない場合も多いが、それでも試みることに意味がある。いわば、淀みきった水槽をかき混ぜられるからだ。

狭い意味での「クリエイティブ系」の職種の人だけが創造的な仕事に携わるのではなく、ジュリアとマルジアのように、あらゆる人が創造性を発揮して働く時代がやって来る。アートやデザインの要素を取り入れられる領域が拡大し、言ってみれば「美的・知的産業」が形成されつつある。たとえばアメリカのデザイン・コンサルティング会社のＩＤＥＯは、工業デザイン会社として出発したが、次第に、経験のデザインや組織運営手法の設計を手がける企業に変身し、大きな成功を収めている。二〇二五年の世界では、ブランドの評判を確立するうえでイノベーションと創造性が担う役割も大きくなるだろう。

クリエイティブ・クラスの人々は、具体的にはどのような職に就くのか。ドイツの未来学者マシアス・ホルクスは、一〇〇以上の創造的な職種を著書で列挙している。[24] そこには、アニメーター、建築家、著述家、陶芸家、クリエイティブ・ディレクター、DJ、ドキュメンタリー映画監督、イベントプランナー、ファッション・コンサルタント、フィットネス・トレーナー、グラフィック・デザイナー、インテリア・デザイナー、メディア対策コーチ、音楽家、ミューズ、画家、写真家、哲学者、牧師、校閲者、ラッパー、研究者、カリスマ料理人、ストーリーテラー、スタイリスト、劇場監督、トレーナー、ウェブサイト・クリエイターなどが並んでいる。このなかには、いずれ消滅したり、大きく変容したりする職種もあるだろうし、ますます隆盛をきわめる職種もあるだろう。

このような人たちは、どういう職業生活を日々送るのか。創造的活動と言うと、絶海の孤島に一人こもって思索を重ねて、なにかをつくり出すというイメージがあるかもしれないが、現実は正反対だ。クリエイティブ・クラスの人たちは、同じような専門技能や才能の持ち主同士で寄り集まって生きようとする。この傾向は、今後いっそう強まるだろう。

世界のさまざまな場所に創造的な人材の集積地が出現し、そこに集まった人たちが学び合い、一緒にビジネスをおこなうようになる。[25] 互いに関連のある多様な専門技能や能力の持ち主が交流することにより、創造性が刺激されて、その土地に活気とエネルギーが生み出される。こうして、いわばイノベーションと創造性の「ホットスポット」が形成されるのだ。[26] たとえば、第7章に登場したチェンゴンが暮らす上海は、二〇二五年の世界で創造的な人材の集積地となる土地の一つだ。チェンゴンは周囲の多くの人たちと同じように、専門技能と新しいアイデアを組み合わせることによって成功を収め、多様性に富んだ環境の恩恵を受けながら価値を生み出す。

最後に、クリエイティブ・クラスの人たちは、どの程度の収入を得られるのか。未来学者のホルクスは、十分な裏づけのある議論とは言えないが、興味深い指摘をしている。クリエイティブ・クラス内の所得格差は、現在のプロテニスプレーヤーやファッションモデル、デザイナー、劇場監督、広告クリエイター、オペラ歌手と同じくらい大きくなるというのだ。具体的には、八〇%は比較的少ない収入しか得られず（ただし、この人たちが不幸せとは限らないが）、一八%はいい暮らしができる収入を得られ、残り二%が大金持ちになると、ホルクスは予測している。この二%の傑出した才能の持ち主は、自分の個人ブランドを上手に築き上げて莫大な富を築くのだ。

ホルクスが指摘するように、この点は弁護士や医師、建築家、大学教授のような専門職と比較するとわかりやすい。この種の職種ではたいてい、ギルド（同業者組合）的な仕組みが築かれて、最低報酬制度などを通じて同業者全体に富が行き渡るようになっている。こういう職種でも突出したスーパースターが出現する余地はあるが、現実にはかなり難しい。対照的に、創造的産業ではギルド的な仕組みが築かれていないので、テニスプレーヤーやファッションモデルのように、ごく一握りの「勝ち組」に富が集中する可能性が高いと、ホルクスは予測する[27]。クリエイティブ・クラスの一員を目指す場合には、頭に入れておくべき指摘だろう。

### 専門技能4——コーチング・ケア関連

バーチャル化が進む世界では、日々の生活の道案内を得て、自信をもって働き、多忙を極めるスケジュールを乗り切るための支援が重要になる。コーチングやケアなどの分野の専門技能の価値がますます高まるだろう。経済学者のロバート・ライシュは、このタイプの仕事を「有償のケア」と呼び、英語の頭文字が「C」で始まる五つの職種に分類した。コンピューティング（＝Computing）、ケアリング（＝Caring）、ケータリング（＝Catering）、コンサルティング（＝Consulting）、コーチング（＝Coaching）である。[28] 未来学者のホルクスは、この種の仕事について次のように表現している。「私たちのためにオーダーメードの香水を調合したり、讃辞を浴びせたり、書類を用意したり、文章を読み上げたり、遺体を埋葬したり永久保存したりする」[29]。

このようなサービス関連の新しい職種が登場するのは、新しい創造性・イノベーション関連の職種の場合と同様、私たちの働き方と生活の変化が生む必然の結果だ。二〇二五年の世界では、人々はモノを大量に消費することより、充実した経験を味わうことを重んじるようになる（自分自身がそういう経験を売る仕事に就く人も多くなる）。その究極の形態として、一人ひとりのためにオーダーメードで準備された経験を欲する人が増えるのだ。

強いナルシシズムと繊細な自己ブランディングの間でバランスを取る手助けをするビジネスも拡大するだろう。そうした新しいサービス業の専門家たちは、たとえば顧客の個人ブログの立ち上げを手伝ったり、オンラインコミュニティで使用する顔写真やアバターを魅力的なものにするための助言をしたりする。しかしいちばん重要な仕事は、説得力のある履歴書をつくり、第3章に登場した外科医のローハンやプログラマーのアモンのように組織に属さずに働く専門技能者がグローバルな労働市場で勝負できるように後押しすることだ。

人々が時間の細切れ化に対応する支援をする職種も、リアルとバーチャルの両方で台頭しそうだ。たとえば、電子メールの処理、データの整理、オンラインサービスのID情報の管理などを請け負う業者や、一人ひとりに合わせて受信コンテンツや広告の選別（「ナローキャスティング」と呼ばれる）をおこなう業者が現れるだろう[30]。

ほかには、どこの劇場に舞台を見に行くといいかを推薦したり、充実したギャップイヤーやサバティカルを過ごせるようアドバイスしたり、ヘアスタイルを整えたり、マッサージをしたり、エクササイズの指導をしたりする専門家の需要も高まる。家族の幸せを高めるためのサービスも脚光を浴びるだろう。家族の構成が昔と変わっても、Y世代とZ世代が親になれば、子どものために最善を尽くし、家族を大切にしたいと強く願うはずだ。そこで、子どもの世話をし、教育し、やる気をもたせるなど、子どもや家族の幸せを高めるサービスがいっそう求められるようになる。

こうしたケア・コーチング関連の職は、どういう場所に生まれるのか。ひとことで言えば、顧客がいれば、どこにでも仕事が発生する。たとえば、クリエイティブ・クラスが大勢集まる土地が形成されれば、その人たちの仕事をサポートしたり、私生活上のニーズにこたえたりする専門家に対する需要がその土地に生まれる。健康志向の強い人が集まる地区が増えれば、そういう土地でもケア・コーチング関連の専門家が活躍するだろう。第10章で述べるように、このような職に就く人たちは、二〇二五年の世界で働く人たちの幸せに欠かせない「自己再生のコミュニティ」の屋台骨を支える存在になる。

労働力の国際移動に関して、最後に触れておこう。先進国ではすでに、ケア関連の職の多くを移民労働者が担っている。二〇〇九年、フィリピンは九万五〇〇〇人の家事労働者とナニー（住み込みのベビーシッター）を先進国に送り出した。イギリスの病院では、アフリカ諸国出身の看護スタッフが大勢働いている。労働市場の開放が進めば、この種の職に就く人の国際移住がますます活発になるだろう。実際、二〇〇六年にポーランドがＥＵ（欧州連合）に加入すると、わずか二年の間に二六万五〇〇〇人のポーランド人がロンドンに移住した。[31] ポーランド人労働者の多くは、住宅の清掃、塗装、配管作業に携わったり、忙しいロンドン市民に代わって子どもの世話をしたりしている。

## あくまでも「好きな仕事」を選ぶ

私がジレンマにぶつかってしまったことにお気づきだろうか。「プロローグ」で記したように、私が働き方の未来について研究を始めたきっかけは、ある日の朝食のテーブルで息子たちと交わした会話だった。長男のクリスチャンはジャーナリストを、次男のドミニクは医師を目指したいと言ってきた。ここまで読んできた読者であれば、こう思うのではないか――「医師はいい選択だ。いいぞ、ドミニク！　でも、ジャーナリストはだめだ。クリスチャン、きみの選択はまずいぞ！」。

二〇二五年に有望な職種のなかに、昔ながらの純粋な意味でのジャーナリズムは含まれない。理由は明快だ。世界の国々で読まれている紙の新聞の部数は大幅に減っている。しかも、インターネット上に公開されているコンテンツの大多数は、現在のところ無料で提供されている（将来的には有料コンテンツが主流になる可能性も十分ありそうだが）。それに、専業のジャーナリスト以外にも、ブログで記事を発表する人は（記事の質はともかく）いくらでもいる。

私はクリスチャンにどう言うべきなのか。ジャーナリストの道を諦めろと言うつもりはない。クリスチャンはジャーナリストになりたいと心に決めているので、私の意見に耳を貸さないだろう。それに、親に言われてしぶしぶやるより自分の好きなことをやるほうがたいていうまくいく。親の言うとおりに弁護士や会計士や銀行員になって不幸せな日々を送り、後悔している人は多い。

ただし、注意すべき点が一つある。自分のやりたいことを職業にするのは賢い選択だが、目をしっかり見開いて世界の現実を知っておかなくてはならない。ジャーナリストになればあまり金持ちになれないと、覚悟しておく必要がある。オンライン上にあふれる雑音にかき消されずに自分の言葉を大勢の人に伝えようと思えば、計り知れない努力が不可欠だ。職業人生の途中でほかの分野に移動したり、まったく別の分野の専門家に脱皮したりすることも避けられないだろう。

未来に向けて〈シフト〉をおこなうためには、さまざまな選択肢を深く理解し、それぞれの選択肢を選んだ場合に得るものと失うものを知っておく必要がある。働き方の未来を形づくる五つの要因を分析すれば、どういうキャリアと専門技能が最も未来に押しつぶされにくいかを推測できる。未来について根拠のある推測をおこなうことは理にかなった行動だ（この本でもそれをおこなってきた）。しかし、それがあくまでも推測の域を出ないことは忘れるべきでない。

未来が予測どおりになる保証がないことを考えれば、自分が好きなこと、そして、情熱をいだけることを職業に選ぶのが賢明だ。ましてや七〇歳代になっても働き続けるとすれば、本当に楽しめる職業を探したほうがいい。しかし以下で見ていくように、自分の道を決めた後は、生半可な気持ちで臨んだり、ゼネラリストのままでよしとしたりしてはならない。高いレベルの専門技能や知識を身につけるために精力的に打ち込むべきだ。

どうすれば、本当に好きになれる職業が見つかるのか。仕事に対する愛情の核をなす要素は、やりがいと満足のいく経験だ。ただし、自分が得意になれそうもないと感じる職業には情熱をいだきづらいだろう。

どういう職業にやりがいを感じるかは、人それぞれだ。クリスチャンは、自分の価値観に照らして重要と思える仕事だから、ジャーナリズムにあこがれている。ジャーナリズムを意義深い仕事だと思っている人でも、この分野で高い技能を磨けそうにないと思えば、強い情熱を感じられないかもしれないが、クリスチャンは学校の課題でリサーチ能力と執筆能力を評価されていて、手ごたえを感じている。ジャーナリストとして成功できない可能性があることは十分わかっているが、その場合は、ほかの分野に移動するなり、脱皮するなりすればいいと思っている。

好きなことを仕事にすれば、粘り強く努力するだろうし、仕事にやりがいを感じやすい。大量消費から充実した経験への移行という〈第三のシフト〉を実践した人は、楽しい経験をすること、ほかの人と一緒に時間を過ごすこと、取り組みがいのある課題に挑むこと、価値あるものを生み出すことを重んじるようになる。所得と消費に代わって、経験とやりがいが勤労の主要な原動力になるとすれば、どういう仕事を選び、どういう専門技能を習得するかを慎重に検討したほうがいい。

未来の世界では、知識と創造性とイノベーションに土台を置く仕事に就く人が多くなる。そういう職種で成功できるかどうかは、仕事が好きかどうかによって決まる面が大きい。自分の仕事が嫌いだったり、あまり意義がないと感じていたりすれば、仕事で創造性を発揮できない可能性が高い。仕事を単調で退屈だと感じている人は、質の高いケアやコーチの仕事などできないだろう。日々の仕事はさしあたり無難にこなせるかもしれないが、大好きなことに取り組むときのようなエネルギーはつぎ込めないはずだ。

## 高度な専門技能を身につける方法

未来の世界では、専門分野の知識と技能を深めたうえで、さらにいくつもの分野で次々と高度な知識と技能を磨いていかなくてはならない。私の息子ドミニクが書いた鳥インフルエンザのレポートの話を思い出してほしい。ドミニクはウィキペディアをチェックし、オンライン上の医学論文と政府の報告書に目を通して、ものの数時間でそれなりのレポートを書き上げた。このように浅い知識でよければ、オンライン上で簡単に手に入る時代だ。広く浅い知識と技能の価値は、今後ますます小さくなっていくだろう。

私たちは、産業革命前の職人の技能習得のプロセスを見習うべき面があるのかもしれない。高度な専門技能を武器に働ければ、仕事と遊びの境界線をあいまいにするチャンスも開ける。ただし、それだけでは十分でない。未来の世界では、技能を高めるために職人のように考えることに加えて、イノベーションを実践し、創造性を発揮するために、子どものように遊ぶことも必要だ。

## 職人のように考える

高度な専門技能が必要とされる未来は、中世の職人の時代を連想させる。産業革命で機械が普及する以前、職人たちは長い年月をかけて専門技能を磨いていた。中世の職人がどのように専門技能を学び、どのようにギルド（同業者組合）を築いていたかは、私たちの働き方の未来を考えるためのヒントになる。

中世の職人の時代、ガラス工芸や陶器づくり、椅子の装飾などの専門技能を習得しようとする見習いの若者は、まず同じ作業を何度も何度も繰り返した。そのプロセスを通じて次第に技能が向上し、出来上がる作品の質が高まる。アメリカの社会学者リチャード・セネットは、この現象を「反復練習の効用」と呼んでいる。[32] 同じ作業を繰り返してはじめて、技能や知識を血肉化できるのだ。セネットの観察によれば、高度な知識と技能を身につけている職人は、先輩たちの仕事ぶりを観察し、何度も練習を重ねることにより、言語化・マニュアル化できない暗黙知を吸収していた。ただし、第2章のジルのように私たちがますます時間に追われるようになれば、学習と習熟のために欠かせない集中と観察に割ける時間がほとんどないのではないか、という問題はある。

中世の職人たちはたいてい、ほかの職人と寄り固まって暮らしていた。しかも、多くの場合は、家庭のなかに仕事場をもっていた。家庭生活と仕事が同じ空間でおこなわれていたのだ。この点で中世の職人たちは、テクノロジーの進歩に後押しされて（通勤による温室効果ガス排出を減らす目的もあって）自宅で仕事をする人が増えつつある最近の潮流の先駆者と言える。

職人たちは工房で一緒に仕事をしていただけでなく、ギルドを通じて、自分たちの経済的な力の源である専門技能と知的資本を若手に直接伝承していた。[33]見習い職人として受け入れられる人物と一人前の職人として認められる人物の資格要件も、ギルドが定めていた。これは、今日の世界で弁護士や医師などの専門職が同業者団体をつくっているのと似ている。

中世の職人の世界では、徒弟としてギルドに受け入れられた若者は、たいてい七年間見習い生活を続けた。年季奉公をするのだ（その期間にかかる費用は、若者の親が負担した）。見習い時代の仕事ぶりが評価されれば、若者は晴れて年季奉公明けと認められて、給金を受け取りながらさらに五～一〇年かけて専門技能を磨いた。未来の世界では、これほど長期の見習い期間は不要だろう。機械やテクノロジーの助けを借りれば、専門技能の習得プロセスをもっと加速させられるはずだ。それでも、知識や技能を高いレベルまで磨き上げようと思えば、それなりの時間と努力を費やし、深い暗黙知を身につけなくてはならない。

中世の職人は一人前になって独立した後も、単独で行動したわけではない。ギルドが市場への新規参入を制限し、メンバーの仕事の質を管理していた。この緩やかなパートナーシップのなかで、職人としての評判を高め、信頼を確立し、同業者との差別化を図ることがとりわけ重んじられていた。職人が評判と信頼を確立できる仕組みをつくることは、ギルドの重要な役割の一つだった。商売を繁盛させるには、自分を同業者から差別化し、評判を高めることが不可欠だと、職人たちは誰もが知っていた。独り立ちした職人は、はじめのうちこそ師匠の仕事をまねするが、じきに自分らしさを打ち出しはじめる。時間をかけて、ゆっくりと自分だけの特徴を磨いていくのだ。

一八世紀の産業革命後、ガラス工芸品や陶器の制作を機械が担うようになり、職人のシステムは崩れた。しかし、専門技能を磨き上げることを目的にした中世の職人のシステムは、私たちが働き方の未来を考えるうえで参考になる。学ぶべき点は三つある。

第一は、リチャード・フロリダの指摘とも重なるが、高度な専門知識と技能を身につけるうえで「場所」がいっそう重要になる可能性が高いという点だ。中世の職人と同じように、私たちも学ぶべき点のある人たちのそばに身を置く必要性が高まるだろう。どこで生活し、どういうコミュニティの一員になるかが、これまで以上に大きな意味をもつようになるのである。

第二は、テクノロジーが進化して、学習に要する時間が短くなったとはいえ、高度な専門技能を身につけるためには、やはりかなりの時間をつぎ込む必要があるという点だ。もしかすると、仕事に費やす時間の半分を技能習得に充てないと十分でないかもしれない。別の章でも触れたように、きわめて高度な専門技能を習得するためには一万時間以上の訓練が必要だという説もある。[34]

第三は、同様の技能をもつほかの人たちから自分を差別化する必要があるという点だ。本章の後半で論じるように、単なるナルシシズムに陥ることを避けつつ、自分をうまく宣伝することの重要性が高まる。

オンラインゲームの『ワールド・オブ・ウォークラフト』の愛好家たちは、中世の職人のように行動している面がある。プレーヤーたちは「ギルド」をつくり、ほかのプレーヤーとゲームの中で行動をともにする。ギルドのそれぞれのメンバーが自分の専門分野の技能を磨き、やがてその道を究めるまでになる。さまざまな専門技能の持ち主がすぐそばにいるので、ギルドの一員は自分の専門分野に習熟した後、ほかの専門分野に移動したり脱皮したりしやすい。このゲームのギルドは、専門技能の連続的習得を促す場として機能しているのである。

現実世界と同様、オンラインゲームの世界で高度な専門技能を身につけるためには、きわめて多くの時間が必要だ。少なくとも週一日は、丸一日ぶっ通しでゲームをプレーしないと足りない場合も多い。注目すべきなのは、ゲーム愛好家たちが遊びを通じて専門技能を磨いていることだ。「遊ぶ」ことは、ゲームに限らず、さまざまな分野で高度な専門技能を習得するカギなのかもしれない。次は、この点を見ていきたい。

## 子どものように遊ぶ

中世の職人は、師匠を模倣するために訓練を続け、二〇年くらいの期間をかけて自分らしさを確立していく。これは模倣であって、独創的なイノベーションではない。職人たちが徹底した訓練を積む姿勢から学ぶべき点は大きいが、私たちにとっては、イノベーションと創造性の大切さも見落とせない。そこで、次は中世の職人から子どもに目を転じよう。価値の高い仕事をするためにイノベーションと創造性が不可欠になるにともない、子どものように遊ぶことを通じて、創造性を発揮できる環境をつくる必要性が高まるからだ。

これまで企業は、合理性と一貫性を確保するために「管理」の要素を重んじてきた。遊びと喜びの要素が完全に排除されていたとまでは言わないが、これらはあくまでも脇役でしかなかった。しかし未来の世界では、単なる模倣にとどまらない高度な専門技能を身につけたければ、遊びと創造性がこれまで以上に重要になる。

仕事が遊びになるのは、普通はやらないことをする場合、普通やっていることをやらない場合、ものごとを普通より極端にやる場合、社会生活の普通のパターンをひっくり返す場合だ。ロンドン・ビジネススクールのチャランポス・マイネメリスとセーラ・ロンソンは、この四つの形態を逸脱、回避、強化、逆転と呼び、それを遊びと祝祭的行動の基本要素と位置づけている。[35] 日常と違うことをするとき、日常の時間と場所の枠を越えて行動するとき、なんの制約も受けずに行動していると感じられるとき、手段と結果の関係に関する固定観念を離れて柔軟に振る舞うとき、私たちは「遊んで」いると言える。これらの要素が遊びを生むとか、遊びがこれらの要素を生むと考えるのは、正しくない。これらの要素が遊びそのものなのである。

以前から広告クリエイターや作家、デザイナー、イベントプランナー、社会理論家などのクリエイティブ・クラスの人たちは、自分の創造性に火をつけるために空想と想像を活用してきた。スポーツ選手やコンサルタント、研究者、数学者、セラピストなどの職種は、遊ばなければ高度な専門技能を磨けない。[36] 自分のやっていることに胸躍らせ、学習と訓練につきものの苦労を楽しみ、手ごわい課題に挑むことにやりがいを感じてはじめて、私たちは本当に高度な専門技能を習得できる。[37]

遊びが重要なのは、遊ぶことにより、普通は接点のない要素が組み合わさるからだ。人間関係の面でも、遊びを通じて、通常の仕事上の人間関係にとどまらない人的ネットワークを築き、いろいろなタイプの人と触れ、多様なアイデアや手法を試せる。第9章で述べる「ビッグアイデア・クラウド（大きなアイデアの源となる群衆）」を活性化するうえでも、遊び感覚に満ちたやり取りや社交行事、趣味の活動がきわめて効果的だ。

未来の世界では、仕事と遊びを隔てる垣根を打ち壊す必要性が高まるだろう。職場の人間関係における感情の役割について研究している学者は、週末の夜にオペラや演劇やスポーツの試合を見に行ったとき、自分の研究に役立つ情報やヒントがたくさん見つかるかもしれない。インテリア・デザイナーは、レストランでディナーパーティーに出席したとき、デザインのアイデアや着想を得られるかもしれない。創造性に関わる脳の部位は、終業時間を境にピタリと機能を停止するわけではない。むしろ、「仕事」と「非仕事」の境界線を軽々と乗り越える。[38]

この考え方は、カール・マルクスもよく理解していた。マルクスに言わせれば、産業革命を機に普及した分業システムのもと、労働者の利害がコミュニティの利害から切り離され、労働者は受動的な消費者に変わってしまった。これはあるべき状態でないと、マルクスは考えていた。仕事は受動的な生産と消費のプロセスではなく、積極的な自己実現のプロセスであるべきだと、強く信じていたのである。[39] マルクスはアダム・スミスやデービッド・リカードの労働価値説を受け継ぎ、商品の価値は生産に費やした労働の量によって決まると考え、労働の本質を創造的行為と位置づけた。創造性を発揮してこそ、言い換えれば、環境とのやり取りを通じてものごとを改良し、価値を生み出してこそ、人間は労働に意義を見いだせるのだと、マルクスは考えていた。

しかし、仕事が細分化されて、労働者が生産プロセスのごく一部にしか関わらなくなれば、生産活動と生産物、創造活動と創造物の間の結びつきが失われる。産業革命後に登場した官僚機構的な大企業で働く人にとって、仕事は自己実現のプロセスとは言えない。ほとんどの人は、自分の仕事が生み出す商品と切り離されて、自分が仕事で生み出している価値を間接的にしか――つまり、労働に対する金銭的対価という形でしか——経験できなくなった。

私たちは、どれだけの量のものを生産しているかではなく、どれだけの金銭を受け取っているかによって、自分の労働の価値、さらには自分という人間の価値を判断する傾向が強まった。私たちの生産活動に意義を与えていたのは、自分の仕事と価値の密接な結びつきだったが、そういう結びつきは失われてしまった。

哲学者のジャン＝ポール・サルトルも、仕事とは意義を見いだすプロセスであると位置づけた。とりわけ、本当の自分らしさと個性を獲得することが重要だと考えていた。[40] サルトルによれば、私たちの職業生活で重要なのは、高度な専門技能に習熟するための深い経験だという。自分らしさと個性はお手軽に身につくものではなく、努力して学ばなくてはならないからだ。人間は自分の行動の総和にほかならず、意義ある人生を送れるかどうかは、意義ある仕事ができるかどうかに大きく左右されると、サルトルは考えていた。マルクスとサルトルの思想に共通するのは、楽しさとやりがいを見いだせる要素と仕事を切り離せば、機械的な作業を単調に繰り返すだけになり、その人の本質をなす要素の一つが薄まって、自分らしさが失われると考えたことである。

## 移動と脱皮で専門分野を広げる

専門技能に習熟することについて回る落とし穴は、狭い専門分野に特化するあまり、広い視野を失いかねないことだ。しかし、未来の世界で大きな価値を生み出すためには、この落とし穴にはまらず、複数の分野の高度な専門知識と技能を組み合わせることが欠かせない。それを成し遂げる方法は、大きく分けて二つある。

一つは、特定の専門分野の枠を超えた幅広い人的ネットワークを築き、そのなかで複数の専門技能を組み合わせるという方法。大勢の多様な人たちと接点をもつことにより、さまざまなアイデアや発想に触れるのである。このアプローチについては、次の第9章でビッグアイデア・クラウドというキーワードを用いて論じる。

もう一つは、自分自身で複数の専門技能を身につけるという方法。現在の専門分野の隣接分野に移動したり、まったく新しい分野に脱皮したりすれば、守備範囲が狭くなりすぎる危険を回避できる。専門分野で高度な知識や技能を習得した後で、それを土台に隣接分野の技能や知識を磨いたり、忘れていた技能や知識を再び見いだしたりすればいい。これが本章で言う「専門技能の連続的習得」である。

私の友人である組織行動論研究者のハーミニア・イバラは、そういう変身を遂げた人々について調べている。[41] 私がイバラの研究を知ったのは、ロンドン・ビジネススクールで開かれた「ウーマン・イン・ビジネス・クラブ」のパネルディスカッションのときだった。「踏み固められていない道」と題されたパネルディスカッションには、専門技能の連続的習得を成し遂げている女性が大勢参加していた。彼女たちが語った人生の物語は、未来に押しつぶされないキャリアを築くうえで専門分野の脱皮がいかに有効かを浮き彫りにしている。いくつか紹介しよう。

## ●経営コンサルタント→ドキュメンタリー作家・市民活動家

ロレッラ・ザナルドは、イタリア出身。大学では、強い情熱をいだいていたテーマであるイギリス現代演劇を学んだ。卒業後は、大手経営コンサルティング会社に就職。レポートの作成、顧客への対応、ビジネスに関する分析など、経営コンサルタントとしての専門技能を磨いていった。

あるとき、メディアでのイタリア女性の描かれ方に憤慨し、何人かの友達と一緒にこの問題に関する映像ドキュメンタリーを制作して、ユーチューブで公開した。「女性の体」と題した作品は、ユーチューブで一〇〇万回以上視聴された[42]。このドキュメンタリーは、メディアと女性の関係について大論争を引き起こすことに成功した。

それまで何年にもわたり、経営コンサルタントとしての専門技能を磨くために時間とエネルギーを費やしてきたが、これをきっかけに創作への情熱が再びわき上がってきた。コンサルティングに費やす時間が減り、映像ドキュメンタリーの制作に割く時間が増えていった。

これは、ハーミニア・イバラによれば、キャリアの脱皮を成し遂げた人の典型的なパターンだ。頭で理屈を考えてから行動を変えるのではなく、まず行動を変えたことにより、考え方が変わったのである。少しずつ新しい世界に触れ、新しい人間関係に接し、新しい役割を担うことを通じて、既存の専門分野とは別の分野で専門技能と知識をはぐくんでいった。そうするうちに、未来の自分の姿を思い描き、どのような未来が可能かを実験するようになった。考えるのではなく、行動することによって、ロレッラは脱皮を遂げたのだ。

**●企業幹部→作家・コーチ**

ミレイユ・ジュリアーノは、キャリアの大半をフランスの産業界で過ごし、高級ブランド企業モエ・ヘネシー・ルイ・ヴィトン（ＬＶＭＨ）の上級幹部に上り詰めた。仕事で世界を飛び回る経験を通じて、世界の多くの国で女性たちがありのままの自分に自信をいだけずにいることに気づいた。そこで、そういう国の女性たちに参考にしてもらおうと、パリジェンヌの生き方をテーマに本を書いた。このデビュー作が世界で何百万部も売れて、すでに四作目の執筆に取りかかっている。

キャリアの脱皮を実現した人の多くと同じく、ミレイユは本格的に脱皮をおこなう前に、新しい世界がどういう場かを確かめようとした。しばらく会社勤めと執筆を掛け持ちし、新しい世界の瀬踏みをしたのだ。とはいえ、二つの世界を頻繁に行き来しながら生きることを負担に感じることも多かった。次第に、新しい自分につぎ込む時間とエネルギーの割合が大きくなっていった。ロレッラの場合と同じく、脱皮を遂げるエネルギーをミレイユに与えた要因の一つは、自分らしく生きられることの喜びだった。

**●株式ブローカー→企業経営者→コラムニスト→喜劇女優**

ヘザー・マグレガーは、ロンドン・ビジネススクールでＭＢＡを取得した後、金融関連の企業に就職。株式ブローカーとして高度な専門技能と知識を身につけ、業界でトップクラスの存在と評価されるまでになった。その後、独立して幹部人材の紹介会社を設立。それと並行して、文章を書く仕事を始め、執筆の技能を磨いていった。いまでは毎週土曜に、「ミス・マネーペニー」と称して一流経済紙フィナンシャル・タイムズでコラムを連載している。

そして二〇一〇年、ヘザーはまた新たな一歩を踏み出した。エジンバラ演劇祭に喜劇女優として参加するために、脚本づくりを始めたのだ。


ここに紹介した三人の女性はすべて、専門技能の連続的習得を実践している。三人は、もともとキャリアの核となる専門技能、しかもきわめて価値の高い技能をもっていて、しかもその技能を生かした仕事が好きだった。しかしやがて、昔の情熱を再発見したり(ロレッラは、大学時代の創作への情熱を思い出した)、一つの思いつきをきっかけに新しい専門技能を習得したり(ミレイユは、フランス女性の生き方が世界の女性の参考になると思い、それを機に作家に転進した)、まったく新しい道に踏み出したりした(ヘザーは、なんと喜劇女優としてデビューを目指している)。新しい専門分野を見いだすことにより、三人の人生は大きく変わった。

## キャリアの脱皮を成功させるコツ

未来の世界では、専門分野の脱皮を遂げる重要性が高まっていくだろう。ハーミニア・イバラによれば、既存の専門分野の技能と知識を深める必要性と、環境の変化に応じて別の専門分野に脱皮する必要性の間で適度なバランスを取るために、有効な方法がいくつかある。

第一は、新しいチャンスが目の前に現れたとき、未知の世界にいきなり飛び込むのではなく、新しい世界を理解するために実験をすること。たとえばミレイユは、会社を辞めて執筆に専念する前に、地元の新聞に数回寄稿して反応を見た。意図せずして実験する場合もあるし、意識的に計画して実験をおこなう場合もある。新しい可能性を見いだすために実験する場合もあれば、自分の直感の正しさを確認するために実験する場合もある。実験することは、たいていそれ自体が楽しい。ヘザーは新しい実験として、エジンバラ演劇祭に参加するために脚本を書きはじめた。自分のコラムニスト生活を題材にした喜劇だという。

第二は、自分と違うタイプの大勢の人たちと接点をもち、多様性のある人的ネットワーク（ビッグアイデア・クラウド）を築くこと。潤沢な情報や視点が手に入るだけでなく、ほかの専門分野で活動している人の生き方を見ることにより、自分がその分野に脱皮できるかどうかを判断するヒントを得られる。たとえば、ロレッラの大学時代の同級生のなかには、舞台や映画関連の道に進んだ人たちもいた。そういう友人たちと連絡を取り続けていたので、ロレッラはそういう分野が自分に適しているかを鋭く見極められた。

新しい専門分野に脱皮するときは、それまでと異なる人的ネットワークが必要となる。尊敬できる先輩がいれば、その人を観察し、模倣することにより、新しい専門技能を磨ける。新しい仲間は、新しい世界で身につけるべき価値観や規範、態度、期待のお手本になる。やがて、この人的ネットワークのメンバーが関心を共有しながら専門知識や技能を学び合うようになる。そのようなグループは、専門的には「コミュニティ・オブ・プラクティス（学び合いの共同体）」と呼ばれる。

第三は、はじめのうちは本業をやめず、副業という形で新しい分野に乗り出すこと。既存の仕事をフルタイムで続けて収入を確保しつつ、新しい分野の経験を積み、専門技能や知識を磨き、信用を築き、同時に新分野での自分の適性を試すのだ。第6章に登場したジョンが大手小売企業に勤めながら、バングラデシュの村で水利問題のエキスパートとしての技能を高めていったのも、この例と言っていい。

キャリアの脱皮を遂げようと思えば、ある程度の時間が必要だ。イバラの言葉を借りれば、「前に大きく跳躍するためには、跳ぶ前に一歩下がらなくてはならない」。脱皮を成功させるためには、現在のキャリアの選択についてじっくり考えることが重要なのだろう。せめて短い時間でも頭を冷やして考えれば、固定観念から解き放たれて、未来の可能性を新鮮な目で検討できる。

## セルフマーケティングの時代

未来の世界では、グローバル化が急速に進み、インターネットを通じて世界中の人々が日々新しい知識を仕入れるようになる。そういう時代に、大勢の人たちのなかで自分を際立たせるためには、なにが必要なのか。

私がこの問いの答えに気づいたのは、ロンドン・ビジネススクールの同僚だった故スマントラ・ゴシャールとの共同研究で、成功している企業について詳しく調べたときだった。やっていることの多くは、成功企業も同業のほかの企業と変わりなかった。おおむね、業界のベストプラクティス（お手本となる手法）を取り入れているにすぎない。しかし成功を収めている企業には、それだけでなく、独特な要素、類いまれな要素が必ずあった。私たちは、そういう要素を「シグネチャー（署名）」

と呼んだ。自筆の署名が他人にまねできないように、ライバルにはまねできない特徴的な要素を備えていたのだ。それは、幹部たちが会議で協力し合う姿勢だったり、人材の採用選考の方法だったり、企業の組織構造や意思決定プロセスだったりする。いずれにせよ、それはその会社特有のものであり、それが会社に価値を生み出していた[43]。成功企業とその他大勢の企業の差はここにあった。

消費者向けブランドにも同じことが言える。大きな成功を収めているブランドは、ライバルと一線を画する明確な「シグネチャー」を確立している。その典型は、ハーバード・ビジネススクールのマーケティング研究者ヤンミ・ムンが「ホスタイル・ブランド（敵対的ブランド）」と呼ぶタイプのブランドだ[44]。あえて顧客を遠ざけかねないメッセージを打ち出すなど、「敵対的」な姿勢を取ることにより、大多数の似たり寄ったりのブランドとの差別化を図っているブランドのことである。

ムンが挙げているホスタイル・ブランドの例が、小型自動車ブランドのミニクーパーだ。ミニクーパーは二〇〇二年にアメリカで打ち出した広告キャンペーンで、きわめてシンプルな看板を用意した。そこに書かれていたのは、「XXL　XL　L　M　S　MINI」という文字だけ。洋服のサイズ表示になぞらえて、「ミニ（MINI）」の小ささを強調するメッセージだ。大型車志向の強いアメリカで、車体の小ささをあえて前面に押し出したのだ。続いて放映したテレビCMでは、ミニが大きなSUV（スポーツ・ユーティリティ車）のルーフの上に載っている挑発的な映像を流した。ミニクーパーは自動車に関するアメリカ市場の常識を打ち砕くことにより、差別化を図ったのだ。

多くのライバルがひしめき合う市場では、企業やブランドだけでなく、個人にとっても自分の「シグネチャー」を明確に打ち出すことが非常に重要になる。世界中の人々が能力を築くチャンスを手にする結果、労働市場の競争が激しくなるので、自分の能力を証明する必要性が高まるのだ。

では、どうすれば自分の能力を証明できるのか。未来の世界では、大企業にフルタイムの社員として勤務する固定的な労働形態で働く人の割合が低下し、専門知識を武器にプロジェクト単位で働く流動的なフリーエージェント型の働き方をする人が増えるだろう。そういう働き方を選べば大きな充実感を味わえるかもしれないが、問題は、仕事の世界で「見えない存在」になりがちなことだ。長期間にわたり同じプロジェクトに携わるケースが少なく、仕事上で関わり合う顔ぶれが頻繁に入れ替わり、一人ひとりが自分の専門技能をたえず変化させていくので、どうしてもそうなりやすい。第3章に登場したプログラマーのアモンは、カイロの自宅にいたまま、一度も訪ねたことのない会社の依頼を受けて、一度も会ったことのない人たちと仕事をしている。そういう仕事相手たちにとって、アモンは「見えない」誰かにすぎない。

第2章に登場したロンドンのジルは、ある企業と契約して、週に三日、同じ会社の仕事をしているが、アモンより多少は匿名性が軽度だという程度にすぎない。確かに、勤務先の企業の人たちは、ジルが誰で、どういう仕事をしているかを知っている。しかし、ジルがどのくらいの潜在能力を備えているかを本当に知っていると言えるだろうか。自社の業務と関係のない分野で、ジルがどういう技能と知識をもっているかを本当に理解しているだろうか。

## 「見えない存在」になる危険性

未来の世界では、「見えない存在」になることが深刻な問題になるだろう。その点を見て取るためには、第2部と第3部のように一九九〇年の仕事の世界と対比させるまでもない。二〇〇九年を振り返れば十分だ。

二〇〇九年、あなたがある大企業に中級管理職として入社したとしよう。たとえば、ニュージャージー州ハケッツタウンにあるアメリカの菓子大手マースの本社オフィスで勤務しはじめたとする。あなたが入社を決めたのは、改修されたばかりの真新しい本社の敷地にずらりと敷き詰められた太陽光発電パネルや、仕切りのないオープンプラン型のオフィス、最新のテクノロジーを取り入れた会議室に魅力を感じたからなのかもしれない。あるいは、給料や職務内容が決め手だったのかもしれない。しかし、おそらく自分でも気づいていないだろうが、あなたがマースに入社することによって得たのは、太陽光発電パネルや会議室だけではない。あなたは、多くの人に自分の存在を認識してもらいやすい立場も手にしたのだ。

というより、「見えない存在」にならずにすむことこそ、大きな企業に勤める最大の利点と言ってもいいくらいだ。職階や肩書きがはっきりしているので、あなたがどういう資質と経験をもっているかは誰にでもわかる。個人オフィスの広さや専用の社用車の車種を見れば、あなたの社内での序列も一目瞭然だ。職階、肩書き、オフィス、社用車の組み合わせにより、あなたがどの程度の権力をもっているのかが暗に表現される。影響は会社の外の人間関係にも及ぶ。たとえば、企業派遣で一流ビジネススクールに入学すれば、あなたが会社で出世コースに乗っていることがほかの会社の人たちにもわかる。ビジネススクールでほかの会社の幹部候補生たちと結びつきができて、いつか役に立つコネを得られるかもしれない。

あなたの経歴や能力に関する情報は、会社の人事データに登録されているはずだ。採用選考時の情報、成績評価の点数、同僚による評価、昇進候補リスト上の順位、将来の成績と能力の予測などのデータがデジタル化して保存してあるだろう。あなたの会社の幹部は、いつでも好きなときに、世界中のどこにいても、なんの苦もなく、あなたがどういう人間かを調べられる。マースに勤めていれば——というより、会社の規模に関係なく、どこかの会社に勤務していれば——「見えない存在」になるおそれはない。会社が時間と努力を費やして、あなたの代わりにあなたの能力証明となる情報を収集し、これまでに成し遂げた業績を記録し、将来のためにどういう分野の能力を磨くべきかまで教えてくれる。あなたは、自分の能力を証明する努力をほとんどしなくていい。会社がすべてやってくれるのだ。

しかしこの先、会社があなたの能力証明を用意し、あなたがどういう人間かを明らかにしてくれることは期待しづらくなる。働き手と会社の結びつきが弱まることがその理由の一つだ。第3章のアモンのようにフリーランスとして働き、いくつもの業者から仕事を受注して同時に複数のプロジェクトに携わる人もいるだろう。第2章のジルのように、週に数日しか働かない人もいるだろう。第7章のシュイ・リーのように、ビジネスのエコシステム（生態系）のなかでミニ起業家として活動する人もいるだろう。

一つの企業に勤務してフルタイムで働く人たちの状況も大きく変わる。社内の組織構造が昔ほどピラミッド型でなくなり、組織階層が簡素になる結果、役職や肩書きの数が減る。温室効果ガス排出量を減らすために、オフィスに出勤せずに在宅勤務をする人も増える。出勤するにしても、電車通勤が当たり前になり、立派な社用車を見せびらかす機会は少なくなるだろう。しかも、上司が頻繁に入れ替わり、社員だけでなく社外の人と一緒に仕事をするケースが増える。要するに、あなたがどういう人間かを知っていた同僚や上司との結びつきが失われていくのだ。

このように、これまでより柔軟な形態で、人との緩やかな結びつきのなかで、複数の会社を相手に働くケースが増えるのにともない、他人に自分を印象づける必要性が高まる。大勢のなかで自分の存在を際立たせることが重要になるのだ。そのために、とりわけ有効な方法が三つある。

一つ目は、たとえて言えば、自分の仕事に自分の刻印を押すなり、署名を書き込むなりすること。つまり、あなたの手がけた仕事が誰の目にもあなたの仕事だとわかるように、明確な特徴をもたせるのである。自分の評判を保つために、積極的に評判をマネジメントすることも不可欠だ。

二つ目は、弁護士や医師のような専門職にならって、ギルド（同業者組合）やそれに類する組織をつくること。オンライン上にそうした仕組みをつくる場合は、「バーチャル・ギルド」と呼んでもいいだろう。

三つ目は、活力を失わず、精力的に仕事に打ち込み続けるために、さまざまな要素を取り込んでキャリアのモザイクを描き、いわば教会のカリヨン・ツリー（組み鐘のタワー）型のキャリアを実践すること。以下では、この三つのそれぞれを詳しく見ていこう。

## 自分の刻印と署名を確立する

私の書斎にはとても美しい本棚があって、大切にしている本をそこにしまっている。年季の入った樫材から職人が手作業でつくったものだ。一見しただけだと、この本棚の興味深い特徴を見落としかねない。よく見ると、棚の左側の一カ所にとても小さなネズミが彫ってあるのだ。

私の友人の一人が六脚セットのダイニングチェアをもっている。やはり年季の入った樫材でつくられていて、私の本棚に負けず劣らず美しい。この椅子をよく観察すると、それぞれの左側の脚に、見覚えのあるものが彫られている。小さなネズミだ。樫材の家具を愛する人には、それがなにを意味するかすぐわかる。この小さなネズミは、それがロバート・トンプソンの工房の職人がつくったものであることを表しているのだ。[45] 一九一九年以来、この工房に属する職人たちは、ダイニングテーブルや椅子、本棚や食器棚をつくるたびにネズミを彫り込んできた。彫られたネズミを見れば、どの職人の作品かもわかるようになっている。

### バザールと素粒子物理学と『アバター』

手がけた作品に自分の刻印を残すのは、家具職人だけではない。これまでのインターネットの歴史で特筆すべき出来事の一つは、オープンソースのＯＳ（オペレーティングシステム）「リナックス」の誕生だ。リナックスのソフトウェアは、プログラマーたちがボランティアで開発して、無償で配布している。二〇〇一年にリリースされた「レッドハット・リナックス7・1」のソースコードは三〇〇〇万行。これは、延べ八〇〇〇年相当の開発時間を要する分量だ。[46]

ボランティアのプログラマーたちは、『伽藍とバザール』の著者エリック・レイモンドの表現を借りれば、「バザール方式」でプロジェクトに取り組んでいる。[47] インターネットを介して大勢のプログラマーが参加し、オープンな場（＝バザール）でソフトウェアの開発に携わっているのだ。リナックス・プロジェクトのリーダーであるリーナス・トーバルズが主導したこの開発方式は、特定のメンバーで構成されるチームが排他的な場（＝伽藍）で開発に当たる「伽藍方式」と対照的だ。バザール方式の利点は、レイモンドが言うように、「大勢の人の目に触れるので、重大な不具合が取り除かれやすい」ことにある。ソースコードをオープンにすれば、大勢の人がそれを試用し、精査するので、あらゆる不具合が早期に発見されて解消されるのだ。

しかしバザール方式には、ある欠点がついて回る。それは、プロジェクトに参加した一人ひとりが大勢のなかに埋もれてしまい、貢献を認められたり、称賛されたりする機会を得られないおそれがあることだ。要するに、「見えない存在」になる危険があるのだ。そこでリナックスのプログラマーたちは、ほかの人たちの貢献に敬意を払い、とりわけ重要な成果をあげた人物の名前をソフトウェアに明記することにしている。

CERN（欧州原子核研究機構）の物理学者コミュニティから生まれる学術論文もこれに似ている。ジュネーブ郊外にあるCERNは世界最大規模の科学研究センターで、五八〇の研究所で毎年何千人もの科学者が研究に携わっている。CERNでおこなわれている実験により、膨大な量のデータがひっきりなしに生み出されている。そのデータは、グローバルなコンピュータ・インフラを活用して解析される。インターネットを介して、世界中の何千台ものコンピュータが互いに処理能力を融通し合う体制が築かれているのである。二〇一〇年の時点で、世界の三四カ国、一三〇カ所以上の施設の一〇万個以上のプロセッサーの処理能力が統合されている。そのおかげで、世界の八〇〇〇人以上の物理学者がCERNの大型ハドロン衝突型加速器（LHC）などの実験データをほぼリアルタイムで利用できる。グローバルな規模でコラボレーションが実践されているのである。事実、世界の高エネルギー物理学者の半分は、CERNの研究プロジェクトに参加している。

この世界規模の科学者コミュニティの注目すべき点は、メンバー一人ひとりが自分の貢献を人々に知らしめる方法が確立されていることだ。リナックスの開発プロセスと同じように、実験データの特定部分に関して一〇〇人を超す研究者が共同で研究を進めているケースも多く、個人の手柄をアピールするのは難しい。それでも科学者たちは、研究結果や分析を披露し合ったり、論文の草稿をウェブで公開してほかの研究者のコメントをもらったりするなど、協力し合って研究を進めている。そして、最終的に論文を発表するときは、執筆の過程で協力した全員の氏名を明記する。たとえ一〇〇人を上回るとしても、一人残らず、アルファベット順に名前を記すのがルールとなる。一人ひとりの貢献を明示することになっているのだ。私の本棚をつくった家具工房の職人たちと同じように、CERNの科学者たちはチームで仕事をしつつも、個人の手柄も認めてもらえる仕組みを確立しているのである。

ちなみに、世界中の物理学者たちのコラボレーションは、別の面で私たちの生活にきわめて大きな影響をもたらした。一九八九年、CERNで研究していた科学者のティム・バーナーズ＝リーが分散型情報システムの構築を提案した。世界中の科学者たちの間でもっと効率的に情報を共有する仕組みをつくりたいと考えたのだ。こうして誕生したのがワールド・ワイド・ウェブ（WWW）である。一九九〇年までに、バーナーズ＝リーはWWWの基本概念をまとめ上げ、URL、HTTP、HTMLを設計し、ブラウザとサーバーソフトウェアを開発した。最初のウェブシステムは、一九九一年に素粒子物理学コミュニティに公開され、やがてアカデミズムの世界に広がっていった。一九九四年までには、さらに幅広い分野の大学や研究機関が利用するようになり、新しいウェブサイトが最初は細々と、やがて大量につくられはじめた。その後のウェブの発展は、知ってのとおりだ。

映画の『アバター』も興味深い例だ。二〇〇九年に公開されたとき、私は映画館に見に行った。映画の最後のエンドロールで、制作に関わったスタッフの氏名が表示される。それがいつまでたっても終わらない。結局、監督に始まり、撮影現場への食事の仕出しスタッフやロケ車の運転手にいたるまで、一〇〇〇人を超す関係者の氏名が紹介された。この製作費二億五〇〇〇万ドルの超大作映画の制作になんらかの形で関わった人はすべて、貢献を公に認められたのである（ちなみに、この映画の目を見張る3D効果を生み出す基盤になったのは、リナックス系OSだった）。

ここで取り上げた家具職人やソフトウェアプログラマー、物理学者、映画制作スタッフに共通するのは、自分のつくり出した作品に自分の刻印を押していることだ。それにより、ほかの人たちに自分の業績を知らしめ、自分の評判を管理できる。評判づくりとナルシシズムは、似て非なるものだ。魅力的な個人ブランドを築きたいと思うことは、ナルシシズムの表れではない。評判管理はビジネスの世界で不可欠になるのだ。

ただし、未来の世界で個人ブランドを築くためには、「私って、こんなにすごいんです！」と大声で叫んで歩くだけでは十分でない。すでに述べたように、個人ブランドづくりを手助けするビジネスが花開き、大勢の人たちが個人ブランドを築こうとするはずだ。そのなかには、業績や能力を誇大宣伝したり、虚偽宣伝をしたりする人もいるだろう。そこで、魅力的な個人ブランドを築いて大勢の人たちとの差別化を図り、その個人ブランドに信憑性をもたせることが欠かせない。職人にせよ、プログラマーや物理学者にせよ、まずは質の高い仕事をし、そのうえで自分の資質を世界に向けてアピールする必要があるのである。[48]

評判を広める手段も整いはじめている。オークションサイトのイーベイや求人・求職サイトのイーランスのようなオンラインサービスでは、顧客が取引相手の仕事の質を評価し、ウェブサイト上に格付けを発表する仕組みがあるので、未来の顧客はそれを見て取引相手の評判を確かめられる。

## 信憑性のある能力証明

格付けは、働き手が自分の仕事の質を多くの人に知ってもらう強力な手段になりうる。この種の仕組みを機能させるには、ほかの人との比較が可能なこと、そして運営の独立性が保たれることが欠かせない。そのニーズを満たすために、独立した格付けサービスの役割が大きくなるだろう。

いくつかの分野では、そういう趣旨の格付け制度がすでに存在する。自動車や家電製品に関しては、消費者団体が製品の評価をおこなっている。今後は、同じ分野の専門技能や能力をもつ人たちが集まって、評価と格付けの仕組みを築くようになるかもしれない。これは、中世の職人の世界でギルドが担っていた役割でもある。組織に属さないで働く人が増えれば、そういうギルド的組織の重要性が高まるだろう。

あなたがイーベイのオンラインオークションで商品を購入するとしよう。あなたはその場合、約束どおりの品物が自宅に届くことを当てにできる。逆に、あなたが売り手の側であれば、商品の代金を支払ってもらえることを当てにできる。この点がおぼつかないと、オンライン取引は成り立たない。そこでイーベイは、高度な評価システムを築き上げている。売り手と買い手の双方に関して、過去の取引相手が信頼性の度合いを評価して格付けするシステムが出来上がっているのだ。

未来の世界では、これと同じように専門技能の売り手と買い手の間をとりもち、技能にお墨つきを与えるビジネスが活発になるだろう。その草分け的な存在の一つがオー・デスクという企業だ。この会社は、専門技能を要する業務の依頼主がフリーランスの働き手の採用と依頼の打ちきり、報酬の支払いをおこなうのを助ける仕組みを用意している。フリーランスの働き手がウェブ上の名簿にリストアップされていて、依頼主は、短ければ数時間、長ければ数カ月にわたる職務の担い手を探せる。採用が決まると、自宅や仕事場でのフリーランスの仕事ぶりをオー・デスクのソフトウェアが監視する。コンピュータのキーボードを叩いたり、マウスをクリックしたりする頻度を記録したり、ウェブカメラで勤務態度を抜き打ちで撮影したりするのだ。

契約期間が終わると、依頼主とフリーランスの双方が相手を五段階評価で格付けする。フリーランスに対する評価基準は、専門技能のレベル、仕事の質、依頼しやすさ、締め切りの厳守度、協調性。ウェブ上の名簿には、この格付け評価に加えて、これまでの総労働時間と時給のレートが記される。依頼主の側は、フリーランスの働き手による評価、これまでにオー・デスクを通じてフリーランスに支払った報酬の総額、過去の求人件数、実際の採用件数、オー・デスクへの登録年数を基準に格付けされる。依頼主とフリーランスのプロフィールには、その業者や人物に寄せられた評価の件数も記される。イーベイの売り手と買い手の評価と同じように、格付けが良好なことに加えて、評価件数が多いほど、その業者や人物の信頼性が高いとみなされる。

オー・デスクに登録しているフリーランスが質の高い仕事をしていれば、半年くらいで信頼と評判が確立されて、仕事の依頼が殺到しはじめる。このように現時点ですでに、オンライン経由で仕事をして大きな成功を収めているフリーランスの働き手たちは、顧客のために質の高い仕事を素早く仕上げることを通じて、時間と労力をかけて自分の個人ブランドを確立している。高い評価を得られれば、数日の予定だった仕事が数カ月、さらには数年に延びる場合もある。とくにソフトウェアプログラマーの世界では、そういうケースが珍しくない。

ほかの人では代わりのきかない高度な専門技能の持ち主でないと、フリーランスはオー・デスクで引っ張りだこの人材になれない。ごく平凡なＩＴ関連技能をもつ人材は世界中のいたるところにいて、報酬の水準も下がりはじめている。高い報酬を受け取っている人材は、顧客のニーズに徹底的にこたえるなり、きわめて高度な知識を備えるなりして、ライバルから自分を差別化している。

未来の世界では、企業が能力証明を用意し、評判を広めてくれることを当てにできなくなる。この項で紹介した家具職人やリナックスのソフトウェアプログラマー、オー・デスクに登録しているフリーランスのように、自分の業績をしっかりアピールすることがますます重要になるのだ。

## ギルドの一員になる

評判の確立と管理は、同種の専門技能や能力をもつ人たちが形成するコミュニティを通じておこなわれるケースが増えるだろう。とくにインターネットを活用して、専門技能の持ち主が顧客を探したり、同業者と組んで大規模なプロジェクトに参加したり、情報や知識を共有し合ったり、評判を確立・拡散させたりするのが一般的になるだろう。これまで多くの企業が採用してきた中央集権型・ピラミッド型の管理とは対極的な世界と言っていい。

この点で興味深いのは、弁護士や医師などの専門職だ。これらの専門職の人たちは、中世の職人のギルドと同じように弁護士会や医師会のような同業者組合をつくり、メンバーの能力水準を維持し、対外的に能力証明と評判管理をおこなってきた。同業者組合は多くの場合、手の込んだ能力・身元審査と指導育成のシステムをつくり上げることを通じて、メンバー全員の能力を保証している。そのおかげで、メンバーはどこへ行っても専門技能の持ち主と信じてもらえる。

ギルドは中世の概念だが、最近はインターネットを活用して、さまざまな職種の人たちがバーチャルなコミュニティをつくりはじめている。医師会や弁護士会のような同業者組合がその役割を果たす場合もあれば、オー・デスクやイーランスのようなオンライン上の求人・求職サービスがそのための場を提供する場合もあるだろう。あるいは、地域単位で働き手と企業の利益を増進することを目指す団体がつくられるケースもあるだろう。

未来のギルドは、働き手がいくつもの企業の仕事を経験しながらキャリアを築く手助けをし、これまで企業の人事部が果たしてきた役割を担うようになる。それにともない、ギルドはメンバーの能力証明、職務内容の統一基準づくり、給与・報酬の水準設定をおこなう実力を磨いていくだろう。医師や弁護士などと同じように、ソフトウェアプログラマーやプロジェクトマネジャーなどの職種ではすでに、企業の垣根を越えた能力証明制度が生まれはじめている。

医師や弁護士などの旧来の専門職を対象とするオンラインコミュニティも登場している。アメリカの医師向けオンラインコミュニティである「サーモ」や、法律専門家向けの「ロー・リンク」、歯科医向けの「ニュードック」、人文・社会科学研究者向けの「Hネット」などはその例だ。こうしたオンラインコミュニティは、メンバーが仕事を探し、新しい情報やコネを見つけ、従来より広い層や適切な層に売り込みをおこない、同業者から業務に関するアドバイスを得るうえで重要な存在になりつつある。

サーモは、アメリカで有数の規模を誇る医師向けオンラインコミュニティだ。[49]全米五〇州で働く六八分野の医師がこのコミュニティを通じて、難しい症例について助言し合い、薬品や医療機器に関する情報を交換し、患者のケアや病院経営上の問題を話し合っている。一般のメディアでまだ報じられていない画期的なアイデアが――それが患者の命を救うかもしれない――共有される場合もある。大勢の医師が協力し合えば、どんなに知識が豊富な医師にも勝る充実した知恵を生み出せるという基本理念のもと、医師たちの「群衆の知恵」を活用することを目指しているのだ。医師たちは、投稿や質問への回答の質を互いに評価し、格付けし合う。格付け評価が高い医師は、とくに助言を求められやすい。

サーモには、医師免許を持っていて、実際に医療に携わっていることが確認されてはじめて入会を許される。審査は、独自のテクノロジーを用いて手早くおこなわれる。入会後、会員は自分で決めた仮名で活動する。ウェブサイト上で誰にでもすぐわかるように公開されている情報は、会員の仮名と専門分野だけ。つまり、医師の専門技能を確かにもっている人物だけが集まるが、匿名性は確保されるのである。こうして、サーモは信頼と協力に適した環境をつくり出している。

六〇〇〇人の会員を擁するロー・リンクは、法律専門家たちが交流し、自分のプロフィールを公開する場を提供している。[50]会員たちは、法律関連ニュースの注目度ランキングを投票で決めたり、法律上のテーマに関して意見交換したり、法律上の文書を共有したり、お互いの質問に答えたりしている。ウェブサイト上に求人広告を掲載したり、求人広告をチェックしたりすることもできる。一週間に掲載される新規の求人は一〇〇件に上る。

未来の世界で、企業が短期間のプロジェクト単位で人材を雇用し、社外の人たちとのパートナー関係やビジネスのエコシステム（生態系）を活用する傾向が強まるにつれて、働き手にとって、自分の評判を確立し、高めていくことがますます重要になる。その点で、さまざまな企業を相手に流動的に仕事をしている第3章のアモンのような人たちは、バーチャルなギルドに加われば、安定したコミュニティの一員になり、評判の確立と管理をしやすくなる。[51]

## カリヨン・ツリー型のキャリアを築く

私たちの職業人生は次第に、伝統的なキャリアの道筋と異なるカーブを描くようになる。それは、「ダウンシフティング」（収入より、ゆとりを大切にする生き方への転換）を選ぶ人たちの「釣鐘型」のキャリアのカーブとも違う。今後主流になるのは、いくつもの小さな釣鐘が連なって職業人生を形づくる「カリヨン・ツリー型」のキャリアだ。精力的に仕事に打ち込む期間と、長期休業して学業やボランティア活動に専念したり、仕事のペースを落として私生活を優先させたりする期間を交互に経験し、ジグザグ模様を描きながら仕事のエネルギーや技能を高めていくのである。

キャリアのパターンが変わるのは、人々の寿命が延びることの直接的な結果だ。二〇〇〇年以降に生まれる子どもの半分以上は、一〇〇歳以上生きると予想される。[52] それ自体は喜ばしいことだが、問題は、一般的な退職年齢である六五歳以降、自分が望む生活水準を維持できる額の年金を受け取れる人が一部にとどまることだ。第4章でも指摘したように、現在の年金制度が考案された当時、平均寿命は五〇歳に満たなかった。半分以上の人が一〇〇歳以上生き、三五年を超す老後の生活を送る時代が到来すれば、現在の年金制度ではとうてい支えきれない。

それに、家計の問題はさておいても、三〇年や四〇年も老後の生活を送ることに、多くの人は耐えられないだろう。七〇歳を過ぎても仕事を続け、社会の一員として社会に貢献したいと考える人が多いはずだ。昔、職業人生は短距離走のようなものだったが、それが長距離走に変わろうとしている。そういうマラソン的なキャリアに、私たちはどう備えればいいのか。

一九八〇～九〇年代まで、フルタイムで働くとは、次のような生涯を意味した――二〇歳前後でどこかの企業に入社し、一生懸命働いて三〇歳代前半に中間管理職に昇進。その後は、順調に進めば、社内で権力と給料の額が上昇し、五〇歳代でエネルギーと収入が最高潮に達する。そして六〇歳代前半のある日に退職し、その瞬間にすべてが終わる。これが伝統的なキャリアのカーブだった。二〇歳代前半以降、エネルギーと技能が右肩上がりで高まっていき、六〇歳代のある時点ですべてが完全に止まり、権力と名声の座から突然追い落とされた。

未来の世界では、こうした道を歩んで生涯を終えることはできなくなる。では、どういうキャリアの道筋が主流になるのか。一つの可能性は、前述のダウンシフティングの人生だ。この生き方を選択すると、キャリアは釣鐘型のカーブを描く。二〇～五〇歳代にかけて、エネルギーと技能、働き手としての価値が高まっていくが、ある段階からキャリアのカーブが下降線に転じ、七〇歳代か八〇歳代のいずれかの段階でついに働くことをやめる。

もう一つのキャリアの可能性は、アメリカのキャリア論専門家タミー・エリクソンが言う「カリヨン・ツリー型」のカーブを描くキャリアだ[53]。カリヨン・ツリー型のキャリアをたどる場合は、二〇歳代前半まで大学などで学び、その後、企業に就職し、専門技能を高めていく。そして数年後、たとえば三〇歳のときに一年間仕事を休んで、長期の旅行に出かけたり、ボランティア活動に携わったりする。

三一歳で仕事に復帰すると、今度はいくつもの企業が関わるプロジェクトに携わる。専門技能の幅を広げることが目的だ。また、休職前より少しのんびり生きたいと考えて、ジョブシェアリング（一人分の仕事を複数の人間で分担する勤務形態）をおこない、勤務時間を減らして働く。

やがて四〇歳代になって、また仕事を離れて、一年間学校で勉強する。既存の専門分野を土台に、別の専門分野への脱皮を遂げるためだ。四〇歳代と五〇歳代前半にかけて精力的に仕事に打ち込んで、新しい専門分野で技能を高めていく。五〇歳代半ば、再び一年間仕事を休んで、長期旅行やボランティア活動をおこなう。その後、また仕事の世界に復帰。今度はミニ起業家として、それまでに身につけた二つの分野の専門技能を活用して働く。そして、そのまま七〇歳代、八〇歳代まで仕事を続ける。

新しい専門分野に精力的に取り組んで技能を高める時期、仕事のペースを緩めて自分の人生についてじっくり考える時期、仕事を中断して勉強に専念する時期、ボランティア活動に集中的に携わる時期――こうしたさまざまな時期がモザイク状に入り組むのがカリヨン・ツリー型のキャリアだ。このキャリアのあり方は、伝統的なキャリアに比べて柔軟性が高く、ダウンシフティングのキャリアに比べて生産的な活動を続ける期間が長い。

カリヨン・ツリー型のキャリアを実践すれば、自分のエネルギーや関心の変化に合わせて、さまざまな働き方や職種の選択肢を柔軟に選びやすい。次のような問いを考えることが可能になる。自分はどのように時間を使いたいのか？　人生のそれぞれの段階で、どういう生活のリズムが自分に最も適しているのか？　その時期の経済情勢の影響をどのように受けるのか？　人生のそれぞれの段階で、どのように自分の課題を設定し、どのくらい責任のある仕事を担うのか？

職業生活で大きな価値を生み出し、仕事に楽しさを見いだすことを望むのであれば、学校を卒業しても学習は終わらない。生涯にわたり学習と自己研鑽を重ね、たえず成長を続け、エネルギーを自分に注入し続けなくてはならない。そのために、長期間仕事を休んで専門技能に磨きをかけたり、学校に通って新しい専門技能を学んだり、師匠について見習いをしたりする必要もあるだろう。

## キャリアのモザイクをつくる

カリヨン・ツリー型の職業人生を送る場合は、その生涯にさまざまな要素がモザイク状に入り組む。どういうモザイクを描き上げるかは一人ひとり異なるが、長期間仕事を休んでボランティア活動に携わる時期や、専門技能を磨くことに力を入れる時期、学校に入り直して勉強に専念する時期などが織り込まれる可能性が高い。第6章のジョンは、バングラデシュの村でボランティア活動をおこなうことに喜びを見いだしている。はじめのうちは年に数週間、しばらくすると年に数カ月、支援活動に携わってきた。

ジョンのように、自分の暮らしている地域とは別の土地でボランティア活動をおこなう人が増えはじめている。イギリスに拠点を置く国際ボランティア団体「海外ボランティアサービス（VSO）」では、平均年齢四一歳の一五〇〇人のボランティアが世界の三四以上の国で、経営コンサルティングに始まり海洋生物保護にいたるまで、さまざまな分野でボランティア活動に従事している。[54]同じくイギリス発祥のプロジェクトアブロードでは、一六～七五歳のボランティアたちが二五カ国で、教育や人権保護、ジャーナリズムなどの分野で活動している。[55]今後、企業が固定的な人件費を抑えるために週の勤務日数を減らしたり、長期休暇を奨励したりするケースが増えるのにともない、人々がそういう余暇時間を有意義に活用する機会をさまざまなボランティア団体が提供するだろう。

専門技能の習得・向上に時間を割く人も増えている。テクノロジーが発展すると、学習は学校の教室の中だけで実践されるのではなく、日々の生活や娯楽のなかに織り込まれるようになる。[56] 世界中の多くの書籍や文書、講義の動画がインターネット上で無料、もしくはきわめて安価で手に入るようになった。eラーニング・ビジネスも発展するだろう。企業研修向けのeラーニング市場は二〇〇二年には世界で六六億ドルだったが、二〇〇八年には一七二億ドルに拡大した。[57] 対面式の教育とオンライン学習を併用すると、単に対面式の教育だけを受ける場合より、学習が早く進み、学習効果の定着率も高い。新しい能力を身につけるうえでは、このブレンド型の学習方法が最もうまくいく。[58]

コンピュータゲームやシミュレーションを活用した学習も盛んになる。この種の学習方法のメリットは、チャレンジ精神と空想力、好奇心がかき立てられて、学習意欲が高まることだ。実際、オンラインゲームの『ワールド・オブ・ウォークラフト』は、大勢のプレーヤーを難しい課題への挑戦に駆り立てている。学校を卒業して職に就いている人の継続学習を支援するために、こうしたシミュレーションゲームの技術がますます活用されるようになるだろう。

働き方の未来を考えるとき、はっきり認識すべきなのは、これまでのキャリアの常識が通用しなくなるということだ。本書で論じてきた五つの要因により、仕事の世界が大きく様変わりすることを考えると、私たちは働き方を〈シフト〉させなくてはならない。これまでの固定観念を〈シフト〉させ、身につける能力を〈シフト〉させ、行動のパターンを〈シフト〉させる必要があるのだ。

この章で取り上げた〈第一のシフト〉では、テクノロジーの進化とグローバル化の進展により、世界中の何十億人もの人々がグローバルな人材市場に加わり、コンピュータがますます雇用を奪いはじめる結果、競争が激化するという未来の側面に光を当てた。競争が激しくなれば、私たちは大勢のライバルから自分を差別化しなくてはならない。専門技能の習得に時間と労力を割き、自分の手がけた仕事を際立たせるために自分の「シグネチャー（署名）」を確立する必要がある。

もっとも、生涯を通じて常に同じ姿勢で仕事に臨む必要はない。なにしろ多くの人が九〇歳代や一〇〇歳代まで生きるようになれば、よほど蓄えがある人はともかく、たいていの人は少なくとも五〇年以上働き続けることになるのだから。これまで私たちの職業生活は、基本的に右肩上がりで専門技能と地位と収入が高まり、六〇歳代で退職した瞬間にすべてが終わるというキャリアのカーブをたどっていた。今後は、技能の習得・向上やリフレッシュを重んじる期間を差し挟むカリヨン・ツリー型のキャリアを送る人が増えるだろう。

すでに述べたように、私たちは五〇年の職業人生を通して、三種類の資本を活用する。本章で取り上げた〈第一のシフト〉では、ほかの人にはない高度な知的資本を確立する方法を検討した。次の第9章では、価値を生み出し、活力を得るための人間関係資本の築き方を論じる。

第9章

# 第二のシフト

## 孤独な競争から「協力して起こすイノベーション」へ

### 未来に必要となる三種類の人的ネットワーク

未来の世界の素晴らしい点の一つは、人間関係資本を築く方法が飛躍的に拡大することだ。五〇億人がインターネットを通じて結びつき、しかもいっそう主体的にオンライン上のコミュニティに参加する時代が訪れて、可能性は無限に広がる。問題は、オンライン上のサービスに振り回されず、バーチャル化につきものの孤独に陥らないために、どうすればいいのかだ。世界中の人々が結びつく時代の恩恵に最大限浴するためには、協力とネットワークとイノベーションについて、根本から発想を〈シフト〉させる必要がある。

第8章で〈第一のシフト〉に関して指摘したように、未来の世界で私たちが直面する大きな矛盾は、その他大勢のなかに埋没しないように独自性のある専門技能を磨く一方で、大勢の人と緊密に結びつく必要があるという点だ。古い仕事観のもとでは、やる気と野心と強い競争心があれば成功できると考えられてきた。しかしこれからは、高度な専門技能を習得し、そのうえで多くの人と結びつかなければ成功できない。知的資本と人間関係資本を組み合わせる必要があるのだ。[1]

なぜ、そういう必要があるのか。理由は明快だ。あなたが築いた専門的な能力やノウハウ、人脈は価値あるものだが、それだけでは十分でない。グローバル化が進展し、世界中の人々が結びつく時代には、イノベーションと創造性がきわめて重要になるが、真のイノベーションと創造を成し遂げようと思えば、大勢の人たちの能力とノウハウ、人脈を統合することが不可欠なのだ。

世界中の人々がインターネットを通じて結びつき、大規模なコミュニティを形づくって、見聞きしたことを教え合い、お互いに相談に乗り、関心を共有するようになる。私たちは次第に、これまで受動的にテレビを見て漫然と過ごしていた余暇時間をオンライン上の活動に使いはじめる。[2]アメリカ人とアメリカ人が結びつき、中国人と中国人が結びつくだけではない。関心テーマごとに、世界規模のコミュニティが形成される。そうした巨大なオンラインコミュニティは、未来の世界で重要性を増す「ビッグアイデア・クラウド（大きなアイデアの源となる群衆）」の土台になる。

しかし、ビッグアイデア・クラウドだけでは不十分だ。未来の世界では、広く浅い知識をもっているだけでは価値を生み出せなくなり、知識の深さが求められるようになる。孤立した状態で、そういう高度な専門知識が身につくことは考えづらい。アドバイスと支援を与えてくれる比較的少人数のブレーン集団が不可欠だ。それが本書で言う「ポッセ（同じ志をもつ仲間）」である。

高度のインターネット利用環境が整うことの利点は明らかだが、マイナスの側面もある。孤独を味わい、いつも時間に追われるようになるおそれがあるのだ。バーチャル空間で過ごす時間が増えれば、生身の人間との接点が少なくなり、現実世界で情緒面の支えと安らぎを得る機会が減る。しかも、第3章のローハンやアモンのように親やきょうだいと遠く離れた場所で暮らすケースも増える。そこで、情緒面の支えと安らぎを与えてくれる人間関係——すなわち「自己再生のコミュニティ」を築く重要性が増す。

**ポッセ——頼りになる同志**

Y世代について調べていたときのこと。イネスという二三歳の新人コンサルタントと話すなかで、どうやって仕事を進めているのかと尋ねてみた。すると、イネスは自分のコンピュータを指差した。モニターの下のほうに、大勢の人の名前と顔写真が並んでいた。「これが私のポッセです。いつも力になってくれる人たちです。私たちは、お互いに助け合っています」

この言葉を聞いて、私は子どもの頃によく見た西部劇映画を思い出した。舞台はアメリカ中西部の小さな町。ヘンリー・フォンダかチャールトン・ヘストン演じる保安官は、悪者を倒すために助けが必要になると、たちどころに、信頼できる仲間を呼び集める。正義が取り戻されると、仲間たちはすぐ馬にまたがり、町を去っていく。もうもうと土煙を上げて馬が遠ざかるなか、いつかまた問題が持ち上がっても、この仲間たちが馳せ参じて町の治安を取り戻してくれるに違いないと、私たち観客は安心できた。こういう西部の保安官が招集した自警団を「ポッセ」と呼ぶ。

ポッセという考え方は、若い世代にも魅力的に感じられるらしい。二〇一〇年に発売されたコンピューターゲーム『レッド・デッド・リデンプション』の舞台は、一九一一年のアメリカ西部。プレーヤーはオンライン上でポッセをつくり、ほかのプレーヤーと一緒に広大な世界を旅して、ほかのポッセと対決したり、野生動物を狩ったり、さまざまな課題に挑戦したりする。このゲームは大ヒットしている。

　未来の世界であなたが形づくるポッセは、比較的少人数の信頼できるメンバーで構成される。一五人を上回ることはまずないだろう。もしピンチに立たされれば、いつでも力になってくれると当てにできる仲間たちだ。そのなかには、長年の友人もいれば、職場の同僚もいるだろうし、頻繁に顔を合わせる人もいれば、遠い国に住んでいる人もいるだろう。

　イネスの話を聞いて、以前、職場における活力とイノベーションについて書いた『グロウ（輝く）』という著書で紹介した、フレッドとフランクのストーリーを思い出した。[3]こんな話だ。フレッドとフランクはそれぞれ、職場で非常に手ごわいプロジェクトを任された。明らかに、猛スピードで仕事をこなさないと、予定の期日までに仕上がらない。

　フレッドは、まず妻に電話し、しばらく帰りが遅くなると告げた。次に、個人用オフィスのドアを閉ざし、邪魔をしないようにとアシスタントに言い渡した。そのうえで、課題をやり遂げるための計画を練りはじめた。この難しい課題を片づけられるのは自分しかいないと信じていた。細部では必要に応じて専門スタッフの力を借りることになるが、プロジェクトの計画立案者と総指揮官はあくまでも自分だと思っていた。そこで、雑音に妨げられずにアイデアを練るために、まずドアを閉ざし、一人きりになろうとした。

フランクの行動は正反対だった。課題を言い渡された後、最初にしたのは、力になってくれそうな知人を思い出すことだった。数分もたたないうちに、二人の知人に電話をかけて意見を尋ねた。一人目は、一〇年以上前に一緒に仕事をしたことがある友人だ。この人物が以前、同じような課題に取り組んだ経験があったはずだと、フランクは思い出したのだ。友人は五分ほどの間に、どういう落とし穴に注意すべきかという貴重な助言をしてくれた。

次に電話をかけた相手は、もっと最近知り合った人物だ。数週間前には、フランクが力になってあげたことがあった。この人物は、フランクが取り組む課題のいくつかの側面に関して高度な知識をもっていて、課題へのアプローチの仕方を助言してくれた。フレッドがオフィスのドアを締め切り、アシスタントに「邪魔をするな」と言い渡している間に、フレッドは早くもポッセの招集をかけはじめていたのだ。

ポッセに関して重要な点は次の三つだ。

＊ポッセは比較的少人数のグループで、声をかければすぐ力になってくれる面々の集まりでなくてはならない。また、メンバーの専門技能や知識がある程度重なり合っている必要がある。専門分野が近ければ、お互いの能力を十分に評価できるし、仲間の能力を生かしやすい。

＊ポッセのメンバーは以前一緒に活動したことがあり、あなたのことを信頼している人たちでなくてはならない。知り合ったばかりの人ではなく、あなたのことが好きで、あなたの力になりたいと思ってくれる人であることが重要だ。

＊充実したポッセを築きたければ、ほかの人と協力する技能に磨きをかけなくてはならない。他人に上手にものを教え、多様性の強みを最大限生かし、たとえバーチャルな付き合いでもうまくコミュニケーションを取る技能が不可欠だ。

ポッセのメンバーが素早く助けに駆けつけられるのは、あなたがどういう課題を抱えているかをたちどころに理解でき、しかもいつでも力を貸せる状態にあるからだ。西部の保安官が誰かに協力を呼びかけても、その人が馬を上手に駆れなかったり、馬が弱っていたりすれば、役に立たないだろう。ポッセに必要なのは、すぐに招集できることと、みんなが同レベルのスピードと技量で活動できること。専門分野が近く、能力のレベルも近いからこそ、短い時間で高いレベルの仕事をやり遂げられるのだ。

しかし、こうした強みは弱みと表裏一体でもある。ポッセの面々は、みんながあらゆる問題に同じやり方で取り組む傾向がある。ポッセは一つの方向にしか進めないのだ。専門分野や考え方が自分と似ていて、自分にとって信頼できて、いつも一定の思考・行動パターンを取る人たちを集めれば、どうしてもそうなる。もし、あなたが解決しなくてはならない課題が大がかりで、複雑に入り組んでいて、イノベーションを必要とするのであれば、ポッセは頼りにならない。必要なのは、スケールが大きくて斬新なアイデアだ。そういうアイデアの源になりうるのは、多様性に富んでいて大規模なコミュニティ――すなわち、ビッグアイデア・クラウドである。

### ビッグアイデア・クラウド――大きなアイデアの源

友人を通じて知り合った人のアイデアが大いに役立った経験は、誰でもあるだろう。私は数年前、自宅のあるスペイン北部の町でそういう経験をした。海辺の小さなカフェで、友人を通じて知り合ったばかりの新しい友人と一緒に朝のコーヒーを飲んでいた。私たちはオペラが共通の趣味で、オペラの話題で盛り上がった。しばらくして、カフェの前を通りかかった人物をオペラ好きの友人が呼び止めた。その男性はスペイン屈指のチョコレート職人だった。カタルーニャ地方の高級レストラン、エルブジで提供しているチョコレートもこの人物がつくっていた。

チョコレート職人も合流し、三人でコーヒーを片手におしゃべりを続けた。私が執筆していた本のことが話題になった。本のテーマである「ホットスポット」――アイデアが突然活性化する場所や時間――という概念について、私は自説を披露した。[4]すると、ホットスポットが生まれる主要な三条件をイメージしたチョコレートをつくってはどうかという話になり、私たちの会話は熱を帯びていった。数カ月後に本が出版されるとき、そのチョコレートを配ろうというアイデアだった。チョコレートの味は、ホットスポットの三つの条件に合わせて三種類。「協力」は甘いキャラメル味、「人的ネットワーク」は驚きをもたらす塩味、「エネルギー」はピリッと辛いワサビ味。そして、ホットスポットの活気の象徴として、口の中でパチパチはじけるキャンディを加える。

出会ってわずか数週間で、私たちはチョコレートと、チョコレートを入れるボックスをつくり上げた。こうして本の出版の際、チョコレートを配って、ホットスポットという概念をわかりやすく説明できた。素晴らしいアイデアだったと思っている。「ビッグアイデア」と呼ぶのは大げさかもしれないが、私は楽しかったし、おもしろいと思ってくれた人がほかにもいたようだ。専用のチョコレートがつくられた本など、これまでにいくつあっただろうか。

このチョコレート職人は、私のポッセの一員ではなかった。お互いにまったく別世界で生きていて、私はその人物と知り合ったばかりだった。しかし、異なる世界がぶつかり合うからこそ、イノベーションの火花が散る場合がある。ポッセは、問題を素早く解決する力になってくれるかもしれないが、本当の意味でのイノベーションを生み出す源泉にはなりづらい。ポッセのメンバーは、自分とあまりに似すぎているからだ。

第5章に登場したミゲルは、インドのラクナウ市の交通問題を解決するために、自分の人的ネットワークをたどってインドの若い起業家の力を借りた。ビッグアイデア・クラウドを活用し、自分と違うタイプの人間、自分とは異なる視点でものを見られる人間に接触したのだ。未来の世界では、私たち誰もがビッグアイデア・クラウドを必要とする。イノベーションを生み出すには、多様なアイデアや視点を組み合わせることが不可欠だからだ。

ビッグアイデア・クラウドの重要な特徴としては、以下の点を挙げられる。


*ビッグアイデア・クラウドは、自分の人的ネットワークの外縁部にいる人たちで構成されなくてはならない。友達の友達がそれに該当する場合が多い。自分とは違うタイプの人間とつながりをもつことが重要だ。

*ビッグアイデア・クラウドは、メンバーの数が多いほうがいい。ポッセは最低三人いれば成り

立つが、ビッグアイデア・クラウドは何百人ものメンバーで構成される場合もありうる。

ビッグアイデア・クラウドを構成するメンバーとの関係は、フェイスブックで友達になっていたり、ツイッターでフォローしていたり、ブログをいつも読んでいたりという具合に、主にバーチャル空間の付き合いになるケースも多いだろう。

**自己再生のコミュニティ――支えと安らぎの人間関係**

テクノロジーが進化し、グローバル化が進展する世界では、バーチャル空間の魅力が高まり、バーチャル空間で活動することへの心理的な抵抗が薄まる結果、私たちが参加するコミュニティがことごとくオンライン上のものになりかねない。その代償として、私たちは孤独を味わう可能性がある。やさしい言葉や温かい抱擁など、人間が常に必要としてきたささやかな要素の多くが失われるからだ。昔、私たちは地域社会や家族の親密な関係を通じて、支えと安らぎを得ていた。未来の世界でそういう人間関係が完全に消滅するとまでは言わないが、それが当たり前のものではなくなる。温かみのある人間的な絆は、これまでより意識的にはぐくまないと手に入らなくなるのだ。

この点で重要性を増すのが「自己再生のコミュニティ」だ。この種の人的ネットワークは、バーチャル空間の人間関係でないという点でビッグアイデア・クラウドと異なり、自分と同様の専門技能の持ち主で構成されるわけでないという点でポッセとも異なる。自己再生のコミュニティのメンバーとは、現実の世界で頻繁に会い、一緒に食事をしたり、冗談を言って笑い合ったり、プライベートなことを語り合ったりして、くつろいで時間を過ごす。生活の質を高め、心の幸福を感じるために、このような人間関係が重要になる。

自己再生のコミュニティには、さまざまな形態がありうる。たとえば、ほかの人と一緒に共同生活を送る人もいるかもしれない。ほかの人と交流し、肩の凝らない会話を交わしやすい土地を選んで住む人もいるかもしれない（私がスペイン北部の小さな町に家を買ったのは、それが理由だ）。昔のように何世代もの家族が同居することを選ぶ人もいるだろう。いずれにせよ、重要なのは、自分で選択して、そういう人間関係を築くことだ。この種の温かい人間関係が当たり前のように手に入る時代が終わり、意識的に自己再生のコミュニティを築く必要が増すのだ。

この点は、未来の人間関係とコミュニティのあり方に関して、最も難しく、しかし最も興味深い一面だ。バーチャルな世界は放っておいても猛烈なペースで進化するが、私たちは現実の世界も進化させなくてはならない。しかも、この面ではテクノロジーに頼れない。

## ポッセを築く

非常に難しい課題に取り組むとき、あなたはどうするだろうか。ひょっとすると、フレッドのようにすべて自力で切り抜けようと考えるかもしれない。自分が正解を知っているという自信があったり、成功したときの手柄を独り占めしたいと思ったりすれば、そういう判断になるだろう。単純な課題に取り組んでいるのであれば、それでもうまくいくかもしれないが、このやり方が通用するケースは少なくなる。未来の世界では、孤独に仕事をすれば、長時間労働に陥り、視野が狭くなり、退屈なアイデアしか生み出せなくなりがちだ。

そこで、ポッセの力を動員する必要性が高まる。もちろん、難しい課題に立ち向かうときにポッセが頼りになるのは、いまに始まったことではない。あなたも友人に電話して、手ごわい問題に関してアドバイスを求めたり、自分のアイデアについて意見を尋ねたりした経験があるだろう。今後は、そういうポッセの役割がひときわ大きくなるのだ。

あなたのポッセは、どういう顔ぶれで構成されているだろうか。難しい課題に対処するとき、あなたは誰を頼りにするのか。おそらく、そういう人は一〇人に満たないのではないか。ひょっとすると、五人以下かもしれない。ポッセの仲間たちと話しはじめると、会話はたちまち専門用語や業界用語の連続になり、すぐに専門性の高いやり取りに発展する。部外者が聞き耳を立てていれば、会話が進むほど、話についていけなくなるに違いない。

## 深い相互理解で結びつく

私のポッセの一人がタミー・エリクソンだ。この本でも一度登場したので、名前を覚えている読者もいるかもしれない。タミーとは、知り合って一〇年以上になる。その間に、ハーバード・ビジネスレビュー誌に共著論文を二本寄稿し、人と人の協力関係に関する研究プロジェクトを共同でおこなった。一緒に本を書こうとしたことも何度かあったが、それはまだ実を結んでいない。

頻繁に直接会っているわけではない。タミーはアメリカのボストン郊外に住んでいて、私はほとんどロンドンで過ごしている。それでも、私たちは直接会って話す機会をつくるよう努めている。私は少なくとも毎年一回、ボストン郊外のタミーの農場を訪ねて一週間以上過ごしているし、タミーはロンドンに用事があれば私の家に泊まる。私たちが会うと、話題はすぐに二人の共通の関心事に移る。そのテーマとは、人と人が協力し合う文化を築くことの難しさだったり、本を書くときの構想の練り方だったりする。

私にとって、タミーはポッセのメンバーの一人だ。いま連絡すれば、きっと力になってくれると、私はわかっている。これまでも、協力関係に関する理論の構築に苦戦しているときに助けてくれたし、本を書く気力が減退したときに励ましてくれた。息子のことで難しい問題にぶつかっていたときも助言してくれた。タミーも私のことをポッセの一人と考えている。私に連絡すれば、いつでも私が力になるとわかっているはずだ。これまで、私はずっとそうしてきたのだから。

ポッセが機能するために強い信頼関係などの要素が不可欠なことは、いつの時代も変わらないが、昔と変わりはじめている面もある。たとえば、昔は考えられなかったことだが、タミーと私は別々の国に住んでいて、バーチャル空間で接する時間のほうが多い。世界レベルの高度な専門技能の必要性が高まるにつれて、同じ会社に勤めていたり、同じ国に住んでいたりしない人がポッセのメンバーになるケースは増える。この章の冒頭で紹介したイネスが築いたポッセのメンバーの多くは、別の国に住んでいた。私とタミーの関係と同じように、イネスと仲間たちは長い付き合いになるが、世界中に散らばって生活しているのだ。

ポッセの基盤をなすのは信頼関係だ。西部の保安官が治安を取り戻すためにポッセの面々を招集するとき、どういう人に声をかけるのか。親友だからとか、大好きな人だからという理由でメンバーを選ぶわけではない。ヘンリー・フォンダ演じる保安官が呼び寄せるのは、課題を処理する能力があると信頼できる人物だ。それがたまたま親友だったり大好きな人だったりする場合も多いだろうが、その点は主な選抜基準ではない。ポッセのメンバーとして認められるためには、ほかのメンバーと同等の能力をもっていると信頼される必要があるのだ。西部劇の比喩がいささか強引だと感じた読者もいるだろうが、趣旨は伝わったと思う。ポッセは、親しい友人のコレクションとは違う。信頼できて、一緒に課題に取り組みたいと思えるメンバーを集めることが重要だ。

ここまでの議論を整理すると、ポッセを機能させるために重要な条件は二つある。一つは、お互いに役に立てる可能性があるメンバーの集まりであること（そのためには、メンバーの専門分野がある程度重なり合っている必要がある）。もう一つは、お互いに信頼し合い、お互いを助けたいと思い、お互いのために時間を割くつもりがあるメンバーの集まりであることだ。

## 関心分野を共有する

映画の西部劇の世界では、ポッセの実力は強盗を追跡するための馬の走力で決まった。現在と未来の世界では、問題解決に活用できる知識の深さと頭の回転の速さがポッセの価値を決める。フランクは以前の仕事で一緒だった友人に電話をかけたとき、すぐに突っ込んだ議論を始められた。双方がそのテーマに深い知識をもっているので、細かい問題点を素早くあぶり出せたのだ。フランクとその友人の間では、暗黙知が円滑に交換される。ポッセの大きな価値は、このタイプの知識をスムーズに共有できることにある。ポッセの面々は、長い経験を通じてさまざまな暗黙知を蓄えている。それは、仕事の手間を省く方法だったり、問題の解決策を素早く見いだす発想法だったりする。この類いの深い知識は、言語化されて記録されることがほとんどなく、簡単には伝達できない。ウィキペディアは、ポッセの代わりになりえないのだ。

暗黙知を共有するためには、胸襟を開いて突っ込んだ話ができる関係が不可欠だ。私とタミーの間でそれが可能なのは、長年にわたりお互いに信頼し合っているからにほかならない。その信頼の土台にあるのは、私たちが固い絆で結ばれていて、共通の関心テーマについて二人とも深い知識をもっているという事実だ。

ポッセを築くことは、単なる人脈づくりとはまるで違う。普通の人脈をつくるのであれば、大勢の人と関わろうとすればいいが、そういうやり方は、ビッグアイデア・クラウドを築く際はともかく、ポッセを形成する役には立たない。ポッセの土台をなすのは、アイデアと知識を深く共有すること。そういう関係は、相手の言葉に耳を傾け、相手から学ぶ姿勢、そして、自分と考え方が近く、力になってくれそうな人を引きつける能力があってはじめて確立できる。

旧来の人脈づくりは、しばしばゲーム感覚でおこなわれる。自分のイメージをできるだけ好ましく見せようとする場合が多いが、それはおうおうにして印象操作にすぎない。胸襟を開いた会話と人間的な触れ合いをするのではなく、「つくられた自分」を表現することになる。このような不自然な関係は、深い信頼を生み出せず、ポッセの土台になりづらい。

## 信頼と互恵的関係をはぐくむ

ポッセの特徴の一つは、短時間で動員できることだ。フランクは友人に電話をかけるとき、いますぐアドバイスが欲しい。私はタミーに電話で相談をするとき、その場ですぐ意見を聞かせてもらえると思っている。それが可能なのは、お互いを深く理解し信頼しているからだ。私とタミーがそうであるように、ポッセのメンバー同士は、長い時間を費やしてお互いの経歴と関心テーマを知りつくしている。共通の関心テーマを学び合い、共通の課題を見いだすことを通じてはじめて、特定の課題に向けて力を合わせるために必要な高いレベルの相互理解と信頼が生まれるのだ。ポッセのメンバーとやり取りすれば、共通の明示的な経験と知識を活用するだけでなく、既存の暗黙知を共有することにより、新しい知識とアイデアを得られる。

仲間と共通点を見いだし、一緒に課題に取り組む経験を重ねることにより、相互の信頼と長期的な関係の基盤が形成される。相互の信頼を強化するうえできわめて有効な方法の一つは、お互いに自分のポッセのメンバーを引き合わせることだ。タミーと私の場合もそうだった。タミーが私にマサチューセッツ工科大学（MIT）のトーマス・マローン教授を紹介し、私がタミーにロンドン・ビジネススクールのゲーリー・ハメル客員教授を紹介した。第8章で紹介した「バーチャル・ギルド」という概念は、私がトーマスから学んだアイデアだ。一方、タミーとゲーリーはいくつかの共同研究をおこなっている。アイデアや人脈を気軽に提供し提供される互恵的な関係は、信頼を築く強力な土台となる。

ところで、もう一度、あなたのポッセの顔ぶれを思い浮かべてほしい。あなたは、その人たちとどういう経緯で親しくなったのか。あなたが相手を見いだしたのか、それとも相手のほうがあなたを見いだしたのか。おそらく、両方のケースがあるのではないか。私の場合、タミーを見いだしたのは私のほうだが（厳密に言えば、共通の友人が紹介してくれた）、ポッセの別のメンバーであるジュリア・ゴガ＝クックとの関係では、ジュリアのほうが私を見いだしてくれた。ある日、私が自分のオフィスにいると、ジュリアが訪ねてきて、私の著書『ホットスポット』がとても気に入ったと言ってくれた。それをきっかけに交流が始まり、いまは働き方の未来に関する研究に一緒に取り組んでいる。ポッセを築くうえでは、人を引きつけることも必要なのだ。

**人を引きつける**

旧来の人脈づくりは、「プッシュ（＝押す）」のプロセスに終始する。自分の役に立ちそうな人を見つけ出し、どうにかしてその人とお近づきになろうとする。こちらから強く働きかけるという意味で「プッシュ」という表現がふさわしい。しかしこの方法は、ポッセを築く場合にはうまくいかない。ポッセは、メンバーがお互いに引きつけられ合うことによって形成されるケースが多い。ポッセを築くためには、共通の知識と関心を通じて、自分のポッセのメンバーになりうる人を引きつけることが効果的なのだ。

では、自分の関心テーマを人々に知ってもらうには、どうすればいいのか。私の場合は、執筆する本がその手段になっている。著書を通じて、自分の専門分野や関心テーマを世界に知ってもらえる。本を書かないとしても、自分の関心テーマを公の場で表明することが大切だ。そうでないと、ほかの人たちは、あなたと関心が重なり合うかどうかがわからない。関心テーマについてブログを書いてもいいし、共通の関心テーマをもつ人たちのコミュニティに参加してもいい。機会があれば、講演をおこなうのも効果的だろう。

ひとことで言えば、ポッセのメンバーを引きつけるには、まず自分が積極的に「発信」しなくてはならない。その際、自分がなにを成し遂げたかだけでなく、どういう難題にぶつかっているかを語ることが重要だ。あなたがなにに関心があり、どういう課題を抱えているかを語ってはじめて、ほかの人たちは、どうすればあなたと共同行動を取れるかがわかる。

西部劇の保安官が呼び集めるポッセの顔ぶれはたいてい、保安官自身と似たような人たちで、あまり遠くない場所に暮らしている。現代のポッセのメンバーは、関心テーマこそ同じでも、そのテーマに取り組む視点が異なる場合も珍しくない。もっぱらバーチャル空間で交流するケースも増えている。そういう傾向は、今後ますます強まるだろう。その結果、昔に比べて、ポッセの構築はひときわ難しい作業になるが、裏を返せば、いっそう興味深く、活力に満ちたプロセスになる。ポッセを築くうえでは、ほかの人たちと協力し合うためのさまざまな技能が必要となる。しかも、いま多くの人がもっているよりはるかに高度な技能を磨かなくてはならない。求められる技能の一つは、バーチャルな世界でコミュニケーションを取る技能だ。

**バーチャル・ポッセ**

テクノロジーが進化し、オンライン上で人々が結びつく手立てが充実すれば、バーチャル空間で支援を得る機会が増えるだろう。事実、バーチャルなコミュニティを通じて人々が助け合い、教え合う仕組みがすでに登場している。言ってみれば、バーチャル・ポッセが生まれているのだ。

第8章で紹介した医師向けオンラインコミュニティの「サーモ」では、メンバーの医師がウェブサイトに相談内容を投稿すると、ほかの医師たちからアドバイスが寄せられる。このようなコミュニティは、第3章に登場した二〇二五年の脳外科医ローハンのような人たちにとって、大いに役立つだろう。法律専門家向けのオンラインコミュニティ「ロー・リンク」も同様の機能を備えている。こうしたコミュニティは、同業者同士が助け合うという昔ながらの理想から出発したものだが、業種に関係なく人々が助け合うオンラインコミュニティも登場している。たとえば「ホーシズマウス」というコミュニティでは、さまざまなテーマについて、経験者からアドバイスを受けたり、体験談を聞いたりできる。[5]

ポッセのバーチャル化が進めば、国境を越えてバーチャル空間で協力関係を築く技能がますます重要になる。私たちの「働き方の未来コンソーシアム」のメンバーのなかでも、携帯電話メーカーのノキアやメディア企業のトムソン・ロイターなど、テクノロジーに強い企業で働く人たちは、バーチャル空間で仕事をすることがすでに当たり前になっている。

以下、ロイターのデービッド・ダルペのアドバイスをもとに、国境を越えたバーチャル・ポッセを築くために注意すべき点をいくつか紹介しよう。

第一に、ポッセのメンバーが時差のある国に住んでいるケースが増えるので、相手の国がいま何時なのかをいつも考え、デービッドの言葉を借りれば「痛みの分担」をする必要がある。深夜に電話を受ける負担を相手にばかり課さないよう心がけるべきだ。

第二に、企業内SNSの「ヤマー」やその他のSNSのサービスを活用するのは悪くないが、インターネット電話のスカイプを用いたテレビ電話会議でもいいので、直接顔を見て話す機会も設けたほうがいい。電子メールを送っておけば必ず目を通してもらえると、当てにしてはいけない。過剰にコミュニケーションを取ろうとするくらいでいい。また、文化的衝突が発生したときは、問題の存在を率直に認めるべきだ。トラブルを覆い隠そうとしても、問題は解消しない。いずれまた頭をもたげてくる。

第三に、役に立つ技能の持ち主ばかりを引きつけようとせず、ほかの人たちと協力し学習したいという意欲のある人物も引きつけることを心がけるといい。

第四に、ポッセのメンバーは善意をもって参加していて、お互いに学び合い、助け合うつもりでいるが、協力的行動を引き出そうと思えば、それなりの工夫が必要だ。ポッセを機能させるための「基本的な行動原則」をもっておく必要があると、デービッドは言う。

初歩的なレベルで言えば、メンバーがどういうコミュニケーションの方法を好むか、どういうタイミングであれば協力してくれやすいかといった点を把握しておくことが有効だろう。もっと高度なレベルでは、自分の活動や思考の変化に応じて、ポッセに新しいメンバーを加えていく努力も必要かもしれない。

## ビッグアイデア・クラウドを築く

ここで質問。人々は新しい仕事を見つけるとき、よく知っている人から紹介される場合が多いのか？　それとも、あまり深い付き合いでない人から紹介される場合が多いのか？　もう一つ質問。あるコンピュータメーカーの今後半年間の売り上げを正確に予測できるのは、その会社の営業部長だろうか？　それとも、不特定多数の大勢の人たち（ほとんどはそのコンピュータメーカーの社員ではない）の「群衆の知恵」だろうか？

二つの問いに対する答えがいずれも後者だった人は、大規模で緩やかなネットワークの力を理解していると言える。テクノロジーの進化とグローバル化の進展にともない、この種のネットワークの重要性はいっそう高まる。

職探しに関しては、アメリカの社会学者マーク・グラノヴェッターの研究が有名だ。[6] 事前の予想では、友達や家族、親戚、仲のいい同僚など、とくに親しい人たち――「ストロングタイズ（強い絆）」と呼ばれる――を通じて転職先を見つけるケースが多いだろうと考えられていた。しかし実際に調べてみると、とりわけ親しい人より、友達の友達や、単なる知り合い――「ウィークタイズ（弱い絆）」と呼ばれる――から情報を得るケースが多いことがわかった。

「弱い絆の力」と題して発表されたグラノヴェッターの論文は、情報の伝播と人的ネットワークに関する常識を書き換えた。転職先を見つけるうえでは、自分ととりわけ親しい人が役に立つとは限らないし、地位や権限がある人が役に立つとも限らない。転職を成功させるために重要なのは、いろいろなタイプの人を知っていて、いろいろなタイプの情報を得ることだ。自分と同じ世界に生きている友人や同僚とばかり接していては、自分の知らない情報はほとんど入ってこない。

この研究が明らかにしたのは、大規模で緩やかな人的ネットワークをもっているほうが、多くの情報を入手できる可能性が高いということだ。しかも、人的ネットワークを構成する顔ぶれの多様性が大きいほど、幅広い情報が得られる。グラノヴェッターが論文を発表したのは一九七二年。近年は、ソーシャルメディアが登場してウィークタイズの力を活用しやすくなり、「ビッグアイデア・クラウド」の価値がますます高まっている。

この項の冒頭で掲げた第二の問いに話題を移そう。アメリカの複雑系研究者スコット・ペイジが売り上げ予測の精度を比較したところ、個人の予測より、不特定多数の人たちの予測のほうが概して正確だった。[7]個人がきわめて高度な知識の持ち主の場合も結果は同様で、集団のメンバーが多様なほど、予測の精度が高かった。こうした傾向は、予測の対象が複雑な現象の場合にことのほか顕著だった。

オンライン上で不特定多数のビッグアイデア・クラウドの力を活用して課題解決を目指す「クラウドソーシング」は、すでに多くの分野で実践されている。ネット検索で答えを見つけられない問題があれば、ヤフーが運営する「ヤフー知恵袋（ヤフー・アンサーズ）」で質問すると、そのテーマに詳しい人がたいてい回答を寄せてくれる。ソフトウェアより人間に適した単純作業の課題があれば、アマゾン・ドットコムのサービス「メカニカルターク」を利用して、オンライン上で作業の担い手を募ることもできる。

ほかには、たとえば大勢のボランティアに電子テキストの校正をゆだねる「ディストリビューテッド・プルーフリーダーズ」、一般のネットユーザーにパズルを解かせて、その結果をタンパク質構造の予測に役立てる「フォールディット」、オンラインを通じてコピーライト、グラフィック・デザイン、ウェブデザイン、動画制作などの専門家の力を借りる「ジーニアス・ロケット」、広告関連のクリエイティブなアイデアを公募する「アイデア・バウンティ」などのクラウドソーシング・サービスがある[8]。

二〇〇九年には、イギリスの新聞デイリー・テレグラフが下院議員の経費不正請求スキャンダルを暴露した際に、不特定多数の集団のパワーを活用した。七〇万件の経費請求書類をオンライン上に公開し、一般のネットユーザーに書類をチェックさせたのである。作業に参加した市民は二万人以上に上った。ビッグアイデア・クラウドの活躍の結果、大勢の下院議員が不適切な経費請求を指摘され、引退に追い込まれた。

ビッグアイデア・クラウドは、どうすれば築けるのか。ビッグアイデア・クラウドはあくまでも自然発生的に生まれるもので、誰かが指揮命令して結成させられるものではないが、人的ネットワークの形成を加速させたり、人的ネットワークの形態や方向性にある程度影響を及ぼしたりすることは。

意識すべき点は三つある。第一は、普段あまり行かない道を歩くこと。いつもと違う世界に足を踏み出し、知人の範囲を広げ、自分と違うタイプの人たちを人的ネットワークに取り込むのである。

第二は、人との付き合いの面でカメレオン人間になること。自分ときわめて異なるタイプの人たちのグループに加わるときは、そのグループの流儀に合わせて自分のスタイルをある程度変更するつもりでいるべきだ。第三は、「プッシュ（＝押す）」ばかりでなく、「プル（＝引き寄せる）」を心がけること。多くの人の名前を覚え、多くの人と接するだけでなく、多様な人たちに自分に興味をもってもらい、向こうからアプローチしてもらう必要があるのだ。

## 普段あまり行かない道を歩く

大規模で多様なネットワークを築こうと思えば、日常の世界の外で活動するために時間とエネルギーを割くことが欠かせない。たとえば、自分が普段はやらないような活動をするクラブに参加したり、専門外の分野のセミナーを受講したり、ほかの部署やよその会社の会議に飛び入りで参加したりしてもいいだろう。

いずれにせよ、新しい場所に出かけ、新しい人と知り合うことが大切だ。たまには、いつもと違う「コミュニティ・オブ・プラクティス（学び合いの共同体）」に身を置くといい。普段と違う道を通って出勤したり、オフィスの中を移動するときに通るルートを変えたりするだけでも効果がある。ある研究によると、たまたまどこかを通りかかったとか、たまたま誰かとばったり会ったといった偶然の要因により、新しい人脈が生まれる場合もある。[9]

## カメレオン人間になる

あなたが加わっていたり、知っていたりするさまざまなグループを思い浮かべてほしい。それぞれのグループのメンバーはたいてい、どういう服装をしているか？　メンバーはどの程度、時間に厳密か？　メンバーが最も頻繁に使うのは、どういうタイプの言葉か？

答えは、グループによってまちまちだろう。メンバーの服装が保守的で、時間に厳密で、分析的な用語やデータを用いて話す傾向が強いグループもあるだろう。メンバーが自分たちのことをクリエイティブな人間だと考えていて、くだけた服装や突飛なファッションをし、時間におおらかで、感覚的な表現をよく用いるグループもあるだろう。あるいは、メンバーがオタク的で、冴えない服装をし、直接面と向かって会話するより電子的なコミュニケーション手段を好み、アルファベットの略語や技術用語だらけの専門的な会話をするグループもあるだろう。

こうしたスタイルの違いは、表面だけの違いではない。それぞれのグループに深く根を張っている暗黙のルールがその根底にある。このような暗黙のルールは、メンバーが共通の自己イメージを形成し、どういう人間を集団から排除すべきかというシグナルを発するうえで、きわめて大きな役割を果たす。

ビッグアイデア・クラウドを築くうえで難しいのは、こうした多様なグループのメンバーをどうやって取り込むかだ。あらゆるグループのすべてのメンバーと知り合いである必要はないが、それぞれのグループへの足がかりを得るために、一人か二人のメンバーと接点をもつ必要がある。そこで、グループから異物を排除するべく築かれた壁の内側に入り込まなくてはならない。

先の三つのタイプのグループで言えば、第一の保守的なグループは、芸術家肌の人や現実認識が甘く見える人を受け入れることに抵抗がある。第二のクリエイティブ系のグループは、クリエイティブなアイデアの持ち主だとはっきりわかっている人だけを仲間として認め、堅苦しそうな人を好まない。第三のオタク系のグループは、感情をあらわにする人が苦手で、権威に対して不信感が強い。この類型化はいささか単純すぎるかもしれないが、ビッグアイデア・クラウドを築くのがどうして難しいかは理解してもらえただろう。さまざまなグループの暗黙のルールにはばまれて、そのグループの内側に入り込めないケースがしばしばあるのだ。

では、どうすれば、異なる暗黙のルールをもった複数のグループにまたがる人的ネットワークを築けるのか。イギリスの経営学者マーティン・キルダフによれば、異なるグループの間のギャップを乗り越えるのが最も得意なのは、カメレオンのような人間だという。[10] そういうカメレオン人間は、それぞれのグループで求められる資質に合わせて、自分の振る舞い方を修正するのがひときわ得意なのだろう。カメレオンは周囲の環境に合わせて体の色を変えると言われるが、カメレオン人間は、しゃべり方や言葉遣い、人前で表現する価値観、身につける服装などを変える。この種の人たちは、核となる信念がないわけではないし、自分のあらゆる側面を変えるわけでもない。どういう部分を環境に適応させ、どういう部分を核として保ち続けるかの見極めが上手なのかもしれない。

キルダフによれば、優れたカメレオン人間になるためには、心理学で言う「セルフモニタリング（自己観察）」の能力が欠かせない。ほかの人の言動に鋭く目を配り、そのグループの暗黙のルールを敏感に察知して、それに照らして自分の振る舞いが適切かどうかを観察する能力が必要なのだ。セルフモニタリングが苦手な人は、グループの暗黙のルールをなかなか読み取れず、カメレオン人間になりづらい。

どの程度のセルフモニタリング能力をもっているかは人それぞれだろうが、はっきり言えることが一つある。自分と違うタイプの人たちが集まるグループに人的ネットワークを広げたいのであれば、そのグループを丁寧に観察し、グループの暗黙のルールを見いだし、その一部をまねしてみるべきだ。そうやってグループに適応しなければ、あなたはいつまでもよそ者扱いされたままで、ビッグアイデア・クラウドの重要な構成要素になるかもしれないグループから締め出され続ける。

## 「プル」の戦略も実践する

意識的に普段と違う場に身を置いたり、自分と違うタイプのグループに適応して仲間に加えてもらったりすることは、ビッグアイデア・クラウドを築くうえで重要な戦略だ。しかし、そうした「プッシュ」の戦略に加えて、「プル」の戦略も実践できたほうがいい。自分の魅力を高めて、ほかの人たちがあなたのグループに自分を適応させたり、あなたと偶然出くわすことを期待したりするよう促すことも目指すべきだ。この点は、ポッセのメンバーを集めるうえでカギを握る要素だが、ビッグアイデア・クラウドを形成する際にも重要な要素となる。

社交的なイメージがあって気軽に近づきやすく、互恵的に振る舞う人というイメージがあるので喜んで友達を紹介したくなる人は、ほかの人を引きつけやすい。しかし、おそらくそれ以上に重要なのは、おもしろくて知的興奮を与えてくれる人と思われること、そして、自分にアプローチする方法をほかの人たちにわかりやすく示すことだろう。そのために、ツイッターを活用してもいいし、コメント欄つきのブログを開設してもいいし、動画投稿サイトにメッセージを公開してもいい。今後は、オンライン上で人々が活発に情報を発信するのが当たり前の時代になる。そういう時代には、単に普段と違う世界に足を踏み出すだけでは十分でない。自分がどういう知的資産と専門性の持ち主かを広く知らしめることにより、人々を引きつけることが不可欠になる。

## 自己再生のコミュニティを築く

未来の世界では、いつも慌ただしく時間に追われ、孤独を感じることが多くなる。メガシティ（巨大都市）のアパートで独ぼっちで過ごし、バーチャル空間を通じて国境を越えて仕事をし、家族と遠く離れて暮らす人が増え、働き方の未来はきわめて暗い色彩を帯びる可能性がある。アメリカの政治学者ロバート・レーンは、こういう未来像を「栄養不良」モデルと呼ぶ。「ある種の飢饉が起きているのではないか——人間同士の温かい触れ合い、すぐに声をかけられる隣人との関係、特定のグループへの帰属感、そして家族との絆の飢饉が[11]」。

昔は、支えと安らぎの源となる「自己再生のコミュニティ」のことをわざわざ考える必要などなかった。放っておいても、家族と地域社会がその役割を果たしていた。しかし、未来の世界ではそれを当てにできなくなる。そういうコミュニティを意識的に見つけ出したり、つくり出したりしなくてはならなくなるのだ。ポッセとビッグアイデア・クラウドはバーチャル空間でも機能するが、自己再生のコミュニティは、バーチャル空間では成り立たない。現実世界の人間関係である必要があるのだ。そこで、自己再生のコミュニティを築くうえでは、場所が重要な意味をもつ。

### 住む土地を選ぶ

今後、住む場所の選択肢が広がるということは、裏を返せば、どこに住むかをこれまでより慎重に選択する必要が出てくることを意味する。未来の世界では、仕事の世界のバーチャル化が進むのにともない、現実世界での物理的な接触や関わりの重要性が増すが、すべての土地がそういう人間的接触に適しているわけではない。

昔は、どこで働くかは、どこに住むかに大きく影響されていたし、どこに住むかは、どこで働くかに大きく影響されていた。第4章に登場したブリアナの父親は、デトロイトの自動車工場の組み立てラインで働いていたので、工場への通勤可能圏内に住む以外の選択肢は事実上なかった。

しかし、状況は変わりつつある。知識労働のバーチャル化と、知識労働系とケア関連の職業のグローバル化が進むことも一因となって、どこに住むかを一人ひとりが主体的に選択するケースが増える。住む場所の選択には、温室効果ガス排出に対する懸念も影を落とすだろう。長距離通勤に罪悪感を覚えたり、炭素税の導入により上昇するガソリン代の負担を減らしたいと考えたりする人が多くなる。こうして、職場の近くで、そして支えと安らぎを得やすいコミュニティ——つまり、自己再生のコミュニティで暮らしたいと考える人が増えるだろう。

自己再生のコミュニティは、人々が出会いやすく、会話を交わしやすく、孤独な自動車移動より徒歩移動が主流で、友人同士が近くに暮らしていたり、住居をシェアして共同生活していたりする土地に形づくられると、私には思える。さまざまな雑誌や新聞が毎年、世界の暮らしやすい都市のランキングを発表している。一方、リチャード・フロリダのように、どういう土地で質の高い生活を送りやすいのかを調べている研究者もいる。[12] フロリダの研究で明らかになったのは、ほかの土地に比べて、住む人が幸福になれて活力を得やすい土地があるということだ。そういう土地とそうでない土地の違いは、どこにあるのか。フロリダは、たとえば以下のような条件に着目した。

第一は、知的興奮を味わえ、創造性が刺激されること。公園や公共のスペース、文化行事などは、創造的なエネルギーを生み生し、人々に幸福感と活力を与える。美しいものが果たす役割も大きい。経済学の世界には、「ビューティー・プレミアム（美しさがもたらす恩恵）」という言葉もあるくらいだ。とくに、土地の物理的な美しさがもたらす好影響は見逃せない。美しい土地には、創造的能力が高く、新しい経験をすることに前向きな人たちが集まってくる。

第二は、自分らしく生き、自分を自由に表現し、自分の個性をはぐくめること。自分の出身地を遠く離れ、故郷のコミュニティの社会規範や習慣の外で生きる人が増えるにつれて、「自分らしさ」を感じられることがますます重要になる。そうした自己表現は、人と人との違いに寛容で、自由な雰囲気の土地ほど実現しやすい。

第三は、ほかの人と知り合い、友達になりやすいこと。たとえば、自動車で移動するより徒歩で移動することが多い土地や、オープンエアのカフェがたくさんある土地では、人と人の出会いが後押しされる。

第四は、地元に誇りをいだきやすいこと。たとえば、地元のスポーツチームが活躍していたり、偉大なことを成し遂げた住民がいたり、景色が美しかったりすれば、私たちは自分の住んでいる土地を誇らしく思える。

では、このような条件を満たすコミュニティはどこにあるのか。アメリカを対象にしたリチャード・フロリダの研究によると、どういう土地が自己再生のコミュニティとして機能するかは、人生の段階によって変わってくる面もある。フロリダいわく、「若くて落ち着きのない」人に最適なコミュニティは、大都市ではサンフランシスコなど、小さな都市ではコロラド州ボールダー、カリフォルニア州サンタバーバラ、ミシガン州アナーバーなどだ。結婚して子どもを育てているカップルにとっては、ボストン、サンディエゴ、ニューヨークなど、家族にやさしい土地が自己再生のコミュニティになりやすい。

アメリカ以外に目を転じると、イギリスの雑誌「モノクル」が毎年発表している「住みやすい都市ランキング」には、コペンハーゲン、ミュンヘン、チューリヒ、ヘルシンキ、ウィーン、ストックホルムなど、ヨーロッパの主要都市が多く含まれている。カナダではモントリオールとバンクーバー、オーストラリアではメルボルンとシドニーの評価が高い。アジアでは、日本の福岡と京都がランクインしている。リストに加わる都市は、今後さらに増えるだろう。

このような土地で暮らす人たちは、具体的にどういうライフスタイルを実践するのか。未来の世界では、旧来の標準的な家族のあり方が急速に崩れ、これまでより多様な生き方が受け入れられるようになる。そういう時代には、どのように自己再生のコミュニティを築くかも個人の選択によって決まる。家族以外の人と共同生活を送ることを選ぶ人もいれば、昔のような大家族で暮らすことを選ぶ人もいるだろうし、友達と密接に結びついて生きることを選ぶ人もいるだろう。しかし、すべての場合に共通するのは、親密で前向きな友人関係が重要な役割を担うことだ。

## 仕事を選ぶ

テクノロジーが進化してバーチャル空間が拡大し、大企業や政府に対する信頼が弱まり、人と人との距離が遠くなる未来には、友達との関係を意識的に築かなくてはならない。本来、人間はきわめて社交的な動物であり、協力し共感する性質を備えている。いつも支え合い、愛し合える人たちに囲まれて生きたいと考える。

そういう強い絆にふさわしい場は、なんと言っても家庭だ。これまで私たちは、過去と未来を共有する人たちである家族に支えられるのが最も自然だった。しかし、本書で繰り返し述べてきたように、家族のあり方が変化し、家族が遠く離れて暮らすケースが増えはじめている。家族が支え合わなくなると言うつもりはない。ソーシャルメディアやテレビ会議システム、テレプレゼンス技術を活用すれば、直接対面するのと変わらないくらい密度の濃い関係を築けるかもしれない。それでも、家族のメンバーが仕事のある場所など、別々の土地に離れて暮らすようになり、家族の関係がバーチャルなものに変わっていくことは避けられない。

では、自分のことを理解し、自分を支えてくれると頼りにできる人たちとの親密な人間関係は、どこに見いだせばいいのか。配偶者などのパートナーとの関係がその役割を担う可能性はあるだろうが、それだけでは十分でない。いつも時間に追われ、大量の情報にさらされ、人と人との物理的距離が遠くなる時代には、ポッセとは別に、強固な友人関係を築くことがますます重要になる。そのような濃厚な人間関係を直接生み出すことは、必ずしも仕事の世界の役割ではないが、そういう関係を築くために必要な時間の余裕をつくり出すのは、仕事の世界の役割だ。活力の源となる友人関係を築き、維持するには、時間的余裕が欠かせない。時間に追われ、他人の要求に対応することに忙殺されると、深い友情のためにつぎ込むエネルギーと意欲がすり減ってしまう。

昔は仕事とプライベートを明確に区別することが妥当だったかもしれないが、最近は両者の境界線がぼやけはじめている。私の研究によれば、仕事と私生活が相互に影響を及ぼし合う結果、友人やパートナーとの幸せな関係が仕事の活力源になる場合がある半面、私生活で孤独を味わい、不安にさいなまれていると、仕事に悪影響が及ぶおそれがある。強固で充実した友人関係を築ければ、私生活で喜びを味わえるだけでなく、仕事の世界でも活力が増し、打たれ強くなる。問題は、ますます慌ただしく、人と人との距離が遠くなる世界で、どうすれば、そのような人間関係を築けるのかという点だ。

ときには、未来を理解するうえで過去が参考になる。そこで、古代ローマの賢人の言葉に目を向けたい。よい人生の中核をなすのは友人との関係だと、古代ローマの哲学者で政治家でもあったキケロは述べている。[13] キケロの主張の注目すべき点は、友情を一種の長期投資と位置づけていることだ。と言っても、ギブ・アンド・テイクの関係というような意味ではなく、もっと協力的・共同体的な関係と考えている。

未来の世界で自己再生のコミュニティの土台をなす要素の多くを、キケロがすでに指摘しているように、私には思える。友人関係は自然に生まれるものではなく、エネルギーと時間を意識的につぎ込まなければ成り立たないこと。活力源となる友人関係の核をなすのが関心と価値観の共有であること。キケロは、こうした点を二〇〇〇年以上前に指摘していた。自分と似た人としか友達になれないというのではない。友情が花開くためには、関心と経験を共有している必要があると、キケロは言いたいのだ。友情は、関心と経験の共有という土台の上に生まれて、相互の善意と愛情、対話の深まりを通じて強化されていく、というのである。

キケロはこう述べている。「世界で最も強い満足感をもたらす経験とは、地球上のあらゆる題材について、自分自身に向かって語るのと同じくらい自由に話せる相手をもつことである」。そういう人間関係は、まさに再生をもたらす関係と言える。それは、一つの目的に限定されたメリットをもたらす関係ではなく、人生のあらゆる面で好ましい作用を生み出す関係であり、「未来に向けて希望の明るい光を投げかける」ものだからだ。

友人同士の善意は、打算と関係なしに、愛によって生み出される。友情を意味するラテン語「アミーキティア（= amicitia）」の語源は、愛を意味する「アモル（= amor）」という言葉だ。そういう深い愛は、共通の関心と親切な行為を通じてはぐくまれる。ただし、友人同士の愛情に満ちた深い関係が金銭欲や野心によって壊れてしまうケースがしばしばあることも、キケロは指摘していた。

誰でもローマを訪れて、古代の遺跡を見れば、キケロの時代のローマ人がどのように会話を交わし、関心を共有し合い、友達をつくっていたのかを見て取れるだろう。この町には、いたるところに広い歩道があり、神殿や広場など、人々が休憩し、会話を楽しめる場所がふんだんにあった。キケロのような裕福な市民の邸宅には、客を招待できる庭もあった。古代ローマは、お祭りと会話と友達づくりに適した町だったのだ。この点は、今日の大半の都市との大きな違いだ。未来の世界では、古代ローマのように人間同士が触れ合いやすい環境で暮らすことがいっそう重要になる。

ますます人と人の接点が少なくなり、人々が時間に追われるようになる未来に、どうすればこのような再生をもたらす人間関係を築けるのか。カギを握るのは、どういう働き方を選ぶかだ。働き方次第で、友情がはぐくまれやすくもなれば、壊れやすくもなる。それでは、深い友情をはぐくみやすい仕事とは、どういう仕事なのか。一つは、キケロの時代の古代ローマのように、自然に友達ができやすい土地で生活できる仕事。もう一つは、時間をことごとく奪われるのではなく、ほかの人と会話をする時間とゆとりがある仕事。そしてもう一つは、金と権力を価値観の中心に据えず、バランスの取れたモチベーションと未来への希望をいだける仕事だ。

最後にもう一つ、キケロの文章を引用しよう。以下は、友人のスキピオの言葉を紹介した一節だ。

〔友情という〕テーマに関して、スキピオには多くの持論がある。たとえば、この世界で友情ほど軽んじられているものはないと、よく不満を述べていた。自分が何匹のヤギやヒツジをもっているかは誰でも知っているのに、友達が何人いるかは誰もわかっていない。家畜を手に入れるためには多大な関心が払われるが、友達を選ぶ際にはまったく関心が払われていない。

スキピオが述べていることは、古代ローマ以上に、未来の世界に当てはまる。これまで以上に、時間をかけ、気を配らないと、友達との関係がもたらす喜びを得られなくなる。そこで、友達と深い絆を築くための時間とゆとりを得られ、しかも物質的な豊かさを偏重しない、バランスの取れた職業人生を選択することがひときわ重要になる。

これからやって来るのは、矛盾に満ちた時代だ。テクノロジーの進化とグローバル化の進展により人と人の結びつきが強まる半面、私たちはいま以上に時間に追われ、孤独を味わうようになる。そういう時代に意義を見いだせる職業生活を送るためには、この矛盾を回避する方法を見つけなくてはならない。

昔は人間関係や人的ネットワークが自然に形成されるのに任せておけば十分だったが、今後は、それでは十分でなくなる。未来の世界の多くの側面がそうであるように、意識的・主体的な選択と行動が不可欠になる。関心分野を共有する少人数のブレーン集団である「ポッセ」、多様なアイデアの源となる「ビッグアイデア・クラウド」、そして、安らぎと活力を与えてくれる現実世界の友人などで構成される「自己再生のコミュニティ」を築くために、意識的に努力しなくてはならない。

強固な人間関係をはぐくむことができれば、大きなエネルギーを得られる。その際に注意すべきなのは、スキピオが警告したように、物質的な豊かさを重んじるあまり、成長と意義と友情をないがしろにしないことだ。この点が次の〈第三のシフト〉のテーマである。

第10章

# 第三のシフト

## 大量消費から「情熱を傾けられる経験」へ

### バランスのとれた働き方を選ぶ勇気

〈第三のシフト〉は、未来に向けて求められる三つの〈シフト〉のなかで最も難しい。やりがいと情熱を感じられ、前向きで充実した経験を味わえる職業生活への転換を成し遂げ、所得と消費を中核に据える職業人生から脱却しなくてはならない。具体的には、自分の前にある選択肢の一つひとつを深く理解し、それぞれの道を選んだ場合に待っている結果を知的に分析したうえで、行動に踏み切る勇気をもつ必要がある。簡単なことではないが、それを実践しない限り、自分が望む働き方、自分にふさわしい働き方の未来は切り開けない。

いま、この〈シフト〉が重要なのは、仕事の機械化が進んできた歴史に大きな転換点が訪れようとしているからだ。伝統的なキャリアと仕事の形態が崩れ、それに代わり、もっと大きな自由と機会を手にできる可能性を生み出せる新しい働き方が広がりはじめている。未来の世界では、自分が情熱を燃やせる仕事に携わり、学ぶべき面のある同僚たちと一緒に働いて自分を成長させる道が開ける。仕事に費やす時間と、家族や友人、自分自身のために費やす時間のバランスを取りやすくなる。伝統的なキャリアが崩れるにつれて、仕事に関して個人の選択の余地が大きく広がっていくのだ。しかし、漫然と過ごしていては、新たなチャンスを生かせない。選択肢が広がることの恩恵に浴するためには、自分がどういう人間でありたいのか、そして恩恵と引き換えになにを諦める覚悟があるのかについて、厳しい選択をしなくてはならない。

未来の世界でどのような働き方をするかは、一人ひとりの関心と決意、心身のエネルギーによって決まる面がある。楽しくて、やりがいのある仕事に就きたければ、〈第一のシフト〉に関して述べたとおり、高度な専門技能を身につけるために時間とエネルギーをつぎ込む覚悟が不可欠だ。しかも、職業人生が続く間ずっと、技能を磨き続けなくてはならない。また、〈第二のシフト〉を実践してポッセとビッグアイデア・クラウドと自己再生のコミュニティを築くためには、エネルギーと心の平静、活力と情熱が必要だ。しかし、第2部で見た「漫然と迎える未来」を思い出せば明らかなように、仕事とそれ以外の要素のバランスを取り、新たに重要になる活動に時間を割かない限り、これらの〈シフト〉は実現できない。

この点で、私たちが望む働き方の未来を、さらには本来あるべき働き方の未来を実現するうえで重要な土台となるのが〈第三のシフト〉だと、私は考えている。この〈シフト〉で目指すのは、すべての時間とエネルギーを仕事に吸い取られる人生ではなく、もっとやりがいを味わえて、バランスの取れた働き方に転換することだ。

この第三の〈シフト〉は、私たちを悩ませてきた非常に大きな問題に関わるものでもある。仕事と私生活のバランスを取る必要性が叫ばれはじめて、すでに数十年になる。バランスを欠いた生活が生むストレスの大きさは、よく知られているとおりだ。幼い子どものいる母親と父親にとって、負担はことのほか大きい。この問題は長年解決しておらず、多くの論者は解決不能と考えてきた。しかし、解決は可能だと、私は思っている。未来を形づくる五つの要因が問題の解決を後押しするように、私には思える。

この問題がいかに深刻な悩みになりうるかは、「働き方の未来コンソーシアム」の参加者の一人――「トム」と呼ぶことにしよう――の言葉からも明らかだ。トムは、そのジレンマを次のように述べている。

キャリアの追求をゆったりしたペースに落としてまで完璧なワークライフバランスを実践し、生活の質を高めることは、現実問題として可能なのでしょうか？ メディアは「史上最年少の億万長者」をもてはやし、私たちはいつも激しい競争に駆り立てられています。この状況を変えるのは簡単ではありません。現場管理職より上に昇進することなく、ストックオプション（自社株購入権）で巨万の富を築くこともなく、よき父親として、あるいは自分の成長を重んじる人物として職業人生を終えた人物がメディアで称賛を浴びることなど、あるのでしょうか？

同じような疑問は、あなたも感じているのではないか。それは、あなたがベビーブーム世代でもX世代でも、これから仕事の世界に出て行こうとしているY世代でも同じだろう。
「働き方の未来コンソーシアム」では、働く理由と働く形態に関して思い切った選択をした人たちの話も聞いた。次に紹介するのは、非営利団体セーブ・ザ・チルドレンで管理職を務める女性の言葉だ。

〈ほんの少しだけ〉自分の都合のいいように解釈している面もあるのでしょうが、有意義な経験をすることを重んじて生きるという発想は、非営利団体で働くことを選んだ人には共感してもらえると思います。私たちは非営利団体に移るとき、営利企業で同等の役職を務める場合より給料が下がることを覚悟していました。経験の「質」を手にするために、消費の「量」を手放す決断をしたのです。この点は、私たちが受け取る報酬のあり方にも関係してきます。業績をあげた人物に高給で報いることができない組織は、代わりにどのような「報酬」を提供できるのでしょうか？　私の場合、リーダーシップを振るい、責任を与えられ、意思決定をくだす経験がとても大きな報酬になっています。そのおかげで、仕事を通じて幸せを感じられています。このような機会が得られるとわかっていれば、物質的な要素はもっと早く捨てていたのに。

〈第三のシフト〉で求められるのは、それぞれの選択肢を明確に理解したうえで選択をおこない、選択の結果と代償を受け入れることだ。セーブ・ザ・チルドレンの管理職女性の言葉には、この人物がどういう選択をし、それと引き換えになにを諦めたかがはっきり見て取れる。「働き方の未来コンソーシアム」の参加者が直面したジレンマと選択は、世界中の何百万人もの人々に共通するもののはずだ。そのジレンマ自体は最近生まれたものではないが、働き方の未来を形づくる五つの要因が影響力を強める結果、そのジレンマに向き合うことがこれまで以上に重要になりつつある。

以前、ある大手コンサルティング会社のシニアパートナー会議に出席したとき、私はこのジレンマに苦しむ人たちの姿を目の当たりにした。コンサルティング会社の人事部門は、シニアパートナーたちの過剰労働を心配していた。仕事中毒の瀬戸際にいるかのような人たちもいて、ストレスと関係のある病気に悩まされている人も多かったのだ。そこで、この会社の人事部門は映像制作会社に依頼し、数カ月かけてシニアパートナーの子どもたちのインタビュービデオをつくらせた。撮影チームはまだ幼い子どもたちに、自分のパパについて（対象者の多くは男性だった）話してもらった。

その日、会議室を埋めた一〇〇人を超すシニアパートナーたちの前で、子どもたちのインタビュービデオが上映された。五分もない短い映像だった。もしかすると、もっと短かったかもしれない。それでも、その短い時間に、出席者の感情が強く揺さぶられていることが手に取るようにわかった。

子どもたちは、父親が家を空けることが多く、家庭で「透明人間」と化している実情を語った。父親を気遣ってはいるが、痛々しい言葉が続いた。この五分間に、一〇〇人のシニアパートナーたちは、自分がおこなった選択の代償を見せつけられたのだ。週末返上で働くという選択、夜遅くまで残業するという選択、日曜の夜に仕事で家を空けるという選択がどういう代償をもたらしたかを。胸が痛まなかった人はいなかっただろうと思う。私自身、一五年後のいまも、このとき胸の内にわき上がった感情を忘れられない。
もちろん、難しい選択をしいられ、自分の選択がもたらした想定外の代償を払わされているのは、働く父親たちだけではない。数年前、私は研究チームの面々と、ヨーロッパの企業幹部を対象に仕事と私生活について調査をおこなった。その調査によると、男性幹部のほぼ一〇〇％が子どもをもっていたのに対し、子どもがいる女性幹部は六〇％に満たなかった。子どもがいる女性幹部にしても、半分以上は一人しか子どもがいなかった。女性幹部たち（大半は四〇歳代半ば以上だった）に実際に話を聞くと、自分が子どもを持たずに生きることになるとは思っていなかったと語った人が少なくなく、そのことへの寂しさを口にする人もいた。[1]
話を聞くうちにわかったのは、子どもを持たない人生を意識的に選択した女性がごく少数にすぎないということだ。現在の生き方を選択した時点では、自分がどういう選択をしようとしているのかを正しく理解していないケースが多かったのだ。その選択をすることにより、どういう結果が待っていて、なにを諦めなくてはならないのかを正確に計算できていなかったのだ。
私たちは人生における仕事の位置づけを選択するとき、こういう落とし穴に陥りやすい。選択の結果が現実になるまでに時間がかかったり、結果が予期しないものだったりするケースが多いからだ。多くの女性幹部にとって、子どもを持てないという結果は、実際に突きつけられるまでに時間がかかり、しかもたいてい予期しないものだった。キャリアに関する選択の代償として、想定外に妊娠しづらくなったり、思いのほかパートナーを見つけづらくなったり、予想以上に仕事の負担が重くて子づくりを断念したりする結果になった人が多いのである。

## 仕事の世界の「古い約束事」とは?

どうして、これまで私たちは自分の働き方を自分で選ぶことが難しかったのか。どうして、いま働き方を〈シフト〉する必要があるのか。〈第三のシフト〉で要求されるのは、仕事に関する古い約束事を脱却し、未来に押しつぶされないものに転換することだ。多くの人にとって、仕事に関する古い約束事とは、次のようなものだったはずだ。

私が働くのは、給料を受け取るため。その給料を使って、私はものを消費する。そうすることで、私は幸せを感じる。

古い約束事の中核をなすのは、所得を増やし、消費を増やすことを追求する発想だ。先進国ではこの二〇年ほど、多くの人が支出と消費の量を拡大させ続けてきた。私の祖母たちが二〇一〇年の世界に放り込まれたとして、おそらく最も驚くのは、(高度なテクノロジーに目を見張り、私たち四人きょうだいのうちで一人以外はみな離婚を経験していることに仰天するのを別にすれば)身のまわりにものがあふれていることだろう。私の家庭では、家族の一人ひとりが自分専用のコンピュータを持っていて、そのほかに「家用」のコンピュータがもう一台ある。二人の息子はそれぞれ自室にテレビを持っているし、食器洗い機に洗濯機、ドライヤーなど、数え切れないほどの家電製品がある。

この半世紀、先進国でメディアに大きく取り上げられてきたテーマの一つが消費だった。自動車、住宅、食品、家電やコンピュータ製品など、消費が拡大し続けてきたのが、二〇世紀後半以降の歴史だったのである。私たちの消費のパターンは常に、生活様式とテクノロジーの変化の影響を受けてきた。一八七四年、アメリカの平均的な家庭は所得の五六％を食費に使っていたが、一九〇一年にはその割合が四七％まで下落し、食品以外の消費に金を使う余地が大きく広がった。[2] アメリカの多くの家庭は、そういう家計のゆとりを利用して自動車を購入した。アメリカ国内で走っている自動車の数は、一九三〇年代には二〇〇〇万台前後だったが、一九六〇年には六〇〇〇万台、一九七〇年代前半には一億台を突破した。[3] 一九九〇年代以降は、中国で都市化の進行と自動車の普及が急速に進んでいる。中国の自動車の台数は、二〇〇九年の時点で二六〇〇万台に達した。[4]

アメリカでは、所得に占める食費支出の割合が低下するにともない、住宅購入も盛んになった。とくに、大都市の周辺に形成されはじめた郊外住宅地に、低金利の住宅ローンを組んで家を買う人が増えた。やがて、変動金利ローンや、サブプライムローン（信用度の低い個人向けの住宅ローン）の証券化など、さまざまな金融イノベーションが実現して、マイホームの購入がさらに容易になった。

## 「古い約束事」が崩れはじめた

働いて給料を受け取り、そのお金で消費して幸せを感じる——この古い約束事は、もはや機能しなくなっている。これまで本当に機能していたとすれば、の話だが。働き方の未来を形づくる五つの要因の影響により、仕事に関する古い約束事の土台が揺らぎ、未来に押しつぶされない新しい約束事に転換することがいっそう不可欠になりはじめている。以下で、詳しく説明していこう。

まず、人口構成の変化の要因。Y世代の多くは子どもの頃、両親の人生を通じて、古い約束事に基づく働き方がどういう結果を生み出すかを強烈に思い知らされた。前出のコンサルティング会社のシニアパートナーの子どもたちのように、両親がそういう働き方を選択したことの代償を払わされる立場だったからだ。Y世代は、残業で毎晩帰りが遅くなったり、家でひっきりなしに携帯電話の着信をチェックしたり、週末に出張したりするのがどういう経験かを痛いほどよく知っている。

もちろん、Y世代のすべてが親世代と違う働き方を選ぶとは限らない。親世代と同様の働き方を望む人たちもある程度いるだろう。昔と違うのは、そういう人たちも、その選択がどういう結果をもたらすかを十分に理解していることだ。したがって、長時間労働をする人たちは、それにふさわしい給料と評価をいますぐ求めるようになる。

古い約束事を揺さぶっている要因はほかにもある。先進国の経済に倹約の時代が訪れ、さらには、好不況のサイクルが今後も続く可能性が高いという認識が広がるにつれて、金儲けと消費だけが仕事の目的であってはならないという考え方が生まれつつある。加えて、温室効果ガス排出削減の必要性が強調されて、大量消費への逆風も強まっている。

テクノロジーの進化も、古い約束事の土台を切り崩しはじめている。古い約束事のもとでは、働き手が仕事に関する選択をするまでもなく、すべてがあらかじめ決められていた。働き手は、自分で自分のことを決められない子どものような存在とみなされていたのだ。万人が同じ形態で働くことを望むものと想定されていて、画一的な働き方が万人に好ましい結果をもたらすと考えられていた。しかし、実際には、誰もが同じ働き方を望んでいるわけではない。テクノロジーの進化にともない、人々が自分の本当の望みどおりに行動するチャンスが広がりはじめた。

仕事に関する約束事が変わり、働き手は子どもではなく、大人として扱われるようになりつつある。テクノロジーのイノベーションにより、働き方と働く場所の選択肢が広がり続けている。自宅で仕事をするか、オフィスに出勤して働くかを、バーチャルな手段で同僚とコミュニケーションを取るか、直接面と向かって話すかを、自由に選択できる環境にある人が増えている。働く時間帯を選べる人も増えている。本書で紹介した二〇二五年の未来ストーリーは、新しい可能性のほんの一部を示したものにすぎない。

テクノロジーの力により選択肢が増えただけでなく、新しいテクノロジーのおかげで、それぞれの選択がどういう結果をもたらすかが見えやすくなった。ソーシャルメディアやブログ、ウェブサイトを通じて、世界中の人々が情報を交換し、どういう選択をすればどういう結果になるのかを知ろうとしている。

一九九〇年に息子を出産したとき、私はロンドン・ビジネススクールではじめて妊娠した教授だった。どう行動すべきか見当がつかなかったし、自分の行動がどういう結果をもたらすのかもわかっていなかった。私は出産するという選択をしたはいいが、率直に言って、その先にどういう人生が待っているのかさっぱりわかっていなかった。

その後、状況は大きく変わった。いま「ワーキングマザー」を英語でグーグル検索すると、九二九〇〇〇〇件（つまり、九二九万件）のエントリーがヒットする。ワーキングマザーが書いたブログ記事、ワーキングマザー向けのウェブマガジン、ワーキングマザーのためのハウツー記事、ワーキングマザー関連の画像、ワーキングマザーが情報交換をするオンライン談話室……などなど、なんでもありだ。母親だけではない。ワーキングファザーがさまざまな選択の結果を予想し、選択をくだすうえで助けになるエントリーも一四三〇五〇〇〇件（つまり、一四三〇万五〇〇〇件）見つかる。ソーシャルメディアが普及して世界中の人々が結びつくようになったおかげで、なんらかのジレンマに直面している人は、世界中の何百万人もの人たちの経験を参考にできるようになったのだ。

また、社会の変化にともない、多様な生き方が受け入れられはじめる一方で、大企業勤めへの不満も広がりつつある。世界中で「両親と子ども二人」という伝統的な家族のあり方に代わり、目を見張るほど多様な家族の形態が出現している。離婚経験者同士が再婚して、それぞれが前の配偶者との間にもうけた子どもを一緒に育てているケースもある。レズビアンやゲイのカップルが子どもを育てているケースもある。高齢女性が代理出産で子どもを持つケースもある。家族の形態はそれこそ無限に広がっているように見える。

興味深いのは、人々が家庭生活で主体的な選択をするようになると、職業生活の面でも主体的な選択をするために内省し、知性を発揮しはじめたことだ。ライフスタイルが多様化するのと足並みをそろえて、伝統的な会社勤めではなく、もっと柔軟な働き方を望む声が高まりはじめたのだ。

一方、温室効果ガス排出に対する懸念が高まることの影響も見逃せない。オフィスに出勤するために交通手段を利用すれば、かなりの量の二酸化炭素を排出するとわかっているのに、在宅勤務にノーを突きつける理由がどこにあるのか？　テレビ会議システムを利用すれば、ボタン一つで海外支社と話ができるのに、飛行機で出張させることが合理的と言えるのか？　温室効果ガスの排出削減という課題を突きつけられる結果、伝統的な働き方がもたらす数々の弊害がはっきり認識され、逆に柔軟な働き方のいくつかの利点が際立ってくる。

未来を形づくるさまざまな要因が組み合わさる結果、働き方を根本から変え、幸せの源との結びつきを取り戻し、職業生活の質を高められる可能性が拡大する。オートメーション化された仕事のあり方が機能しなくなり、在宅勤務が増え、選択肢が広がり、多様性の受け入れが進むとともに、職業生活で重きをなす要素も変わろうとしている。

変化の風は吹きはじめている。問題は、その風が私たちをどこに運んでいくかだ。職業生活がもっとバランスの取れたものになり、人間のさまざまなニーズが受け入れられ、柔軟な労働形態を選べるようになるのだろうか。そうなる可能性はあると、私は思っている。未来を形づくる五つの要因は、新しい働き方の土台をなす変化を力強く後押ししはじめている。

しかし、この〈シフト〉には、もっと根源的で、私たちの情緒と深く結びついたテーマが潜んでいる。そのテーマとは、権力、地位、私たちがいだくニーズと欲求、そして、職業生活におけるお金と消費の役割である。経験という要素をどのように評価し、理解するのかという点も問われる。この問題に関連して意識にとめるべきことが二つある。一つは、お金、消費、地位と仕事の間には密接な結びつきがあり、それを切り離すのは容易でないかもしれないということ。もう一つは、お金と消費の価値が過大評価されることが多い半面、経験の価値が過小評価されがちだということだ。

## お金と消費に最大の価値を置く発想

仕事に関する古い約束事の核をなすのは、「お金を稼ぐために働く」という考え方だ。しかし未来に向けて、この前提を問い直す必要がある。本当に、仕事の目的は、お金を稼ぐことだけなのか。お金が仕事の重要な要素であることは間違いない。生活していくうえで必要な金額より少ない給料しか受け取れなければ、仕事を通じてどんなに素晴らしい経験ができても、率直に言って意味はない。おそらく、途上国の工場で安い給料で働く人たちは、広い視野で仕事の意義を考えることが難しいのではないか。

前述したが、心理学者のエイブラハム・マズローが一九五四年の著書で指摘したように、人間の欲求にはいくつかの段階があり、低次の欲求が満たされてはじめて、人間は高次の欲求を満たすために行動するようになる。[5] この仮説に従えば、途上国の工場で安い給料で働いている労働者たちも、ほどなく欲求の段階を上ると予想できる。[6] 生理的欲求と安全への欲求が満たされれば、私たちは所属と愛の欲求を満たすために行動するようになる(「私が働くのは、友達と楽しく過ごすためである」)。その次は、承認の欲求に移行する(「私が働くのは、専門技能を高めるためである」)。そして最後は、自己実現の欲求を満たしたいと考えるようになる(「私が働くのは、自分の潜在能力を開花させる機会を得られるからである」)。

お金は、安全の欲求を満たす手段とみなせる。その意味で、お金は欲求のピラミッドの底部に位置する要素だ。それなのに、仕事に関する古い約束事では、お金が仕事の中核を占めるものであるかのように扱われている。お金が最重要視されてきた理由はいくつもあるが、それらの理由はことごとく根拠薄弱なものに見えはじめた。

お金があれば幸せが増すのではないか、と考える人は多いかもしれない。実際、「私が働くのは、給料を受け取るため。その給料を使って、私はモノを消費する。そうすることで、私は幸せを感じる」というのが仕事の世界の古い約束事だった。しかし、多くの人が低次の欲求を満たしはじめるにつれて、この前提が誤りであることが明らかになりつつある。手に入るお金が増えても、それに比例して幸せが大きくなるとは限らないのだ。高額の宝くじに当選した人は、当選直後こそ気分が浮き立つが、高揚感はたちまちしぼんでしまう。お金が幸せをもたらすという幻想は、すぐに冷めるのだ。宝くじの当選者だけではない。給料が二五%アップすれば、職業生活に対する満足度が高まり、もっと給料を上げてもらうために全力を尽くすはずだと思うかもしれない。しかし実際には、給料が二五%増えても幸福感や仕事への満足度が高まるわけではない。[7]

どうして、お金が増えても幸福感が高まらないのか。一つには、収入が増えるほど、贅沢なライフスタイルを実践するようになり、多少のことでは幸せを感じなくなるからだ。宝くじで莫大な当選金を手にした人は、読書やおいしい食事など、以前は幸せを感じたはずの経験に心を動かされなくなる。踏み車の上を走るハムスターのように、私たちは「幸福感の踏み車」の上を走り続け、いくら走っても前に進めない状態に陥りやすい。[8]私たちはご褒美を頻繁に手にしすぎると、あまり感激しなくなるのだ。[9]

宝くじの当選者の頭の中で起きていることは、経済学の分野では「限界効用の逓減」という言葉で説明される。簡単に言えば、あるものを得る数や量が増えれば増えるほど、それに価値を感じなくなるという法則である。ここで注目すべきことがある。お金と消費には限界効用逓減の法則が当てはまるが、それ以外の経験にはこの法則が当てはまらないという点である。たとえば、高度な専門技能を磨けば磨くほど、あるいは友達の輪を広げれば広げるほど、私たちが新たに得る効用が減る、などということはない。むしろ、私たちが手にする効用は増える。所得が増えるほど所得増の喜びは薄まるが、技能や友達は増えれば増えるほど新たな喜びが増す。[10]

国単位でも同じことが言える。国の経済レベルが高くなるほど、国民が幸せになるとは限らない。もちろん、極端に貧しい国の人々は、豊かな国の人々に比べて幸せでないだろう。予防可能なはずの病気で子どもが死んだり、飲用水が汚染されていたり、冬に暖をとり、夏に涼をとる手立てがなかったりすれば、不幸せに感じるのが当然だ。しかしそういう基礎的なニーズが満たされれば、それ以上に多くのお金を手にしても、それに比例して幸福感が高まるとは限らないらしい。[11]

お金に重きを置く発想は、満足感や幸福感を高めるとは限らず、むしろ不愉快な結果をもたらす場合がある。お金やモノに対する欲求は、そのほかの経験に対する欲求以上に飽くことがない。あなたも思い当たる節があるのではないか。私たちは新しいものを手に入れても、すぐに喜びを忘れてしまい、もっと欲しいと思いはじめる。

しかも、「もっと欲しい」と思い、物質主義的志向を強めると、自分を成長させるうえで好ましくないゴールを設定しがちになる。簡単に達成できる目標でよしとしたり、逆に達成不能な目標を定めたりするケースが多くなるのだ。また、物質主義的志向が強い人は、受け身的な活動をして時間を過ごす傾向が強まる。たとえば、物質主義的志向の強い人は、概して、そうでない人より長い時間テレビを見て過ごす傾向がある。一方、物質主義的志向の弱い人は、社交をしたり、将来の計画を立てたりすることに時間を費やす場合が多いという。[12]

仕事に関する古い約束事は、私たちにお金と地位の価値を過大評価させ、充実した経験がもたらす幸せを過小評価させる。古い約束事はお金を中核に据えているが、実は仕事と私生活における喜びの多くは値段をつけられない。[13]最近一カ月の自分の心理を振り返ってみてほしい。あなたが幸せや満足、喜びを感じたのは、どういうときだっただろうか？ 当然、金を払って得る経験を通じて愉快な感情を味わったときもあっただろうが、無償の経験によってそういう感情を味わったときも多かったのではないか。友達との関係がもたらす喜び、仕事をやり遂げたときの達成感、野山を散策するときに感じるすがすがしさ、子どもと過ごす楽しい時間、日の出と日没を眺めて過ごすひと時は、金を払って手に入る経験ではない。

## なぜ、私たちはお金と消費が好きになったのか？

どうすれば、私たちは〈第三のシフト〉を実践できるのか。それを知るためには、どうして、世界の多くの人がお金と消費を愛するのかを理解する必要がある。すべては子ども時代に始まる。物質的な豊かさを重んじ、やさしさや温かい人間関係よりそれを重んじる親に育てられれば、子どもは消費を強く欲するようになるだろう。子どもがテレビを長時間見て過ごせば、お金の価値をさらに強く意識するようになる可能性もある。アメリカの心理学者ティム・カッサーらが喝破したように、「親代わりに子どもの相手をしているテレビという機械は、さまざまな品物をカネで買うことが人生そのものであるかのように描く。私たちは、子どもをポルノに触れさせないように細心の注意を払う半面で、きわめて不用意に、物質主義の魅力を生々しく教え込むメディアに子どもたちをさらしている」のだ。[14]

子ども時代を終えても、消費奨励のモデル提示は続く。仕事に関する古い約束事を通じて、金銭などの物質的な報酬を受け取るのが好ましいことだと繰り返し教え込まれる。こうして、仕事とお金の関係が切っても切れないものになり、仕事とはお金を稼ぐことであるという思い込みが強化されていく。しまいには、「私はお金が好きに違いない。なぜなら、お金を稼ぐために、こんなに頑張って働いているのだから」と考えはじめる。[15]

仕事の世界で長く過ごすにつれて、私たちは仕事の金銭的側面に重きを置くようになり、お金を稼げる仕事が好ましい経験で、お金を稼げない仕事が悪い経験だという思考様式に染まっていく。こうして、お金を稼ぐことが仕事の最大の目的となり、そのお金で消費することを人生の目的とする発想がいっそう強まる。消費するためにお金を稼ぎ、お金を稼ぐ結果、ますます消費するという循環が生まれる。

しかし、お金と消費を中核に据える考え方が深く根を張り続けてきた理由は、ほかにもある。多くの社会では、お金は単に消費の手段というだけでなく、その人の社会的地位を映し出す社会的標識の役割も果たしている。お金は、個人の自我から切り離せない一部になっているのだ。私たちはモノやサービスを購入することを通じて、自分の人間としての価値を立証しようとする。[16] もちろん、自分の価値を表現する手段はほかにもある。高い地位に就いている友人、表彰状や勲章、スポーツの成績、子どもに対するやさしさ、きれいなキルトをつくる能力もそういう機能を果たせる。しかし世界の多くの社会では、お金が社会的地位の証として最も強力な要素になっている。そこで、私たちはお金を稼ぐために懸命になる。

問題は、誰もがほかの人との比較を通じて自分の地位を証明しようとすると、競争が生まれて、達成すべき基準がどんどん高くなっていくことだ。こうして、私たちは、ライバル以上に稼がなくてはならないと強く思うようになり、お金と仕事の結びつきがひときわ強化される可能性がある。[17]

私たちはお金の価値を過大評価する結果、職業生活のなかのお金以外の要素を過小評価しがちだ。先に紹介した「働き方の未来コンソーシアム」の参加者、トムの言葉を思い出してほしい。

現場管理職より上に昇進することなく、ストックオプションで巨万の富を築くこともなく、よき父親として、あるいは自分の成長を重んじる人物として職業人生を終えた人物がメディアで称賛を浴びることなど、あるのでしょうか?

よき父親であることや成長重視の生き方をすることなど、自分が大切にしたいと思う経験が社会で評価されないことに、トムはジレンマを感じている。このほかにも、職場の内外で仲間や友達を大切にすることも社会で評価されづらい。職業生活の質が仲間との関係に大きく左右されることはわかっているはずなのに、[18]多くの企業はこの点に無関心に見える。たとえ私たちが職場で充実した人間関係を大切にしたいと思っても、ほとんどの場合、仕事の環境がそのようにできていない。ビジネス上の活動が社会的階層と社会的役割をつくり出し、それが人間の個性を埋没させ、充実した経験と友情を軽んじる傾向を生んでいる面があるように思える。経済学者のロバート・レーンが言うように、「友情は市況商品ではない」ので、どうしてもそうなってしまう。[19]

もっとも、なかにはお金がゴールになっていない仕事もある。先に紹介した非営利団体セーブ・ザ・チルドレンの管理職の言葉をもう一度紹介しよう。

業績をあげた人物に高給で報いることができない組織は、代わりにどのような「報酬」を提供できるのでしょうか？　私の場合、リーダーシップを振るい、責任を与えられ、意思決定をくだす経験がとても大きな報酬になっています。そのおかげで、仕事を通じて幸せを感じられています。このような機会が得られるとわかっていれば、物質的な要素はもっと早く捨てていたのに。

物質的でない目標を掲げる組織で働くと、自分のなかで非物質的な欲求が強まるらしい。この人物は、リーダーシップを振るい、責任を与えられ、意思決定をくだす機会を最も重んじている。これらの要素が仕事にやりがいを感じる条件になっているのだ。[20]

未来の世界を形づくるさまざまな要因が仕事のあり方に影響を及ぼしはじめると、仕事の性格はどのように変わる可能性があるのか。ひとことで言うと、〈第三のシフト〉を実践すれば、仕事が大量消費のための金を稼ぐ手段ではなく、充実した経験をする機会に変容するのである。

## 消費より経験に価値を置く生き方へ

では、〈第三のシフト〉を実践し、お金を最大の目的に働くのではなく、充実した経験を味わうために働くという発想に転換するためには、なにが必要なのか。

仕事を通じてさまざまな充実した経験を味わえる可能性があることは、私たちもすでに知っている。この数年、私は大勢の人たちに、次の問いを自問してもらっている——「なぜ、私は働くのか。私はどういう理由で、いまの仕事を選んだのか」。以下は、この問いに対する典型的な回答をいくつか抜き出したものだ。

＊私が働くのは、一緒にいて楽しく、いろいろなことを学べる同僚たちと過ごしたいからです。そういう人間関係をとても大切にしています。

＊この仕事の好きな点は、手ごわい課題に取り組めることです。難しい課題、本気で努力しないとやり遂げられそうにない課題、そして、アドレナリンがわき出すような課題に挑むことが楽しいのです。

*いまの仕事の気に入っている点は、柔軟なスケジュールで働けることです。学校が休みの日は、子どもたちと過ごせます。それは、私にとってとても大切なことなのです。

*私が働くのは、学ぶためです。自分のアイデアをすべて実現したいと思っています。私にとって、仕事は学習のための素晴らしい場なのです。

*私はほかの人をマネジメントすることが好きなのです。リーダーシップを振るうことは、とても刺激的で胸躍る経験です。

*毎年一カ月仕事を休んで、支援している慈善団体の活動に携わることができます。私にとって、本当に大きなことです。

*自分が進歩していると感じられる場に身を置くことにより、強い刺激を受けています。自分を厳しい環境に追い込み、自分の技能を向上させていると感じられるのは、素晴らしい経験だと思っています。


古い仕事観のもとでは、仕事とは単にお金を稼ぐことを意味していたが、未来の世界では次第に、自分のニーズと願望に沿った複雑な経験をすることを意味するようになるのかもしれない。〈第三のシフト〉を推し進める舞台は整った。産業革命以降、仕事に関する古い約束事のもと、お金と消費が仕事の中核をなしてきたが、それを次のように書き換えることが可能になりつつある。

私が働くのは、充実した経験をするため。それが私の幸せの土台だ。

仕事を通じてお金を稼ぐことの重要性を無視しているわけではない。生活の基礎的なニーズを満たすうえでは、お金が欠かせない。しかしすでに述べたとおり、先進国の多くの人は、所得がこれ以上増えても満足感や幸福感が高まらない。次第に、充実した経験を味わうことが満足感や幸福感の主たる牽引役になる。第8章で論じたようにカリヨン・ツリー型のキャリアを築き、キャリアのモザイクを描くことが当たり前になれば、職業生活の関係でお金をすべての中心に据えるのではなく、お金とほかのさまざまな経験のバランスを取るために、古い約束事に代わって新しい約束事を形づくる必要がある。

そのためには、仕事に対する考え方を、さらには企業と働き手の間の「契約」の中身を根本から〈シフト〉させる必要がある。この〈シフト〉を妨げる要因は、どういうものなのか。幸せで、充実感を味わえて、未来に押しつぶされない職業人生を送りたい人は、なにを転換するべきなのか。まず、自分の前にどういう選択肢があり、それぞれの選択肢を選んだ場合にどういう結果が予想され、なにを諦めることになるのかを明確に理解しなくてはならない。

## 重要なのは選択肢を理解すること

〈シフト〉をおこなうとは、覚悟を決めて選択することだ。たとえば、ボランティア活動やリフレッシュをする際に長期休暇を取るのと引き換えに、高給を諦めるという選択をしたり、さまざまなリスクを承知の上でミニ起業家への道を選択したり、家族や友人と過ごす時間を確保するために柔軟な勤務形態やジョブシェアリング（一人分の仕事を複数の人間で分担する勤務形態）を選択したりする。未来の世界では、選択肢が大きく広がる。昔は企業が社員の代わりにすべてを決めていたが、自立した働き手が自分の働き方を主体的に選ぶケースが増える。主体的な選択をおこなうためには、これまでより深く内省し、自分の選択がもたらす結果を受け入れる覚悟が必要だ。

ものごとを選択すること自体は難しくない。私たちは日々、寝ている時間以外はひっきりなしに、なんらかの選択を繰り返している。しかし働き方に関する選択となると、多くの人はそれにどう向き合い、選択の結果をどう予測すべきかをどこでも教わったことがない。以下では、哲学者のピーター・コーステンバウムとピーター・ブロックの著作を参考に、さまざまな選択肢の意味とそれぞれの選択肢がもたらす結果について考えてみたい。[21]

コーステンバウムらが指摘するように、自分が将来どういう働き方をしたいか、そして子や孫の世代にどういう制度を残したいかという点に関して、私たちは自分で主体的な選択をおこない、選択の結果に責任をもたなくてはならない。ときには、選択の際に不安を感じたり、自分自身やほかの誰かに対してノーを言うことに罪悪感を覚えたりする場合もあるだろう。そこで重要になってくるのは、自分が選択をおこなおうとしているのだと明確に意識し、その選択について考え、ある選択をする場合に避けられないジレンマをじっくり検討することだ。

コーステンバウムらに言わせれば、選択にともなう不安を避ける必要はない。そういう感情を味わう経験こそが私たちの職業生活に意味や個性、現実感を与える。選択から逃げ、不安や罪悪感と向き合うことを避け、選択につきもののジレンマについて考えることを拒めば、職業生活の豊かさのかなりの部分を手放すことになる。仕事に関する古い約束事のもとでは、誰かが代わりに選択してくれたが、未来の新しい約束事のもとでは、自分自身で選択する意思をもたなくてはならない。「働き方の未来コンソーシアム」に参加した企業幹部のなかにも、選択のジレンマや矛盾に悩まされている人が大勢いた。ある参加者は次のように語っている。

ときとして組織がマズローの（欲求のピラミッドの）下層レベルの欲求ばかりを重んじるのは、それ以外に従業員に報いたり、従業員を評価したりする方法を見いだせていないからなのかもしれません。私自身は、高い給料（そして、立派なマイホームやマイカー）にモチベーションをかき立てられることはさほどないのですが、組織は私の仕事ぶりに対する評価を給料の金額で表現しようとします。私はほかの形で評価されるほうがうれしいのですが、ほかに評価方法がなく、同僚たちはみな給料の金額により評価を受けています。そうなると私も、自分にとって給料がモチベーションの源になるかどうかは別にして、ほかのみんなに負けない評価を得たいと思います。組織が従業員に対する評価を表現する手立ては、あくまでも給料の金額。自分の仕事ぶりが組織に評価されていないと思えば、私もモチベーションが落ち込みます。そこで、給料の金額による評価を私も受け入れています。組織を説得し、ほかの評価方法を採用させない限り、自分自身のニーズに適合しない評価システムに従うしかないのです。

この人物は、自分に新たに芽生えはじめたニーズと、主に給料の金額という形で評価をおこなう会社との間でジレンマにぶつかっている。お金ではなく、充実した経験を職業生活の中核に据えるように〈シフト〉をおこなう人は、こういうジレンマに苦しめられるケースが多いだろう。私たちは目の前にある選択肢がどういうものかを理解し、主体的に選択をおこなう場合に避けて通れない不安と罪悪感と向き合う覚悟を決めなくてはならないのだ。

前出のコンサルティング会社のシニアパートナーたちの多くも、ジレンマを感じていたのだろう。子どもと過ごしていると、出世や昇給の妨げになるのではないかと不安になる。しかし、顧客や同僚と過ごしていると、子どものことが心配になる。この二つのニーズは並び立つものではない。その点は、今後も変わらないだろう。しかも、未来を形づくる五つの要因の影響により、選択肢がますます増えれば、選択にともなう不安と罪悪感に苦しめられる機会はさらに増える。〈第三のシフト〉は、第2部で検討した「漫然と迎える未来」に陥らないために乗り越えなくてはならない最後のハードルだ。私たちは、あらゆることを自由に選べるわけではない。どの会社で働いているか、どの社会で生活しているか、どのコミュニティに属しているかによって制約を受ける。しかし、どういう環境で生きていても、自由に選択できる部分はある。すべてを環境任せにして、自分で選択することを放棄するのは簡単だが、それは、ドイツの心理学者エーリッヒ・フロムが「自由からの逃走」と呼んだ態度、すなわち会社や社会の規範に同調し、自分の個性を軽んじる態度にほかならないのかもしれない[22]。

選択肢が広がり、しかも個々の選択肢を選んだ場合に待っている結果がはっきりわかる時代になれば、賢い選択をする能力がますます重要になる。勤めている会社や住んでいる国でどのような働き方と働き手への報い方が一般的かによって、個人がおこなえる選択の大枠が決まることは事実だが[23]、ときには、自分自身の選択が招いた結果を痛切に思い知らされることもある。シニアパートナー会議で子どもたちの言葉を聞かされた父親たちや、子どもを持っていない女性企業幹部たちもそうだった。私自身、過酷なスケジュールで仕事をしていたせいで子育てが疎かになったことに、罪悪感をいだいている。残業や出張の多い仕事を選択した代償として、結婚生活の破綻という厳しい結果を突きつけられた人があなたの身近にもいるのではないか。

長時間労働が原因で夫婦の関係が悪化したり、健康を壊したり、子どもが問題を抱えたりして、選択と結果の関係をきわめて厳しい形で見せつけられる人は多い。「自分が無意識におこなう選択がどのような結果をもたらすかを知るために、もっと確かな方法はないのか。痛い経験をして思い知る以外にないのだろうか」と、ロバート・ライシュは述べている。[24]

自分の選択について意識的に考えはじめると、私たちは次の三つの問いを検討するようになる。第一は、インターネットなどのテクノロジー、ものごとが起きるスピード、グローバル化の進展状況に関してどのような変化が訪れ、それが仕事の世界にどういう影響を及ぼすのかという問い。第二は、とくに「漫然と迎える未来」のシナリオが現実化した場合に、どのような未来がやって来るのかという問い。言い換えれば、いつも時間に追われ、孤独にさいなまれ、大規模な貧困層が生まれる可能性のある未来で、自分の職業生活がどうなるのかという問いだ。そして第三は、仕事に関する選択をおこなうに当たり、自分がどういう困難とジレンマに直面しているのかという問いである。この第三の問いは、最も大切な人たちとじっくり話し合い、一人ひとりで異なる答えを導き出すべきものだ。

三つの問いは、自分にとって形こそ違うが、すべて同じ一つの現象に対する反応と言っていい。三つの問いが互いに関連があることに気づいていない場合もあるだろう。この先、グローバル化が目覚ましく進展し、新しい可能性が開けることには気づいていても、それが自分や子や孫の働き方にどういう影響を及ぼすかわかっていない人もいるかもしれない。しかし、職業人生でなにを優先し、それと引き換えになにを諦めるのかという大きな選択を上手におこなうには、この三つの問いの関連を頭に入れておく必要がある。ロバート・ライシュは、次のように述べている。

自分自身と家族、そして社会全体のために、経済の活力と社会の安定のバランスをどのように取りたいのか。そのバランスを実現するために、どういう公共の選択をおこなうべきなのか。こうした視野の広い議論をすべき時期に来ている。

この点はきわめて重要だ。私たちは職業生活で選択を繰り返し、選択を重ねることによって自分の人生を築いている。個々の選択は時々刻々、自然におこなわれるが、それが積み重なることにより、その人なりの人生の特色や傾向、働き方が次第にはっきりしていく。自分の自由意思に基づいて行動しようと思えば、選択することが避けられない。私たちの前には、いつも多くの選択肢がある。働き方に関して、なにも考えずに漫然と行動するのではなく、意識的に選択をするべきだ。ピーター・コーステンバウムらの言葉を借りれば、責任を負うことを避けようとすれば「勇気が欠かせない場面で臆病になり、自制が必要な場面で向こう見ずな行動を取ってしまう」。コーステンバウムらは、次のように述べている。

「選択肢がない」と〈本心で〉言うのは、人間の性質を否定するに等しい。このような表現を用いるとき、私たちは人間であることをやめ、動物や機械に仲間入りすることを自分の自由意思に基づいて選択しているのだ。

もちろん、選択肢が無限にあるわけではない。第2章に登場したロンドンのブリアナの前にある選択肢は、第3章に登場したインドの農村生まれのローハンとは違うし、二〇二〇年にボストン郊外の豊かな住宅地に生まれる子どもとも違う。私たちは自分の職業人生を形づくる過程で、自分の意思が及ぶ領域と意思が及ばない領域を区別し、自由意思で決断する責任を負うと同時に、自分の選択では動かせない現実を受け入れなくてはならない。

## 自分で自分の未来を築く

この〈シフト〉に関して、私たちはどの程度まで自分で自分の未来を築けるのか。昔は、仕事と未来に関する選択の多くを勤務先の会社がおこなっていたが、ピラミッド型の指揮命令機構と上意下達型の意思決定システム、融通の利かない人事制度が崩れはじめ、選択の幅が広がりつつある。主体的に選択をおこない、自分の未来を築こうとすれば、ジレンマや不安、罪悪感にさいなまれることは避けられないが、選択をおこなわないという選択肢はもはやない。

選択肢が広がるなかで、未来に向けておこなわれるべき賢明な選択とは、どういうものなのか。私はこの〈第三のシフト〉に関して、二つの予測を立てている。一つは、私たちがどういう未来をつくり出すかは、どの会社に勤めているかより、一人ひとりがどういう希望やニーズ、能力をもっているかで決まるということ。もう一つは、私たちの仕事のモチベーションを高めるうえで大きな役割を果たすのがお金と消費ではなく、充実した経験になるということだ。

## 自分にとって本当に大切なもの

私にとって重要なことがあなたにとって重要だとは限らないし、私が望む働き方があなたの望む働き方と同じだとも限らない。私たちは、一人ひとりが自分なりの働き方の未来を築いていかなくてはならない。

この点は、私が二〇〇四年の著書『民主的企業』で掘り下げて検討したテーマだ。[25] この本で指摘したのは、次第に私たちが自分自身の選択に基づいて職業生活を形づくるようになるという点だった。イギリスの哲学者デービッド・ヘルドの民主主義に関する考え方に影響を受け、「市民」という概念を切り口にこのテーマを論じた。[26]

本の出版時期は、お世辞にも理想的とは言えなかった。二〇〇四年当時、多くの企業経営者や幹部は、自分たちの企業運営のやり方に揺るぎない自信をもっていた。仕事に関する古い約束事のもとで強力な主導権を握り、社員にとってなにが最善かを熟知していると自負していたのだ。それに、当時のテクノロジーでは、バーチャル勤務やミニ起業、在宅勤務を選択することは困難だった。

個人が自分の働き方を主体的に選択するという考え方は、二〇〇四年の時代精神に合致していなかった。先進国の企業は好業績を謳歌していた。その原動力の一つは、インド企業に安価で事務処理業務を委託し、中国企業から安価な部品を仕入れられるようになったことだった。その意味でグローバル化は始まっていたが、恩恵をこうむっていたのはもっぱら先進国だった。いま世界をはっきり様変わりさせはじめている五つの要因の影響力は、まだ本格化していなかった。こんな時代に、社員に選択肢とやりがいをもっと与え、社員を一人の人間として扱うよう企業に促し、同時にもっと自分の責任で選択をおこなうよう人々に促しても、ほとんど相手にされなかった。好況の時代だった。内省を重んじる雰囲気の時代ではなかったのだ。

しかし、いまは違う。五つの要因は、二〇〇四年にはまだ頭をもたげはじめたばかりだったが、いまや本格的に影響力を振るっている。テクノロジーが進化したおかげで、人々が会社の垣根を越えて、大勢の人たちとコミュニケーションを取れるようになった。その結果、情報の透明性が高まり、どのような選択肢があり、それぞれの選択肢がどのような結果をもたらすかについて、昔とは比較にならないほど深い知識を得られるようになった。

一人ひとりが異なるニーズをもっていることは、二〇〇四年当時すでにわかっていた。イギリスの小売り大手テスコはその頃、顧客プロファイルを作成するマーケティング手法を応用して、従業員のプロファイルを作成し、タイプ別に分類してみた。すると、きわめて興味深い結果が得られた。すべての従業員が同じ働き方を望んでいるわけではなく、従業員の望みが一人ひとりで大きく異なるとわかったのである。もちろん、社内で出世の階段を上り、高給を受け取り、高い地位に就くことを望む人もいた。しかし、柔軟な勤務形態で働くことを最も望み、ときどき平日の昼間に子どもや老親と一緒に過ごしたいと考える人もいた。職場で「遊ぶ」ことを望み、最大限楽しみたいと考える人がいる一方、たっぷり給料を受け取れれば仕事の内容をあまり気にしない人もいた。

しかも、特定の年齢層や性別の従業員がすべて、同じ働き方を望むわけではなかった。たとえば、高齢層がすべて生真面目に働くことを望み、若年層がすべて仕事に遊びの要素を求めるとは限らない。五〇歳以上でも遊びを欲する人がいるかと思えば、二〇歳未満でもわき目もふらずに働くことを望む人もいる。性別により、働き方の志向を色分けすることもできない。女性がことごとく子どもと過ごす時間を望み、男性がことごとく会社で仕事に打ち込むことを望むとは限らない。会社で出世したいと願う女性がいる一方、家庭で子どもと過ごしたいと望む男性もいる。

どういう働き方を望むかは、幼い子どもの有無など、一人ひとりの私生活上の環境に影響を受ける面もあるし、一人ひとりの性格や将来の夢に影響を受ける面もある。個々の従業員の働き方の志向は、どんなに高度なコンピュータプログラムにも言い当てられない。はっきり言えるのは、選択肢が広がれば、人々の選択が多様化するということだけだ。

〈第三のシフト〉を実践するうえでは、人間のニーズと願望が多様であることを理解し、それを好ましいことだと考える姿勢が不可欠だ。私にとって重要で、私が選びたいと思う経験が、あなたにとって重要だとは限らない。この点を理解できてはじめて、私たちは職業生活で一人ひとりのニーズをもっと受け入れる発想に転換し、そういうニーズを仕事の世界で満たすことが可能なのだと考えられるようになる。

### 消費からシェアへ

私たちはこの先、働き方に関してどういう選択をすればどういう結果がもたらされるかを明確に意識したうえで、自分の選択をじっくり考えるようになる。古い約束事に基づく働き方を望む人が完全にいなくなるとは言わないが、そういう人は減るだろう。Y世代を中心に、お金と消費以外の要素を働き方の中核に据えることを望む人が増えていく。選択肢が広がり、個々の選択の先に待つ結果がいっそう明らかになるにつれ、充実感を味わえて、バランスの取れた働き方を望む人が多くなるに違いない。

この〈シフト〉を成し遂げるのは簡単でない。多くの企業が古い約束事を望ましいものと考え続ければ、会社を動かす企業文化との間に摩擦が生まれることも予想できる。[27] 企業や社会には、人々が迷路の外の世界をのぞき見ることを妨げる側面もあるだろう。それでも、壁の外の世界をのぞき見て、古い約束事以外の選択肢を知りたいと思う人は増えるはずだ。[28]

働き方を選択する際は、なにを優先させ、なにを諦めるかを決めなくてはならない。その判断をくだすに当たり、マイカーやマイホームなど、古い約束事のもとで重んじられていた高額商品の購入を諦めるという決断をする人も増えるだろう。[29] 長い間、マイカーとマイホームは私たちの自我を構成する重要な要素だった。それが一種の社会的標識にもなっていた。プラダのバッグやＢＭＷの車、アップルのｉＰｏｄ……古い約束事のもとでは、こうした所有物によって、その人が社会でどういう地位にあるかが判断される。しかし、仕事に関する新しい約束事が広がれば、なにを消費するかより、どういう経験を生み出すかによって、職業生活の価値が評価されるようになるかもしれない。そういう変化が起きたとき、私たちの消費のあり方はどう変わるのだろうか。

　モノを消費する量が減るかもしれない。そういう変化を遂げることが不可欠だと考える論者もいる。[30]たとえば、可動性と柔軟性がますます重要になっているのに、マイホームを所有しているせいで、経済的にも地理的にも身動きが取れなくなっている人が多いという指摘がある。それに、とくにアメリカでは、自動車移動のせいで人と人の触れ合いが失われ、都心が殺伐とし、郊外が活気をなくしている面もある。

　モノの消費を減らすとすれば、どうやって生活の質を維持すればいいのか。一つの方法は、さまざまな資源をシェア（共有）することかもしれない。クラウド上ではすでに、複雑なＩＴプログラムやシステムがシェアされていて、いつでも必要なときにダウンロードして利用できる。ヨーロッパの多くの都市では、カーシェアリング（自動車の共有）も実現している。私が住むロンドン郊外のプリムローズヒル地区には、必要なときだけ共用の自動車とオートバイを利用できるサービスがある。一部の人が提唱しているように、家をシェアすることにより自己再生のコミュニティを築く人も増えるかもしれない。

## 〈シフト〉を実践する

想像してみてほしい。モノを大量に消費することを人生最大の願望と位置づけることをやめにしたら、どういう未来がやって来るだろう？　大量消費に代わり、充実した家庭生活や深い友情、やりがいのある刺激的な仕事、創造性と芸術を重んじる人生など、さまざまな要素が新たな優先事項になるかもしれない。

そういう〈シフト〉が実現するための転換点は、どのようにして訪れるのか。制度や政策などの環境の変化がそれを後押しする面もあるだろうが、私たちが仕事について深く考えはじめてこそ、〈シフト〉が加速すると、私は思っている。と言っても、一人ひとりがほかの人と関係なしに、自分の頭の中だけで考え続けるべきだとは思わない。むしろ、人々がこのようなテーマについて語り合い、大勢の人が結びついてグローバルな変化を生み出していく可能性が高いと思っている。

これまでも、消費を重んじる社会の主流と別の道を歩む人はいた。そういう人たちは、修道院に入ったり、人里離れた土地にコミュニティを築いたり、コミューンをつくって共同生活を送ったりしたものだ。いま、グローバル化が進展し、インターネット利用環境が充実するのにともない、草の根の運動が社会を変革する力を強めつつある。第1章で紹介した石油大手シェルの未来シナリオを思い出してほしい。そのシナリオによれば、二〇五〇年のエネルギー資源と地球温暖化の状況は、主として政府の規制に対策を依存する場合と、テクノロジーを活用して連帯するコミュニティが主導する場合とで大きく明暗をわける。[31] このようなコミュニティの活動を通じてこそ、グローバル化は意義のある影響力を生み出せるのだ。

消費より経験を重んじる生き方への〈シフト〉は、働き方の未来の主要な特徴の一つになる可能性がある。もしかすると、「節制」を重んじる生活を送ることが人々の欲望の対象になるという、逆説的な時代がやって来るのかもしれない。

私たちがなじんできた仕事のあり方が本格的に形成されたのは、産業革命後のことだ。機械の普及により、仕事のやり方が変わり、仕事をする場所が変わり、時間に関する意識と働く理由が変わった。働き手が機械のごとく扱われるようになり、機械のように機能することを求められるようになった。問題は、それにともない、責任をもって自分の行動を選択しないという点でも、私たちが機械と同じになったことだ。

未来に向けた〈シフト〉について理解を深めれば、あなたはきわめて大きな選択を迫られるようになる。本書の下準備の過程で私が話を聞いた多くの人たちと同じように、あなたがバランスの取れた生活を重んじ、やりがいのある仕事を重んじ、専門技能を段階的に高めていくことを重んじるのであれば、それを可能にするための〈シフト〉を実践し、自分の働き方の未来に責任をもたなくてはならない。

そのためには、不安の感情に対する考え方を変える必要がある。自分が直面しているジレンマを否定するのではなく、強靭な精神をはぐくんで、ジレンマが生み出す不安の感情を受け入れなくてはならない。自分の選択に不安を感じるのは、健全なことだ。深く内省し、自分の感情にフタをしない人にとって、それはごく自然な心理状態なのだ。不安から逃れたり、不安を無視したりする必要はない。

そのジレンマのなかにこそ、あなたが光り輝くチャンスが隠れている。五つの要因が働き方の常識を土台から揺さぶる結果、自分の人生を自分自身で形づくれる可能性が大きく開ける。組織の中で人間らしい性質を押し殺して生きる必要はないし、会社という大きな機械の歯車の一つとして生きる必要もない。自分で選択をおこない、選択の結果に責任をもてるようになる。そういう生き方を選択するために避けて通れないのが、自分の感情を受け入れ、欠点を率直に認めること。そして、ぬるま湯に浸かったままでよしとせず、リスクを背負い、勇気をもって行動することだ。

では、やりがいと充実感を味わえる職業生活を築こうとする際に襲われる不安に、どう向き合えばいいのか。ここで重要になるのは、〈第二のシフト〉だ。自分自身と自分の大切な人にとって望ましい働き方の未来を切り開けるかどうかは、どういう人たちと出会うか、どういう自己再生のコミュニティを築けるかによって決まる面がある。

信頼でき、好意的に接してくれる少人数の親しい友人たちとバーチャル空間ではなく現実の世界で一緒に過ごし、温かく気長に付き合うことが重要だ。そういう友人たちとの親密な会話では、自分の本当の感情をさらけ出し、思っていることや経験したことを率直に語れる。そのような会話を通じて、自分の前にあるすべての選択肢を検討し、自分が過去にさまざまな試練にどう立ち向かってきたかを考え、なぜリスクをともなう行動に踏み出せなかったのかを振り返れる。

私たち一人ひとりにとっての課題は、明確な意図をもって職業生活を送ることだ。自分がどういう人間なのか、人生でなにを大切にしたいのかをはっきり意識し、自分の前にある選択肢と、それぞれの道を選んだ場合に待っている結果について、深く理解しなくてはならない。そのためには、自分が望まない選択肢にきっぱりノーと言う勇気が必要だ。自分が大切にしたい要素を優先させる職業生活を送れる場を積極的に探す姿勢が必要だ。「普通」でありたいと思うのではなく、ほかの人とは違う一人の個人として自分の生き方に責任をもち、自分を確立していく覚悟が必要だ。

議論は哲学的な領域に入っていく。未来の世界で、私たちは自分にとって大切な価値や自己像を追求できる可能性と、そのための選択と行動をおこなう自由を手にする。そういう時代には、社会や組織からどのような制約を課されているかを認識し、その制約にどう向き合うかを決めるのが自分自身なのだと理解し、同時に、自分の選択と行動がもたらす結果からは逃れられないのだと覚悟する必要がある。

仕事と職場は、あなたが生きがいを見つけられる場である可能性が高い。その場を生かすか殺すかは、あなたの勇気と未来感覚次第だ。

EPILOGUE

# エピローグ　未来のために知っておくべきこと

本書で論じてきた五つの要因が複雑に作用し合うことにより、私たちの働き方にいくつもの大きな変化が起きる。自分の働き方を主体的に選び、なにを優先させ、なにを諦めるかを決めるうえでは、未来にどういう変化が待っているのかを頭に入れておく必要がある。この点に関して、子どもたちに伝えたいメッセージがある。そこで、本章の最初の手紙は、子どもたちに向けて書いた。

私たちの働き方の未来は、自分がどのような資本をはぐくみ、どのような選択をおこなうかによって形づくられるが、環境の影響も非常に強く受ける。私たちが生活し仕事をする環境は、どういう企業や組織で働くかによって決まる面が大きい。その点は、小さな新興企業であろうと、今後の世界でますます力を増すグローバルな巨大企業であろうと変わりない。私たちの仕事の中身と、採用、昇進、昇給、能力開発の基本的な基準を決めるのは、勤務先の企業だ。それに、企業文化次第で、一人ひとりが主体的に選択をおこない、やりがいのある充実した職業生活を築くことが後押しされる場合もあれば、それが妨げられる場合もある。そこで、二番目の手紙は、企業経営者に向けて書いた。

私たちが働き方の未来を築くうえで最も大枠となる環境をつくり出すのは、国と政府だ。私たちの職業人生は数十年単位で続くが、政府の指導者は企業経営者と同様、数年単位で職を務める。そのため、未来を考える際に近視眼的になることが避けられない。しかも、選挙で再選されることが最大の関心事である政治家は、社会保障の財源問題など、未来に関する不愉快な真実をはっきり国民に語りたがらない。そこで三番目の手紙は、政治家に宛てた。

本書の締めくくりにこの三通の手紙を載せた目的は、未来に待っている現実とその影響に関する情報をテーブルに乗せることにある。正確に、そして客観的に記したつもりだ。

＊＊＊

## 子どもたちへの手紙

みなさんの未来には、素晴らしい人生が待っています。一〇〇歳以上生きる人も多いでしょう。わずか二〇年前には、想像もできなかったことです。ただ長生きするだけではありません。医療が進歩して老化を遅らせられるようになり、高齢になっても元気に活動できるようになります。

では、みなさんは、長く元気に生きられる人生をどのように過ごしたいでしょうか？　充実した人生を送るために大切なことの一つは、興奮と刺激を味わえる仕事を見つけることです。昔は、大きな企業に勤める人が多かったのですが、みなさんの時代には、自分で新しいビジネスを始めるチャンスが広がります。世界のいろいろな国の人たちと一緒に働くようになるでしょう。

そういう働き方をするためには、自分が上達できそうな専門技能や能力を見つけなくてはなりません。高度な専門技能を身につけるためには、長い時間をかけて、勤勉に打ち込むことを避けて通れません。非常に高いレベルの専門技能を自分のものにするためには、場合によっては一〇〇〇〇時間もの訓練を積む必要があるという説もあるくらいです。違う国籍の人と一緒に働くことに慣れ、そのコツをつかむことも大切です。故郷から遠く離れた国に移り住む人も増えるかもしれません。多様な人間や文化、発想に触れることは、みなさんの人生でとても大事なことです。未来の世界で成功するためには創造性とイノベーションがますます重要になりますが、イノベーションが起きやすいのは、多様性のある環境なのです。

みなさんのお父さんやおじいさんは——お母さんやおばあさんは仕事をもっていない場合が多かったでしょう——生涯を通じて一種類の仕事を続けるのが普通でした。でも、みなさんは六〇年以上、働き続けることになります。生涯の間に、いろいろなタイプの仕事を経験するケースが増えるはずです。最初の仕事に就いてから二〇年たって、別の道に移る人もいるでしょう。あるいは、四〇年たってから進路を変える人もいるかもしれません。まず学校に通い、その後で仕事に就き、それから引退生活に入るというシンプルな道のりを歩んで人生を送るケースは珍しくなります。複雑なモザイクのように、人生のさまざまな段階に教育や能力開発の要素を織り込むようになるでしょう。

あなたの世代に大きなチャンスと課題を生み出すのは、多くの人がいまより長生きするようになることだけではありません。世界の何十億人もの人たちがインターネットを通じて結びつくことも、みなさんにチャンスと課題を生み出します。新しいテクノロジーのおかげで、みなさんがなにを考え、どう行動し、どのように創造性を発揮しているかは、世界中の人たちに簡単に知られるようになります。これまでは、とうてい考えられなかったことです。みなさんには、大勢の人とつながれることを利用して、世界が抱える手ごわい課題を解決し、ほかの人たちを深く理解し、共感できるようになる可能性が大きく開けています。

一方、バーチャル空間で仕事をする時間が増える時代に大きな課題になるのは、どうやって深い友情を築くかということです。長い間付き合える少人数の親しい友人をつくることが重要になります。みなさんのご両親にとって、友達との関係は大きな喜びの源でした。その点は、みなさんの世代も変わらないでしょう。

みなさんの世代の最大の課題は、乏しくなりつつあるエネルギー、水、土地をどのように利用し、どうやって枯渇を避けるかという点です。みなさんが前の世代から受け継いだ便利なテクノロジーの数々は、資源を大量に消費し、枯渇の危機を招いてしまいました。未来の世界では、世界中の何十万人もの人たちが資源問題の解決に取り組むようになり、現時点では思いもよらない画期的なテクノロジーが登場するでしょう。

しかし、テクノロジーだけに頼るわけにはいきません。みなさんは、生活水準と生活の質に関して、なにを優先させ、それと引き換えになにを諦めるかを決めなくてはなりません。これまでの一〇〇年間は、人々の生活水準が向上してきましたが、みなさんの世代にとっては生活の質を高めることが大切になります。

みなさんは、これまでどの世代も経験したことがない難しい課題にぶつかるでしょう。どういう仕事をするか、どのように働くか、どこで誰と働くかという選択肢は増えますが、自分の働き方を自分で選ぶ以上、自分の責任で賢い選択をしなくてはなりません。とくに情報の透明性が高まるのにともない、自分が取った行動のもたらす結果から逃れられなくなります。選択をおこなうときは、その道を選ぶことによってこうむるデメリットを理解する必要があるのです。

みなさんが充実した職業生活を送れるかどうかは、次の三つの課題に対処する能力によって決まります。第一は、職業人生を通じて、自分が興味をいだける分野で高度な専門知識と技能を習得し続けること。第二は、友人関係や人脈などの形で人間関係資本をはぐくむこと。とくに、強い信頼と深い友情で結ばれた少数の友人との関係を大切にしながら、自分とは違うタイプの大勢の人たちとつながり合うことが大切になります。第三は、所得と消費を中核とする働き方を卒業し、創造的になにかを生み出し、質の高い経験を大切にする働き方に転換することです。

＊＊＊

## 企業経営者への手紙

この先二〇年間は、世界中の企業リーダーにとってことのほか厳しい時代になります。仕事に関する常識の多くは根本から揺らぎ、その多くは捨て去られるでしょう。リーダーに対する人々の信頼感はかつてなく落ち込んでおり、この傾向にはさらに拍車がかかると予想されます。

才能のある人材はグローバルな人材市場に加わり、自分たちの要求をきっぱり主張しはじめます。情報の透明性が高まる結果、リーダーの行動はこれまで以上に厳しい監視の目にさらされます。一方、仕事の世界でチームづくりの役割を担いはじめているY世代は、職場でどのようにマネジメントされたいのか、どのような仕事にやる気をかき立てられるのかという点に関して、それ以前の世代とは異なるニーズをもっています。こうした数々の要因が重なって、企業のリーダーにのしかかる重圧は強まる一方です。

これまでより多様で、バーチャルで、グローバルなチームをまとめ上げるためには、以前より高度な技能が必要とされます。そういう資質をもった人材を選抜し、育成することは簡単でありません。二〇年後のリーダーの役割は、フォロワーのやる気をかき立て、きわめて多様な利害関係者をマネジメントし、環境と社会が直面している課題を解決するために行動することです。未来の世界を形づくる新しいトレンドを追い風にし、強靭なビジネスを築けるかどうかは、次の五つの要因に大きく左右されます。

第一に、グローバル化がますます進展するにつれて、新しい市場が広がる半面、顧客と人材の争奪戦も激化します。消費者と優れた働き手は、なんらかの面で革新的な商品やサービスのもとに、そして、それを提供している企業のもとに集まります。以前は、イノベーションの発生地は先進国とほぼ決まっていましたが、世界中のいたるところでイノベーションが生まれるようになります。

はっきりしているのは、企業がビジネスで成功を収めるうえでイノベーションと実験がいっそうカギを握るようになることです。そこで、オープンイノベーションを実践し、一般社員や顧客のアイデアを商品・サービス開発に生かす必要性が高まります。

第二に、テクノロジーの発展とグローバル化の影響を受けて、硬直化したピラミッド型の組織構造が変質し、もっと流動的な形態が急速に広がるでしょう。長期や短期の個別プロジェクトごとに、部署の垣根を越えて必要な人材を会社全体から結集するケースが増えると予想できます。社内で活動が完結するのではなく、合弁事業やパートナー関係、ミニ起業家たちとの取引など、コラボレーション重視のビジネスのエコシステムを築くことも当たり前になります。ビジネスを活性化させ、イノベーションを実現する能力を確保するうえで、それが不可欠になるのです。優秀な人材のなかには、企業などに雇われて働くのではなく、自分のビジネスを築きたいと考える人が多くなります。そういう人材の才能を活用することが企業にとってますます重要になるでしょう。

第三に、ほとんどの企業は暗黙のうちに、社員との関係を親と子のような関係と位置づけ、いつ、どこで、どのように、どういう仕事をするのかをすべて決めてきました。しかし優秀な人材は、大人と大人の関係を望むようになります。どこで働き、どういう仕事をするかをもっと自分で決めたいと主張しはじめるのです。一方、多くの人が一〇〇歳以上生きるようになれば、六〇歳代で仕事を続けることが珍しくなくなります。六〇歳代や七〇歳代の人材に対する固定観念を改めることが企業に求められます。一人ひとりの望む働き方に柔軟に対応しようとすれば、大きな混乱を招きかねないと思うかもしれません。しかし、テクノロジーの進化により、それは不可能でなくなりつつあります。企業は人事制度を新しい時代にふさわしいものに転換し、柔軟な勤務形態、個人に合わせた研修、チーム単位の職務設計などを取り入れていく必要があります。

第四に、社員のやる気を高めるうえで給料が果たす役割も微妙に変わります。いま仕事の世界に入ろうとしているY世代を対象に実施された調査によれば、この世代はそれまでの世代に比べて、やりがいのある仕事や自分を成長させられる仕事に就くことを重んじています。仕事と私生活のバランスの取り方を主体的に決めることを望む人も増えるでしょう。仕事に集中的に打ち込む時期、専門技能や知識の習得にエネルギーを配分する時期、まとまった期間仕事を休んで勉強に専念したり、ボランティア活動に携わったり、リフレッシュしたりする時期をモザイクのように織り交ぜつつ、六〇歳代以降まで働き続けたいと考える人も多くなります。企業が優秀な人材を引きつけようと思えば、こうした多様な働き方のニーズにこたえられる体制を整えることが不可欠になります。

第五に、これまで多くの企業は、競争を成功の土台と位置づける発想に基づいて築かれてきました。しかし今後は、さまざまなビジネスのエコシステムのなかで協力的なパートナー関係を築く能力が競争力の源泉になるケースが増えるでしょう。それにともない、協力と信頼と受容を促進する企業文化を築くことがきわめて重要になります。そういう企業文化を築く最大の原動力となるのは、あなたのチームが実際に協力的に振る舞う姿を周囲に見せ、さらには、経営者であるあなた自身がそのお手本を示すことです。透明性が高まる未来の世界で社員の意識を高めるために重要なのは、なんと言っても経営者の行動なのです。

＊＊＊

## 政治家への手紙

向こう数十年の間に、テクノロジーの進化、グローバル化の進展、社会の変化、人口構成の変化と長寿化、エネルギー・環境問題の深刻化という五つの要因が作用して、人々の働き方が大きく変わり、世界の国々の政府にもさまざまな面で影響が及びます。

まず、グローバル化の流れは止まりません。このトレンドは、最初はインドが「世界のバックオフィス」として、中国が「世界の工場」として台頭するという形で始まりましたが、今後はそれにとどまらなくなります。価値の高い知識集約型の仕事がますます途上国に拡散していきます。それにともない、コストをかけない倹約型イノベーションが可能になり、イノベーションと研究開発のグローバル化が急速に進むでしょう。

また、グローバル化とテクノロジーの進化が組み合わさる結果、世界の五〇億人がインターネットを通じて結びつき、世界の知識のかなりの部分がクラウドに蓄えられます。それを追い風に、草の根レベルでの教育と地域社会活動の可能性が飛躍的に拡大するでしょう。すべての国民、とりわけ子どもたちにコンピュータとクラウドを利用できるようにする政策を政府が実行すれば、将来的に経済の生産性が大きく押し上げられ、イノベーションが加速します。子どもたちがクラウド上の知識にアクセスできない国は、たちまち後進国になり下がるでしょう。

加えて、人々が知識や技能を習得するために役立つテクノロジーも急速に発展します。仕事で高い価値を生み出すために必要とされる専門知識と技能が高度化するにつれて、こうしたテクノロジーを活用することがますます点は重要性を増します。昔ながらの教室での授業に代わって、コンピュータを用いたシミュレーションやオンライン学習、教室とコンピュータのブレンド型の学習が一挙に広がることが予測されます。このように草の根レベルで教育のイノベーションが加速することに後押しされて、世界の人材市場が一つになる結果、先進国に暮らす人が有利とは必ずしも言えない時代が急速に到来します。すべての若者が新しい教育・学習テクノロジーを利用できるようにし、人材市場で売り物になる技能を身につけられるよう支援することは、政府が重点的に取り組むべき政策の一つとなります。

未来を形づくる五つの要因が作用する結果、バイオテクノロジー、再生可能エネルギー、デザインなど、高い価値を生み出せる分野の専門技能をもつ人材が互いに寄り集まって生活する傾向が強まります。高度な専門技能の集積地をもつことは、地域が経済的な健全性を保つうえでますます重要になります。そういう集積地は計画的に築かれるというより、自然発生的に生まれるものですが、政府が質の高い教育や文化施設の整備などに力を入れれば、人材を引き寄せ、定着させるうえで大きな効果があります。

社会の変化の面でも、今後数十年の間に私たちの働き方に大きな影響を及ぼすと思われる現象がいくつも起きています。世界の多くの国で、大企業や政府に対する人々の信頼が低下しています。透明性の向上と情報共有の拡大により、この傾向はますます強まるでしょう。Y世代とZ世代が社会の一線で活躍するようになれば、共通の社会的な目標に向けて積極的に活動するコミュニティが世界規模で形成されはじめるでしょう。そうした市民のコミュニティは新しいテクノロジーに後押しされて、国境を越えて結びつきを深めていきます。

長寿化の影響も見落とせません。Z世代のかなりの割合は、一〇〇歳以上生きると予想されます。それにともない、働き方や年齢、老いに関する常識が根底から覆されるでしょう。Z世代の多くは、健康でさえあれば七〇歳代や八〇歳代になっても生産的な活動に携わり続けることを望むはずです。そういう願いにこたえる方法を見いだすことも、政府の重要な役割になります。現在の年金制度を見直し、老後の蓄えのあり方についてもっと注意を払う必要も出てきます。多くの先進国では平均寿命が大幅に延びますが、出生率が上昇すると予想される地域は世界にほとんどありません。高齢者の増加により、先進国の若者たちは耐えがたいほど重い負担に苦しむようになります。その重荷を和らげるためには、移民労働者に門戸を開放し、技能労働者とケア関連の労働者を受け入れることが避けられないでしょう。

最後に、エネルギー資源の枯渇問題も働き方の未来にきわめて大きな影響を及ぼします。エネルギーのコストが上昇し、しかも地球温暖化対策で炭素税の導入が実現すれば、企業は仕事の形態を根本から見直さなくてはならなくなります。在宅勤務が増え、新しいテクノロジーを活用したバーチャル勤務も活発になるでしょう。製造業の生産拠点の一部が消費市場のある国に戻ってくることも予想できます。政府が企業に温室効果ガス排出の抑制を義務づける政策を強化すれば、こうした変化はさらに加速するでしょう。

# 訳者あとがき

最近、「働き方」を取り上げた本や雑誌を目にすることが多くなった。明るい論調の本もあれば暗い論調の本もあるし、テーマや切り口はまちまちだが、社会や経済、人々の価値観が大きく変化するなかで、職業生活の送り方に関心が高まっていることの表れなのだろう。「将来、生計を立てるために、どういう進路を選び、どういう技能を身につける必要があるのか」「家庭生活や生きがいを犠牲にせずに働くには、どうすればいいのか」「社会に貢献するには、どうすればいいのか」「自分らしく、幸せに生きるには、どうすればいいのか」といった疑問や不安を人々はいだいているように見える。

ひとことで言えば、この本はこうしたすべての問いに答えようとする本だ。著者のリンダ・グラットンはロンドン・ビジネススクールの教授。専門は組織行動論。「企業のなかの人間」に関わるさまざまなテーマを研究してきた。二〇〇八年にはフィナンシャル・タイムズ紙により、向こう一〇年間で大きな影響力をもつ可能性が最も高いビジネス思想家に、二〇一一年にはタイムズ紙により、世界のビジネス思想家上位一五人の一人に選ばれた。日本で訳書が刊行されるのは本書がはじめてだが、国際的に評価の高い、権威ある研究者だ。

第一級の研究者だけあって、グラットン教授は、「働き方」という身近な――言い換えれば、誰でもなにかを述べられる――テーマに関しても、裏づけの不十分な印象論や先入観で語ることを避けようとした。まず、大勢のビジネスパーソンと協力して議論を重ね、パッチワークキルトをつくり上げるかのように多数の現象やデータをつなぎ合わせて、「二〇二五年の未来」を精密に、多面的に、そして具体的に描き上げた。

そのうえで、孤独で貧しい未来を迎えないために、私たちが働き方をどう〈シフト（転換）〉させるべきかを提案する。〈第一のシフト〉は、一つの企業の中でしか通用しない技能で満足せず、高度な専門技能を磨き、ほかの多くの人たちから自分を差別化するために「自分ブランド」を築くこと。〈第二のシフト〉は、難しい課題に取り組むうえで頼りになる少人数の盟友グループと、イノベーションの源泉となるバラエティに富んだ大勢の知り合いのネットワーク、そしてストレスを和らげるための打算のない友人関係という、三種類の人的ネットワークをはぐくむこと。〈第三のシフト〉は、大量消費主義を脱却し、家庭や趣味、社会貢献などの面で充実した創造的経験をすることを重んじる生き方に転換すること。こうした指摘は、今日の日本で生きる多くの読者にもしっくりくるものなのではないか思う。

ただし、これらの〈シフト〉をおこなおうと思えば、厳しい選択を突きつけられる。グラットン教授いわく、未来の世界で幸福な働き方を実践するためにカギを握るのは、さまざまな選択肢のメリットとデメリットを深く理解したうえで、自分の道を主体的に選択すること。良くも悪くも会社がキャリアの道筋を決めてくれた時代が終わり、働き方と生き方の選択肢が広がる時代には、それがますます重要になるのだ。
そういう時代に向けて、一人ひとりが自分なりの選択をおこなう案内図となることを願って、グラットン教授はこの本を書いた。「プロローグ」にあるように、本書の執筆動機の一つは、教授のティーンエージャーの息子たちにキャリア選択のヒントを与えたいという思いだった。この邦訳版が、日本の読者が自分を光り輝かせる未来を切り開く手がかりになれば、訳者としてうれしい。最後に、著者が情熱をこめてつくり上げた壮大なキルトのような一冊を訳す機会を与えてくれたプレジデント社の中嶋愛さんをはじめ、お世話になったみなさんに心から感謝したい。

池村千秋

# 参考文献


Akerlof, G. A. and R. J. Schiller (2009) *Animal Spirits: How Human Psychology Drives the Economy, and Why It Matters for Global Capitalism*, Princeton, New Jersey: Princeton University Press.［邦訳『アニマルスピリット』ジョージ・A・アカロフ、ロバート・シラー著、山形浩生訳（東洋経済新報社）2009年］

Anderson, P. (1972) More is different, *Science*, 177: 393–6.

Ashton, T. S. (1948) *The Industrial Revolution* (1760–1830), Oxford: Oxford University Press.［邦訳『産業革命』T・S・アシュトン著、中川敬一郎訳（岩波文庫）1973年］

Bem, D. J. (1972) Self perception theory. In L. Berkowitz (eds), *Advances in Experimental Social Psychology*, Vol 6, New York: Academic Press.

Bolchover, D. (2010) *Pay Check: Are Top Earners Really Worth It?* London: Coptic.

Bornstein, D. (2007) *How to Change the World: Social Entrepreneurs and the Power of New Ideas*, Oxford University Press USA (and others).［邦訳『世界を変える人たち』デービッド・ボーンスタイン著、井上英之、有賀裕子訳（ダイヤモンド社）2007年］

Bostrom, N. (2009) The future of humanity. In J. K. B. Olsen, E. Selinger and S. Riis (eds), *New Waves in Philosophy of Technology*, New York: Palgrave Macmillan.

Brickman, P. and D. T. Campbell (1971) *Experienced Utility and Objective Happiness*, Princeton, New Jersey: Princeton University Press.

Brickman, P. and D. T. Campbell (1971) Hedonic relativism and planning the good society. In M. H. Appley (ed.), *Adaptation-Level Theory: A Symposium*, New York: Academic Press, pp. 287–302.

Brynjolfsson, E. and A. Saunders (2010) *Wired for Innovation: How Information Technology Is Reshaping the Economy*. Cambridge, MA: MIT Press.

Campbell, A. *et al.* (1976) *The Quality of American Life*, New York: Russell Sage.

Child, J. and A. Prud'Homme (2006) *My Life in France*, New York: Knopf.

Christensen, C., M. Horn and C. Johnson (2008) *Disrupting Class: How Disruptive Innovation Will Change the Way the World Learns*. New York: McGraw Hill.［邦訳『教育×破壊的イノベーション』クレイトン・クリステンセンほか著、櫻井祐子訳（ダイヤモンド社）2008年］

Cicero, translated by M. Grant (1971) *On the Good Life*, London: Penguin Books?

Comfort, A. and S. Quilliam (2004) *The Joy of Sex*, London:Mitchell Beazley.［邦訳『[完全版]ジョイ・オブ・セックス』アレックス・カンフォート著、安田一郎、青木日出夫訳（河出書房新社）2003年］

Concours Group (2004) *The New Employeee/Employer Equation*. Concours Group.

Crafts, N. F. R. and C. K. Harley (1992) Output growth and the British industrial revolution: a restatement of the Crafts-Harley view, *Economic History Review*, 45(4): 703–30.

Crosby, F. J. (1991) *Juggling: The Unexpected Advantages of Balancing Career and Home for Women and Their Families*,New York: The Free Press.

Csikszentmihalyi, M. (1997) *Creativity: Flow and the Psychology of Discovery and Invention*, New

York: Harper Perennial.
Csikszentmihalyi, M. and J. LeFevre (1989) Optimal experience in work and leisure. *Journal of Personality and Social Psychology*, 56: 815–22.
David, E. (1970) A *Book of Mediterranean Food*, Harmondsworth: Penguin Books.
Davis, M. (2008) *The Planet of Slums*, New York: Verso.［邦訳『スラムの惑星』マイク・デイヴィス著、篠原雅武、丸山里美訳（明石書店）2010年］
Deci, E. L. and R. M. Ryan (1985) *Intrinsic Motivation and Self-Determination in Human Behaviour*, New York: Plenum.［邦訳『内発的動機づけ』E・L・デシ著、安藤延男、石田梅男訳（誠信書房）1980年］
Diamond, J. (2005) *Collapse: How Societies Choose to Fail or Succeed*, New York: Viking.［邦訳『文明崩壊』ジャレド・ダイアモンド著、楡井浩一訳（草思社）2005年］
Dickerson, S. and M. Kemeny (2004) Acute stressors and cortical responses: a theoretical integration and synthesis of laboratory research, *Psychological Bulletin*, 130(3): 355–91.
Dossani, R. (2005) Origins and growth of the software industry in India. Working Paper, Stanford University, Shorenstein APARC. Available at http://aparc.stanford.edu/people/rafiqdossani
Drucker, P.F. (2008) *The Essential Drucker*. London: Harper Paperbacks［邦訳『はじめて読むドラッカー』シリーズ、ピーター・ドラッカー著、上田惇夫訳（ダイヤモンド社）2000～2005年］
Elster, J. (1986), Self-realization in work and politics: the Marxist conception of the good life, *Social Philosophy and Policy*, 3, pp. 97. http://journals.cambridge.org/action/displa yAbstract?fromPage=online&aid=3093292
Equality and Human Rights Commission (2008) Sex and Power Report.
Erickson, T. (2008) *Plugged In: The Generation Y Guide to Thriving at Work*, Maidenhead: McGraw-Hill.
Erickson, T. (2008) *Retire Retirement: Career Strategies for the Boomer Generation*, Boston: Harvard Business School Press.
Erickson, T. (2010) *What's Next, Gen X: Keeping Up, Moving Ahead, and Getting the Career You Want*, Boston: Harvard Business School.
Festinger, L. (1950) Informal social communication. *Psychological Review*, 57: 271–82.
Finnel, S. (2006) 'Once upon a time, we are prosperous: the role of storytelling in making Mexicans believe in their country's capacity for economic greatness'. Unpublished senior essay, Yale University.
Fischer, C. (1994) Changes in leisure activities, 1890–1950. *Journal of Social History*, 27(3): 453–75.
Florida, R. (2002) *The Rise of the Creative Class: And How It's Transforming Work, Leisure, Community and Everyday Life*, New York: Basic Books.［邦訳『クリエイティブ資本論』リチャード・フロリダ著、井口典夫訳（ダイヤモンド社）2008年］
Florida, R. (2008) *Who's Your City: How the Creative Economy Is Making Where to Live the Most Important Decision of Your Life*, New York: Basic Books.［邦訳『クリエイティブ都市論』リチャード・フロリダ著、井口典夫訳（ダイヤモンド社）2009年］
Florida, R. (2010) *The Great Reset: How New Ways of Living and Working Drive Post-Crash Prosperity*. New York: HarperCollins.［邦訳『グレート・リセット』リチャード・フロリ

ダ著、仙名紀訳（早川書房）2011年]
Fowler, J. and N. Christakis (2009) Alone in the crowd: the structure and spread of loneliness in a large social network, *Journal of Personality and Social Psychology*. 97(6), December.
Fromm, E. (1941) *The Escape from Freedom*, New York: Rinehart. [邦訳『[新装版] 自由からの逃走』エーリッッヒ・フロム著、日高六郎訳（東京創元社）1965年]
*Gallup Management Journal*, 26 May 1999. Item 10: I Have a Best Friend at Work: The twelve key dimensions that describe great workgroups (part 11).
Gartner (2010) http://www.gartner.com/technology/initiatives/ cloud-computing.jsp. The Cloud Security Alliance, 'Top threats to Cloud computing' (www.cloudsecurityalliance.org/topthreats/csathreats.v1.0.pdf).
Ghoshal, S. and J. Nahapiet (1998) Social capital, intellectual capital and the organizational advantage, *Academy of Management Review*, 23(2): 242.
Gibson, W. (1999) The science in science fiction, *Talk of the Nation*, 30 November 1999 Timecode 11:55, NPR.
Giddens, A. (1991) *Modernity and Self-Identity: Self and Society in the Late Modern Age*, Stanford, CA: Stanford University Press. [邦訳『モダニティと自己アイデンティティ』アンソニー・ギデンズ著、秋吉美都ほか訳（ハーベスト社）2005年]
Giddens, A. (1992) *The Transformation of Intimacy: Sexuality, Love and Eroticism in Modern Societies. Stanford*, CA: Stanford University Press. [邦訳『親密性の変容』アンソニー・ギデンズ著、松尾精文、松川昭子訳（而立書房）1995年]
Gills, B. K. and W. R. Thompson (2006), *Globalization and Global History*, London: Routledge.
Giu, M. and L. Stanca (2009) *Television Viewing, Satisfaction and Happiness: Facts and Fiction*, University of Milan- Biocca, Department of Economics Working Paper Series, 167.
Gladwell, M. (2008) *Outliers*, London: Little, Brown. [邦訳『天才！』マルコム・グラッドウェル著、勝間和代訳（講談社）2009年]
Goffman, E. (1959) *The Presentation of Self*. London: Penguin. [邦訳『行為と演技』E・ゴッフマン著、石黒毅訳（誠信書房）1974年]
Goodin, R. E., J. M. Rice, A. Parpo and L. Eriksson (2008) *Discretionary Time: A New Measure of Freedom*,Cambridge: Cambridge University Press.
Granovetter, M. S. (1973) The strength of weak ties, *American Journal of Sociology*, 78(6): 1360
Gratton, L. (2004) *The Democratic Enterprise: Liberating Your Business with Freedom, Flexibility and Commitment*, London: Financial Times Prentice Hall.
Gratton, L. (2007) *Hot Spots: Why Some Teams, Workplaces and Organisations Buzz with Energy – and Others Don't*, Financial Times Prentice Hall (UK), Berrett Koehler (US).
Gratton, L. (2009) *Glow – Creating Energy and Innovation in Your Work*. Financial Times Prentice Hall (UK), Berrett Koehler (US)Greenhaus, J. H. and N. J. Beutell (1985). Sources of conflict between work and family roles, Academy of Management Review, 10: 76–88.
Haberl, H., Erb, F. Krausmann, W. Gaube, A. Bondeau, C. Plutzar, S. Gingrich, W. Lucht and M. Fischer-Kowalski (2007) Quantifying and mapping the human appropriation of net primary production in the Earth's terrestrial ecosystems, *Proceedings of the National Academy of Sciences*, USA, 104(31), p. 12942.
Hagel III, J., J. Seely Brown and L. Davison (2009) *The Big Shift Index*, Deloitte Center for the Edge.

Hagel III, J., J. Seely Brown and L. Davison (2010) *The Power of Pull: How Small Moves, Smartly Made, Can Set Big Things in Motion*, New York: Basic Books.［邦訳『「プル」の哲学』ジョン・ヘーゲル3世ほか著、桜田直美訳（主婦の友社）2011年］

Heilbroner, R. L. (1994) Do machines make history? In M. R. Smith and L. Marx (eds), *Does Technology Drive History? The Dilemma of Technological Determinism*, Cambridge, MA: MIT Press.

Heilbroner, R. L. (1995) *Visions of the Future: The Distant Past, Yesterday, Today, Tomorrow*, New York: Oxford University Press.［邦訳『未来へのビジョン』ロバート・ハイルブローナー著、宮川公男訳（東洋経済新報社）1996年］

Held, D. (1996) *Models of Democracy*, Cambridge: Polity Press.［邦訳『民主政の諸類型』デヴィッド・ヘルド著、中谷義和訳（御茶の水書房）1998年］

Hobsbawm, E. J. (1962) *The Age of Revolution: Europe 1789–1848*, London: Weidenfeld & Nicolson.

Horx, M. (2006) *How We Will Live, A Synthesis of Life in the Future*. New York: Campus; London: Cyan Books.

HSBC Insurance (2005) *The Future of Retirement Study*, HSBC.

Ibarra, H. (2003) *Working Identities: Unconventional Strategies for Reinventing Your Career*. Boston, MA: Harvard Business School Press.［邦訳『ハーバード流 キャリアチェンジ術』ハーミニア・イバーラ著、宮田貴子訳、金井壽宏監修（翔泳社）2003年］

Kahneman, D. and J. Snell (1992) Predicting a changing taste: Do people know what they will like?, *Journal of Behavioral Decision Making*, 5(3).

Kapoor, A. (2009) Regional disparity in India: why it matters. http://blogs.hbr.org/cs/2009/06/regional_disparity_in_india_wh.html.

Kasser, T., R. Ryan, M. Zax and A. Sameroff (1995) The relations of material and social environments to late adolescents' materialistic and prosocial values, *Developmental Psychology*, 31: 907–14.

Kilduff, M. and W. Tsai (2003) *Social Networks and Organizations*. London: Sage.

King, R. (2010) *People on the Move*, London: Myriad Editions.［邦訳『移住・移民の世界地図』ラッセル・キングほか著、竹沢尚一郎ほか訳（丸善出版）2011年］

Klein, S. (2007) *The Secret Pulse of Time: Making Sense of Life's Scarcest Commodity*, Cambridge, MA: Marlowe &Co

Koestenbaum, P. and P. Block (2001) *Freedom and Accountability at Work: Applying Philosophic Insight into the Real World*. San Francisco, CA: Jossey-Bass Pfeiffer.

Kubey, R. (1990) Television and the quality of life, *Communication Quarterly*, London: Routledge.

Kulananda and D. Houlder (2002) *Mindfulness and Money: The Buddhist Path to Abundance*. London: Broadway Books.

Kurzweil, R. (2006) *The Singularity is Near*, London: Gerald Duckworth & Co.［邦訳『ポスト・ヒューマン誕生』レイ・カーツワイル著、小野木明恵ほか訳（日本放送協会）2007年］

Landes, D. S. (1998) *The Wealth and Poverty of Nations: Why Some Are So Rich and Some So Poor*, New York: W.W. Norton & Co.［邦訳『「強国」論』D・S・ランデス著、竹中平蔵訳（三笠書房）1999年］

Lane, R. E. (1991) *The Market Experience*, Cambridge: Cambridge University Press, p. 309.

Lane, R. E. (2000) *The Loss of Happiness in Market Democracies*, New Haven, CT: Yale University Press.

Leadbeater, C. (1996) *The Rise of the Social Entrepreneur*, London: Demos.

Leadbeater, C. (2008) *We-Think: Mass Innovation Not Mass Production*, London: Profile Books.

Lebergott, S. (1968) Labour force and employment trends. In E. Sheldon and W. Moore (eds), *Indicators of Social Change*. New York: Russell Sage, pp. 97–143.

Levitin, D. (2007) *This is Your Brain on Music: Understanding a Human Obsession*, London: Atlantic Books.［邦訳『音楽好きな脳』ダニエル・J・レヴィティン著、西田美緒子訳（白揚社）2010年］

Li, T. and R. Florida (2006) Talent, technology innovation and economic growth in China, *The Martin Prosperity Institute*, University of Toronto. Available at creativeclass.com.

Lowe, G. S. and G. Schellenberg (2005) *What's a Good Job? The Importance of Employment Relationships*. CPRN Study No. W12005.

McGregor, D. (1960) *The Human Side of Enterprise*, London: McGraw Hill.［邦訳『企業の人間的側面』ダグラス・マグレガー著、高橋達男訳（産業能率大学出版部）1970年］

Maddison, A. (1998) *Chinese Economic Performance in the Long Run, Paris:* Organization for Economic Cooperation and Development.

Mainemelis, C. and S. Ronson (2006) On the nature of play: ideas are born in fields of play – towards a theory of play and creativity in an organizational setting, Research in Organizational Behavior 27: 81–131.

Malone, T. (2004) *The Future of Work: How the New Order of Business Will Shape Your Organization, Your Management Style, and Your Life*, Boston, MA: Harvard Business School Press.［邦訳『フューチャー・オブ・ワーク』トマス・W・マローン著、高橋則明訳（武田ランダムハウスジャパン）2004年］

Malone, T., R. Laubacher and M. S. S. Morton (eds) (2003) *Inventing the Organizations of the 21st Century*, Cambridge, MA: MIT Press.

Mandel, M. (2009) The failed promise of Innovation in the US, *Business Week*, 3 June.

Manning, P. (2004) *Migration in World History*, London: Routledge.

Maslow, A. (1954) *Motivation and Personality*, New York: Harper & Row.［邦訳『人間性の心理学』A・H・マズロー著、小口忠彦訳（産業能率大学出版部）1987年］

Maslow, A. (1972) *The Farther Reaches of Human Nature*, New York: Viking.［邦訳『完全なる人間［第2版］』アブラハム・H・マスロー著、上田吉一訳（誠信書房）1998年］

Massimini, F. and A. Delle Fave (2000) Individual development in a bio-cultural perspective, *American Psychologist*, 55(1): 24.

Moon, Y. (2010) *Different: Escaping the Competitive Herd*, Crown Publishing Group: Random House Group.［邦訳『ビジネスで一番、大切なこと』ヤンミ・ムン著、北川知子訳（ダイヤモンド社）2010年］

Mortimer, J. T. and J. Lorence (1985) Work experience and occupational value socialization: a longitudinal study, *American Journal of Sociology*, 84: 1361–85.

Nordhaus, W. (1997) Traditional productivity estimates are asleep at the (technological) switch, *Economic Journal*, Royal Economic Society, vol. 107(444), September, 1548–59.

Owen, N. A., O. R. Inderwildi and D. A. King (2010) The status of conventional world oil reserves: Hype or cause for concern?, *Energy Policy*, 38: 4743.

Page, S. E. (2007) *The Difference: How the Power of Diversity Creates Better Groups, Firms, Schools and Societies*, Princeton: Princeton University Press.［邦訳『「多様な意見」はなぜ正しいのか』ペイジ著、水谷淳訳（日経BP社）2009年］

Putnam, R. (2000), *Bowling Alone: The Collapse and Revival of American Community*, New York: Simon & Schuster.［邦訳『孤独なボウリング』ロバート・D・パットナム著、柴内康文訳（柏書房）2006年］

Ramankutty, N., A. T. Evan, C. Monfreda and J. A. Foley (2008) Farming the planet: 1. Geographic distribution of global agricultural lands in the year 2000, *Global Biogeochemical Cycles*, 22, GB1003, p. 19.

Reich, R. (2001) *The Future of Success: Working and Living in the New Economy*, New York: Alfred A. Knopf.［邦訳『勝者の代償』ロバート・B・ライシュ著、清家篤訳（東洋経済新報社）2002年］

Rifkin, J. (1995) *The End of Work: The Decline of the Global Labor Force and the Dawn of the Post-Market Era*, New York: Tarcher/Putnam.［邦訳『大失業時代』ジェレミー・リフキン著、松浦雅之訳（阪急コミュニケーションズ）1996年］

Rifkin, J. (2009) *The Empathic Civilization: The Race to Global Consciousness in a World in Crisis*, Cambridge: Polity Press.

Robinson, S. L. and D. M. Rousseau (1994) Violating the psychological contract: Not the exception but the norm, *Journal of Organizational Behavior*, 15: 245.

Rosenthal, E. (2006) Empty playgrounds in an aging Italy, *International Herald Tribune*. http://www.iht.com/ articles/2006/09/04/news/birth2.php

Rubin, J. (2009) *Why Your World is About to Get a Whole Lot Smaller*, New York: Random House.

Sanderson, W. and S. Scherbov (2008) *Rethinking Age and Aging*. Population Bulletin, December.

Sartre, J.-P. (1943) *Being and Nothingness: A Phenomenological Essay on Ontology*, London: Routledge.

Sawhill, I. and J. E. Morton (2007) *Economic Mobility: Is the American Dream Alive and Well?*, Washington, DC: Economic Mobility Project.

Saxenian, A. L. (1999) *Silicon Valley's Immigrant Entrepreneurs*, San Francisco, CA: Public Policy Institute of California.

Sayre, K. (2010) *Unearthed: The Economic Roots of our Environmental Crisis*, Notre Dame: University of Notre Dame Press; http://ocw.nd.edu/philosophy/environmental-philosophy/unearthed/chapter-6-the-rising-tide-of-human-energy-use.

Schumpeter, J. A. (1945) *Capitalism, Socialism and Democracy*, New York: Harper, 1975; orig. pub. 1942.［邦訳『資本主義・社会主義・民主主義』J・A・シュムペーター著、中山伊知郎、東畑精一訳（東洋経済新報社）1995年］

Scitovsky, T. (1977) *The Joyless Economy*, New York: Oxford University Press.［邦訳『人間の喜びと経済的価値』ティボール・シトフスキー著、斎藤精一郎訳（日本経済新聞社）1979年］

Sennett, R. (2008) *The Craftsmen*, London: Allen Lane. Shafiee, S. and E. Topal (2009) When will fossil fuel reserves be diminished? *Energy Policy*, 37(1): 181–9

Sheehy, G. (1976) *Passages*, New York: Dutton［邦訳『パッセージ』ゲール・シーヒィ著、深沢道子訳（プレジデント社）1978年］

Shirky, C. (2010) *Cognitive Surplus: Creativity and Generosity in a Connected Age*, London: Allen Lane

Shrum, L. J., R. S. Wyer Jr and T. C. O'Guinn (1998) The use of priming procedures to investigate psychological processes, *Journal of Consumer Research*, 24(4): 447

Smil, V. (2006) *Transforming the Twentieth Century: Technical Innovations and Their Consequences*, Oxford: Oxford University Press

Smith, M. R. and L. Marx (eds) (1994) *Does Technology Drive History? The Dilemma of Technological Determinism*, Cambridge, MA: MIT Press

Tai, L. (2008) *Corporate E-learning: An Inside View of IBM's Solutions*, Oxford: Oxford University Press

Tapscott, D. and A.D. Williams (2010) *MacroWikinomics: Rebooting Business and the World*, London: Atlantic Books

Twenge, J. (2007 The age of anxiety? Birth cohort change in anxiety and neuroticism, 1952–1993, *Journal of Personality and Social Psychology*, 79(6): 1007–21

US Department of Education, Office of Planning, Evaluation, and Policy Development, Washington, DC (2009) *Evaluation of Evidence-Based Practices in Online Learning; A Meta-Analysis and Review of Online Learning Studies*. Accessed at http://www.ed.gov/rschstat/eval/tech/evidence-based- practices/finalreport.pdf.

van Steenbergen, E. F., N. Ellemers and A. Mooijaart (2007) How work and family can facilitate each other: Distinct types of work-family facilitation and outcomes for women and men. *Journal of Occupational Health Psychology*, 12: 179–199

Wright, L. and B. L. Stewart (2009) Exploring corporate e-learning research: what are the opportunities, *Impact: Journal of Applied Research in Workplace E-learning*, 1(1): 68–79.

Willetts, D. (2010) *The Pinch: How the Baby Boomers Stole Their Children's Future*. London: Atlantic Books.

Women in Business Institute, London Business School (2009) *The Reflexive Generation: Young Professionals' Perspectives on Work, Career and Gender*, London: London Business School.

# 原注

## ❖序章

［1］ T. S. Ashton (1948) *The Industrial Revolution* (1760-1830)［邦訳『アシュトン』（岩波文庫）］, Oxford: Oxford University Press; E. J. Hobsbawm (1962) *The Age of Revolution: Europe* 1789-1848, London: Weidenfeld & Nicolson［邦訳『市民革命と産業革命――二重革命の時代』（岩波書店）］.

［2］ N. F. R. Crafts and C. K. Harley (1992) Output growth and the British industrial revolution: a restatement of the Crafts-Harley view, *Economic History Review*, 45(4): 703-30.

［3］ D. S. Landes (1998) *The Wealth and Poverty of Nations: Why Some are So Rich and Some So Poor*, New York: W.W. Norton & Co［邦訳『「強国」論――富と覇権の世界史』（三笠書房）］.

［4］ J. A. Schumpeter (1945) *Capitalism, Socialism and Democracy*, New York: Harper, 1975; orig. pub. 1942［邦訳『資本主義・社会主義・民主主義』（東洋経済新報社）］.

［5］ オックスフォード大学のニック・ボストロムのような哲学者たちも同様の見解を示している。ボストロムの主張については、次を参照。N. Bostrom (2009) The future of humanity in J. K. B. Olsen, E. Selinger and S. Riis, S (eds), *New Waves in Philosophy of Technology*, New York: Palgrave Macmillan. www.nickbostrom.com. も参照。

［6］ William Gibson (1999) The science in science fiction, *Talk of the Nation*, 30 November 1999, Timecode 11:55, NPR.

［7］ R. L. Heilbroner (1995) *Visions of the Future: The Distant Past, Yesterday, Today, Tomorrow*, New York: Oxford University Press［邦訳『未来へのビジョン――遠い過去、昨日、今日、明日』（東洋経済新報社）］.

［8］ V. Smil (2006) *Transforming the Twentieth Century: Technical Innovations and Their Consequences*, Oxford: Oxford University Press.

［9］ 国連人口局の2004年のデータによる。

［10］ 旧ソ連の経済学者ニコライ・ドミトリーエフ・コンドラチェフの理論によれば、資本主義経済には短期の景気循環だけでなく、50～70年サイクルの長期循環も存在する。その長期循環の上昇局面では、好況が力強く長続きし、不況が軽度で短期間で終わる傾向がある。長期循環の下降局面では、これと逆の傾向が見て取れる。長期上昇局面が終わるときは、莫大な資産が蓄積されたのちに資産価格が暴落する。1929年の大恐慌や2008年の世界金融危機はわかりやすい例だ。暴落の後には、「コンドラチェフの冬」と呼ばれる危機の時代が訪れる。その冬の時代に、経済システムに新しいビジネスのやり方が取り入れられ、その直前の長期循環の下り坂の時期に芽生えた新たなテクノロジーが広く浸透することにより、経済の新しい枠組みがつくり出される。

## ❖第1章

［1］ M. R. Smith and L. Marx (eds.) (1994) *Does Technology Drive History? The Dilemma of Technological Determinism*, Cambridge, MA: MIT Press. とくに、ロバート・ハイルブローナーが執筆した章Do machines make history?を参照。

［2］ これは、ロバート・ライシュが2001年の著書で説得力豊かに示した点である。R. Reich (2001) *The Future of Success*, New York: Alfred A. Knopf［邦訳『勝者の代償――ニュ

ーエコノミーの深淵と未来』（東洋経済新報社）］.
［3］ B. K. Gills and W. R. Thompson (2006), *Globalization and Global History*, London: Routledge.
［4］ これらの国際機関・制度は、貿易自由化を後押しする一方で、輸送用コンテナなど新しい輸送技術の導入を促すことを通じて、多くの国で自然の貿易障壁——とくにモノや情報を移動させる際のコストの高さ——と、人為的な貿易障壁——弱体な国内産業を保護するために政府が設ける関税や輸入数量制限制度——を縮小することに大きく貢献した。
［5］ WTO（世界貿易機関）の次の資料による。WTO, International Trade Statistics, 2007.
［6］ T. Erickson (2010), *What's Next, Gen X: Keeping Up, Moving Ahead, and Getting the Career You Want*, Boston: Harvard Business School.
［7］ 米国立健康統計センターの次の資料による。National Center of Health Statistics, 2000.
［8］ www.internetworldstats.com
［9］ I. Sawhill and J. E. Morton (2007) *Economic Mobility: Is the American Dream Alive and Well?* Washington, DC: Economic Mobility Project. 2004年の30〜39歳（1964年4月〜1974年3月生まれ）のアメリカ男性の所得（データはCensus/BLS CPS March supplementによる）。この研究は、ピュー慈善財団の「エコノミック・モビリティ・プロジェクト」の一環としておこなわれたものである。
［10］ Erickson (2010) op. cit.
［11］ ブルッキングズ研究所のアナリスト、ウィリアム・H・フレイ（William H. Frey）の試算による。
［12］ E. Rosenthal (2006) Empty playgrounds in an aging Italy, *International Herald Tribune*. http://www.iht.com/articles/2006/09/04/news/birth2.php
［13］ Unknown (2000) Aging populations in Europe, Japan, Korea, require action, *India Times*. http://www.globalaging.org/health/world/overall.htm. Retrieved 2007-12-15.
［14］ たとえば、ある地域で女性の教育レベルが高まると、概してその地域の出生率が低下する。
［15］ T. Erickson(2008) *Plugged In: The Generation Y Guide to Thriving at Work*, Maidenhead: McGraw-Hill.
［16］ 人間の精神生活は、言語の誕生、文字の発明、都市化、分業の普及、工業化、科学の発展、コミュニケーション手段の発達、輸送方法の進化、メディア関連の技術革新などの出来事により、たえず変貌を続けてきた。
［17］ A. Maslow (1954) *Motivation and Personality*, New York: Harper & Row, p. 91［邦訳『人間性の心理学』（産業能率大学出版部）］.

❖第2章
［1］ 心理学者たちは20世紀末の時点ですでに、テクノロジーが原因で管理職がどのくらい仕事を中断されているかに着目していた。
［2］ J. Diamond (2005) *Collapse: How Societies Choose to Fail or Succeed*, New York: Viking［邦訳『文明崩壊——滅亡と存続の命運を分けるもの』（草思社）］.
［3］ S. Klein (2007) *The Secret Pulse of Time: Making Sense of Life's Scarcest Commodity*, Cambridge, Mass: Marlowe & Co［原典はドイツ語。邦訳『もっと時間があったなら！

——時間をとり戻す6つの方法』(岩波書店)].
[4] R. E. Goodin, J. M. Rice, A. Parpo and L. Eriksson (2008) *Discretionary Time: A New Measure of Freedom*, Cambridge: Cambridge University Press.
[5] *This is Your Brain on Music: Understanding a Human Obsession* (2007) London: Atlantic Books [邦訳『音楽好きな脳——人はなぜ音楽に夢中になるのか』(白揚社)].
[6] Goodin et al. (2008) op. cit.
[7] 社会学者のリチャード・セネットは次の著書で、中世の職人がいかにして技能を身につけていたか、そして、現代の専門技術者がいかに集中と時間を基盤に能力を構築しているかを描いている。R. Sennett (2008) *The Craftsmen*, London: Allen Lane.
[8] E. David (1970) *A Book of Mediterranean Food*, Harmondsworth: Penguin Books Ltd.
[9] Julia Child and Alex Prud'Homme (2006) *My Life in France*, New York: Knopf [邦訳『いつだってボナペティ!——料理家ジュリア・チャイルド自伝』(中央公論新社)].
[10] この事例は、Sennett (2008), pp. 1823による。
[11] C. Mainemelis and S. Ronson (2006) On the nature of play: ideas are born in fields of play-towards a theory of play and creativity in an organizational setting, *Research in Organizational Behavior* 27: 81-131.
[12]「ムーアの法則」は、半導体大手インテルの共同創業者であるゴードン・ムーアが1965年に唱えた予測である。
[13] 新しいテクノロジーの企業での導入状況に関する2009年の調査によると、テレプレゼンスは広く普及しておらず、ソフトウェアをウェブ上のサービスとして利用することはあまりおこなわれていないうえに、「デスクトップ仮想化」は一部でようやく導入されはじめたにすぎなかった。クラウド・コンピューティングも、企業ではほとんど導入されていなかった。2010年になると、試験的な導入や導入のための検証作業に着手するケースが見られるようになったが、本格的な導入にはほど遠い。クラウドのセキュリティ面への不安も高まっている。最後の点については、次を参照。Gartner (2010) http://www.gartner.com/technology/initiatives/cloud-computing.jsp. The Cloud Security Alliance, 'Top threats to Cloud computing' (www.cloudsecurityalliance.org/topthreats/csathreats.v1.0.pdf).
[14] テクノロジーの未来に関してプラナフ・ミストリーという発明家は、リアルの世界とデジタルの世界を完全に継ぎ目なく結びつけ、私たちがもっと直感的な操作でテクノロジーを利用できるようにすることを目指す「シックスセンス(第六感)」というテクノロジーを提唱している。ミストリーの講演の動画を以下で閲覧できる。http://www.ted.com/talks/pranav_mistry_the_thrilling_potential_of_sixthsense_technology.html
[15] マサチューセッツ工科大学(MIT)のテクノロジー・レビュー誌は2009年、「インテリジェントなアシスタント・ソフトウェア」を次代の10大テクノロジーの1つに選んでいる。
[16] フィナンシャル・タイムズ紙の選ぶ上位500社に名を連ねるブラジル、インド、中国、ロシアの企業は、2006年には15社だったが、2008年には一挙に62社にはね上がった。
[17] 新興国の企業がグローバル企業として目覚ましい成長を遂げた例は、ほかにもたくさんある。たとえば、中国のコンピュータメーカー、レノボ(聯想)は1980年代半ばまで存在しなかった企業だが、2004年にはIBMのパソコン部門を買収し、世界で4位のパソコンメーカーに躍り出た。南アフリカのサウスアフリカン・ブリュワリーズ(SAB)は、1990年にはローカルな酒造会社にすぎなかったが、2010年にはビールの生

産量で世界のトップ3に名を連ねている。
[18] 新興国の急成長は1990年代半ばに始まったばかりだが、この現象は今後さらに加速する可能性が高い。エコノミスト誌のエイドリアン・ウルドリッジは、その理由を4つ挙げている。第1に、新興国の企業が資本市場で資金調達しやすくなり、これまで先進国企業の独壇場だった大型企業買収に乗り出せるようになる。第2に、途上国は人口が多く、国内に消費者と労働者を豊富に抱えている。第3に、新興国企業は大量生産を得意とし、新しい市場を拡大していく可能性が高い。第4に、先進国の超優良企業のなかに、すでに新興国にイノベーションと成長の源泉を求める動きが見えはじめている(たとえばアメリカのネットワーク機器大手シスコシステムズの最も優秀な人材の20%は、インドのバンガロールに設けられている同社のイノベーション拠点で働いている)。
[19] 国連人口局のデータによる。
[20] 2010〜30年に、先進国の労働人口は8億3500万人から7億9500万人に4000万人減少する見通しなのに対し、途上国の労働人口はおよそ10億人増加すると予測されている。

❖第3章

[1] この点は、学術的研究によっても裏づけられている。次を参照。G. S. Lowe and G. Schellenberg (2005) *What's a Good Job? The Importance of Employment Relationships*. CPRN Study No. W | 2005.
[2] *Gallup Management Journal*, 26 May 1999.
[3] たとえば、次を参照。J. Fowler and N. Christakis (2009) Alone in the crowd: the structure and spread of loneliness in a large social network, *Journal of Personality and Social Psychology*. 97(6), December.
[4] M. Horx (2006) *How We Will Live, A Synthesis of Life in the Future*. New York: Campus.
[5] そうした「トランスヒューマン」たちはおそらく、いま私たちが直接の人間関係で感じるような温かみと善意をサイバー上の関係に感じるようになるのだろう。
[6] たとえば、以下を参照。F. J. Crosby (1991) *Juggling: The Unexpected Advantages of Balancing Career and Home for Women and Their Families*, New York: The Free Press; J. H. Greenhaus and N. J. Beutell (1985) Sources of conflict between work and family roles, *Academy of Management Review*, 10: 76-88.
[7] たとえば、次を参照。E. F. van Steenbergen, N. Ellemers and A. Mooijaart (2007) How work and family can facilitate each other: Distinct types of work-family facilitation and outcomes for women and men. *Journal of Occupational Health Psychology*, 12: 179-300.
[8] 家庭生活と職業生活に好循環を生み出せれば、仕事の重圧に耐え、幸せを感じるうえで強力な後押しになる場合があると、私と仲間たちの研究で明らかになっている。家庭生活で充実感を味わい、家族に支えられて大切にされていると感じられれば、仕事上の試練から自分を守る強力な盾を手にできるのかもしれない。
[9] 国連人口基金の次の報告書による。UNFPA State of the World Report, 2007.
[10] P. Manning (2004) *Migration in World History*, London: Routledge, p. 5.
[11] R. King (2010) *People on the Move*, London: Myriad Editions.
[12] 国連開発計画(UNDP)の次の報告書による。UNDP Human Development Report, 2009, p. 21［邦訳『人間開発報告書2009』(阪急コミュニケーションズ)］.
[13] op. cit. p. 25.
[14] フィリピン政府の次の統計による。Philippine Overseas Employment Administration,

Overseas Employment Statistics, 2009.
[15] K. Sayre (2010) *Unearthed: The Economic Roots of our Environmental Crisis*, Notre Dame: University of Notre Dame Press: http://ocw.nd.edu/philosophy/environmental-philosophy/unearthed/chapter-6-the-rising_tide-of-human-energy-use.
[16] 産業革命の時期、エネルギー消費量は75年間で2倍のペースで増加した。20世紀に入る頃、そのペースは25年間で2倍に加速していた。2010年、70億人弱の人類は、地球上の生物量に占める割合では1%に満たないにもかかわらず、地球上の純一次生産量の4分の1近くを消費し、地表の35%近くを自分たちの生産活動に用いている。以下を参照。H. Haberl, K. H. Erb, F. Krausmann, W. Gaube, A. Bondeau, C. Plutzar, S. Gingrich, W. Lucht and M. Fischer-Kowalski (2007) Quantifying and mapping the human appropriation of net primary production in the Earth's terrestrial ecosystems, *Proceedings of the National Academy of Sciences*, USA, 104(31), p. 12942; N. Ramankutty, A. T. Evan, C. Monfreda and J. A. Foley (2008) Farming the planet: 1. Geographic distribution of global agricultural lands in the year 2000, *Global Biogeochemical Cycles*, 22, GB1003, p. 19.
[17] http://www.grida.no/publications/rr/food-crisis/page/3571.aspx.
[18] http://www.boston.com/news/world/articles/2005/12/11/price_rise_and_new_deep_water_technology_opened_up_offshore_drilling/.
[19] S. Shafiee and E. Topal (2009) When will fossil fuel reserves be diminished? *Energy Policy*, 37(1): 181-9.
[20] N. A. Owen, O. R. Inderwildi and D. A. King (2010) The status of conventional world oil reserves: Hype or cause for concern?, *Energy Policy*, 38: 4743.
[21] http://www.eia.gov/oiaf/aeo/woprices.html.
[22] エネルギー価格は、資源の埋蔵量ではなく、実際に資源を採掘することがどの程度容易かによって決まる。たとえば、アメリカ国内の化石燃料資源の過半数はメキシコ湾の海底に眠っているが、この一帯は資源の採掘がきわめて難しい。まず、ハリケーンが非常に多い。2005年の巨大ハリケーン「カトリーナ」と「リタ」は、あわせて167基の海上石油掘削基地を破壊した。また、非常に高度な技術が求められる深海掘削をおこなう必要があるので、コストがかさむうえに危険が大きい。この点は、2010年のエネルギー大手BPの原油流出事故を見れば明らかだろう。
[23] エネルギー消費を制限する厳しい措置が不可欠に思えるが、そのような規制を導入すれば、経済成長を阻害されるおそれのある何億人もの人々の不満を買うだろう。中国やインドに経済的繁栄の階段を上ることをやめさせるのは、経済的にも政治的にも不可能に等しい。つまり、向こう数十年間、これらの国々は工業化を推し進め、ライフスタイルの近代化が急速に進む。2050年には、エネルギー需要の増加分の90%近くを現在工業化の途上にある国々が占めるようになると試算されている(http://www.iea.org/techno/etp/etp10/English.pdf)。
エネルギー消費を抑制するための適切なインセンティブとガイドラインと政策の組み合わせが導入されない限り、採掘しやすい油田・天然ガス田からの石油・天然ガス生産だけでは、たちまち繁栄を継続できなくなる。世界の多くの地域に石炭が豊富に眠っていることは事実だが、輸送の難しさと環境破壊の懸念があり、石炭資源をいつまでも無制約に利用し続けることはできないだろう。非在来型石油・天然ガス資源と合成燃料がエネルギー・ミックス(さまざまなエネルギー源の組み合わせ)のなかでもっと重要な役割を担うようになる可能性はあるが、エネルギーの需要と供給のアンバランスを完

全に解消する魔法の杖はないと、専門家は考えている。つまり、化石燃料の供給が需要に追いつけない状況は続くと考えていい。
［24］ http://www.statistics.gov.uk/cci/nugget.asp?id=12.
［25］ http://www.tuc.org.uk/work_life/tuc-17223-f0.cfm.
［26］ T. Erickson (2010) *What's Next, Gen X: Keeping Up, Moving Ahead, and Getting the Career You Want*, Boston: Harvard Business School.
［27］ 米国立健康統計センターの次の資料による。National Center of Health Statistics, 2000.
［28］ A. Giddens (1992) *The Transformation of Intimacy: Sexuality, Love and Eroticism in Modern Societies*. Stanford: Stanford University Press, p. 96［邦訳『親密性の変容――近代社会におけるセクシュアリティ、愛情、エロティシズム』（而立書房）］.
［29］ K. O'Hara (2004) *Trust: from Socrates to Spin*, Cambridge: Icon Books. 本文に挙げた数字は同書の312ページに記されている。
［30］ R. Putnam (2000), *Bowling Alone: The Collapse and Revival of American Community*, New York, NY: Simon & Schuster［邦訳『孤独なボウリング――米国コミュニティの崩壊と再生』（柏書房）］.
［31］ S. L. Robinson and D.M. Rousseau (1994) Violating the psychological contract: Not the exception but the norm, *Journal of Organizational Behavior*, 15: 245.
［32］ R. E. Lane (2000) *The Loss of Happiness in Market Democracies*, New Haven: Yale University Press.
［33］ Philip Brickman and Donald Campbell (1971) *Experienced Utility and Objective Happiness*, Princeton, New Jersey: Princeton University Press.
［34］ C. Fischer (1994) Changes in leisure activities, 1890-1950. *Journal of Social History*, 27(3): 453-75.
［35］Clay Shirky (2010) *Cognitive Surplus: Creativity and Generosity in a Connected Age*, London: Allen Lane.
［36］ Putnam (2000),op. cit.
［37］ M. Giu and L. Stanca (2009) *Television Viewing, Satisfaction and Happiness: Facts and Fiction*, University of Milan-Biocca, Department of Economics Working Paper Series, 167

### ❖第４章

［1］ David Bolchover (2010) *Pay Check: Are Top Earners Really Worth It?* London: Coptic.
［2］ アンドレが暮らすベルギーの場合、格差は4倍である。
［3］ J. Twenge (2007) The age of anxiety? Birth cohort change in anxiety and neuroticism, 1952-1993, *Journal of Personality and Social Psychology*, 79(6): 1007 21.
［4］ S. Dickerson and M. Kemeny (2004) Acute stressors and cortical responses: a theoretical integration and synthesis of laboratory research, *Psychological Bulletin*, 130(3): 355-91.
［5］ しかも、不安にさいなまれている人はイノベーションを起こしづらく、柔軟性に欠ける傾向がある。不安は、変化する能力と適応する能力を「凍結」させる場合が多いからだ。ただし、不安を和らげる手立てはある。
［6］ E. Goffman (1959) *The Presentation of Self*. London: Penguin［邦訳『行為と演技――日常生活における自己呈示』（誠信書房）］.
［7］ Women in Business Institute, London Business School (2009) *The Reflexive Generation:*

*Young Professionals' Perspectives on Work, Career and Gender*, London: London Business School.
[8] G. A. Akerlof and R. J. Schiller (2009) *Animal Spirits: How Human Psychology Drives the Economy, and Why It Matters for Global Capitalism*, Princeton, New Jersey: Princeton University Press［邦訳『アニマルスピリット――人間の心理がマクロ経済を動かす』（東洋経済新報社）］.
[9] このような「物語」は、指導者にとってきわめて効果的な武器になる。たとえば、メキシコで経済に対する自信が最も高まったのは、ホセ・ロペス・ポルティーヨ大統領の時代だった。ポルティーヨは、弱者が傲慢な勝者に打ち勝つという「負け犬」の物語をつくり上げる一方で、大きな変化のときに再び姿を現すと言い伝えられているアステカ神話の神についての著書を出版した。

これにより、国内で新たな油田が発見されたことにも後押しされて、メキシコの未来についてきわめて楽観的な「物語」が形成された。いずれ想像を絶する規模の富を手にできるのだという考えが広まり、メキシコの人々はすでに豊かになったかのように振る舞いはじめた。メキシコの実質GDP成長率は、ポルティーヨの大統領在任中の6年間で55%に達した。しかし、退任時にはインフレ率が100%に達し、失業率が上昇するなど、メキシコ経済は大きくつまずいていた。

詳しくは、次の論文を参照。S. Finnel (2006) 'Once upon a time, we are prosperous: the role of storytelling in making Mexicans believe in their country's capacity for economic greatness'. Unpublished senior essay, Yale University.
[10]「若者が財を築いた物語は、19世紀のゴールドラッシュの現代版とみなせる」と、アカロフとシラーは『アニマルスピリット』で書いている（Akerlof and Schiller, 2009, p.55).
[11] 米労働省の次の資料による。US Department of Labor's Dictionary of Occupational Titles.
[12] Robert Reich (2001), *The Future of Success*, New York: Alfred A. Knopf, p.5［邦訳『勝者の代償――ニューエコノミーの深淵と未来』（東洋経済新報社）］.
[13] Adrian Wooldridge 'The world turned upside down', *The Economist* special report on innovation in the emerging markets, 17 April 2010. Economist.com/specialreports. を参照。
[14] ただし、新興国にも課題がある。その最たるものは、国内の経済格差だ。インド国内では、経済成長著しいバンガロール、ハイデラバード、ムンバイ、ニューデリーの一部地区と、それ以外の大多数の地域の間で格差が急速に広がっている。中国も国内に大きな経済格差を抱えているが、状況がひときわ深刻なのはインドのほうだ。しかも、適切な対策が講じられていない。インドは、地方部の潜在能力を十分に活用できておらず、都市と地方が足並みをそろえて発展するモデルを築くことに失敗しているように見える。2010年のインドの国民1人当たりGDPは978ドルだったが、北東部のビハール州など一部の地域では200ドル程度にすぎない（Dr A. Kapoor (2009) Regional disparity in India: why it matters: http://blogs.hbr.org/cs/2009/06/regional_disparity_in_india_wh.html）.

インドのテクノロジー産業とビジネスサービス産業――インドで最も急速に発展している産業だ――は、中国の製造業と違って大規模な雇用を生み出していないと、スタンフォード大学のラフィク・ドサーニは指摘している（R. Dossani (2005) *Origins and growth of the software industry in India*, Working Paper, Stanford University, Shorenstein APARC. Available at http://aparc.stanford.edu/people/rafiqdossani）。2009年の国連開発計画の報告書によると、中国の成人の93%は読み書きができるが、インドではこの割合が66%にとど

まっている。大衆を置き去りにしていては、グローバル化はその国に存在する経済的・政治的・社会的な亀裂を深めるだけになりかねない。
[15] http://www.ft.com/cms/s/0/202ed 286-6832-11df-a52f-00144feab49a.html.
[16] R. Florida (2008) *Who's Your City: How the Creative Economy Is Making Where to Live the Most Important Decision of Your Life*, New York: Basic Books［邦訳『クリエイティブ都市論——創造性は居心地のよい場所を求める』(ダイヤモンド社)］.
[17] リチャード・フロリダによれば、2008年の段階でグローバル経済における有力な地域のなかで、最も人口が多いのは、1億2000万人が暮らすインドのデリー＝ラホール地域。そのほかに、5000万人以上の人口を擁する地域が8、人口2500万～5000万人の地域が12、1000万～2500万人の地域が33ある。ただし、人口の多さが経済活動の活発さを正確に反映するとは限らない。人口の多い地域のなかにも単純な製造業中心の地域がある半面、フィンランドのヘルシンキのように人口が少なくても、きわめてイノベーションが活発で生産性が高い地域もある。
[18] M. Mandel (2009) The failed promise of Innovation in the US, *Business Week*, 3 June.
[19] R. Florida (2002) *The Rise of the Creative Class*, New York: Basic Books, p.74［邦訳『クリエイティブ資本論——新たな経済階級の台頭』(ダイヤモンド社)］.
[20] 世界のスラム地区の人口は1990年の時点で7億2000万人を突破していたが、その数字はすでに当時の2倍に拡大している。
[21] http://ww2.unhabitat.org/programmes/guo/documents/Table4.pdf.
[22] M. Davis (2008) *The Planet of Slums*, New York: Verso.［邦訳『スラムの惑星』(明石書店)］
[23] 国連開発計画（UNDP）の次の報告書による。UNDP Human Development Report, 2005, p.60［邦訳『人間開発報告書2005』(国際協力出版会)］.
[24] 経済格差は、さまざまな経済的・政治的・社会的問題の原因になりうる。そうした格差を是正するためには、事後の再分配のメカニズムを確保して所得分配の状況を改めるだけでは不十分だと、多くの論者が主張している。貧しい人々を経済成長のプロセスに参加させ、機会の平等を確保することも不可欠なのである。
たとえばインドでは、「全国農村雇用保障法」という法律のもと、農村のすべての世帯に100日間の賃金労働（地元のインフラ整備などに携わる）の機会を保障している。この種のプログラムは、単純に都市の富を地方に再分配するより効果がある。農村の地場の知識と外部の先進的なテクノロジーを組み合わせることにより、農村の能力と主体性を高めることが期待できる。このような取り組みはまだごく一部でしかおこなわれていないが、効果が明らかになるにともない、普及に弾みがつきはじめている。アフリカとラテンアメリカ、そして中国とインドの政府は、このような革新的な政策を最大限取り入れるべきだ。
[25] http://www.who.int/whr/1998/media_centre/50facts/en/index.html.
[26] 2004年にアメリカでおこなわれた調査によると、何歳で仕事を退くつもりかという問いに対して、60歳未満と答えた人は24%、61～65歳と答えた人は25%、66～75歳と答えた人は16%、生涯現役を貫くと答えた人は34%だった。次の調査による。The Concours Group (2004) *The New Employee/Employer Equation*.
[27] HSBC Insurance (2005) The Future of Retirement Study, HSBC.
[28] その影響は、高齢者の老後だけでなく、すでに先進国の社会と経済全体に影を落としはじめている。企業や政府が借り入れにより調達する資金の源は、年金積立金など

の個人の蓄えだからだ。人口の多いベビーブーム世代が老後の資金を蓄えた結果、アメリカの国の富に占める年金資金の割合は、1950年に2%に満たなかったのが、1993年には25%近くまで拡大した。その後、2008年まで、民間の年金資金はアメリカの主要な貯蓄源であり続けた。しかし、ベビーブーム世代が続々と引退生活に入り、蓄えを取り崩しはじめた結果、年金基金による金融資産売却高が購入高を上回り、年金システムが積み上げてきた貯蓄が急激に縮小しつつある。以上の分析は、スタンフォード大学のジョン・ショーベン（John Shoven）の指摘による。
［29］オックスフォード高齢化研究所の調査によると、現在60歳以上の層はほかの年齢層以上に、将来の貧困化により打撃を受けやすい。この年齢層は比較的、老後への備えが手薄で、金融知識が乏しく、自分の老後資金用の投資を過信し、自分の寿命を短く考えすぎる傾向にあるからだ。次を参照。http://www.ageing.ox.ac.uk/research/themes/work/longevity.
［30］David Willetts (2010) *The Pinch: How the Baby Boomers Stole Their Children's Future*. London: Atlantic Books.
［31］http://www.thisismoney.co.uk/work/article.html?in_article_id=487225&in_page_id=53928&position=moretopstories
［32］J. Rifkin (1995) *The End of Work: The Decline of the Global Labor Force and the Dawn of the Post-Market Era*, New York: Tarcher/Putnam［邦訳『大失業時代』（TBSブリタニカ）］.
［33］http://www.ipcc.ch/publications_and_data/ar4/syr/en/spms2.html.
［34］http://www.grida.no/publications/vg/climate2/.
［35］http://www.ipcc.ch/publications_and_data/ar4/syr/en/spms2.html.
［36］http://www.actoncopenhagen.decc.gov.uk/en/ambition/evidence/4-degrees-map/.
［37］http://www.guardian.co.uk/business/2007/dec/09/water.climatechange.
［38］http://www.unep.org/dewa/vitalwater/index.html.
［39］http://www.mckinsey.com/App_Media/Reports/Water/Charting_Our_Water_Future_Full_Report_001.pdf.

### ❖第５章

［1］C. Leadbeater (2008) *We-Think, Mass Innovation Not Mass Production*, London: Profile Books.
［2］C. Shirky (2010) *Cognitive Surplus: Creativity and Generosity in a Connected Age*. London: Allen Lane.
［3］Douglas McGregor (1960) *The Human Side of Enterprise*, London: McGraw Hill. 1960［邦訳『企業の人間的側面――統合と自己統制による経営』（産業能率大学出版部）］.
［4］Abraham Maslow (1972) *The Farther Reaches of Human Nature*, New York: Viking［邦訳『人間性の最高価値』（誠信書房）］.
［5］協力的行動について、詳しくは、たとえばハワード・ラインゴールドの以下の講演（動画）を参照。http://www.ted.com/talks/howard_rheingold_on_collaboration.html.
［6］S. E. Page (2007) *The Difference: How the Power of Diversity Creates Better Groups, Firms, Schools and Societies*. Princeton, New Jersey: Princeton University Press［邦訳『「多様な意見」はなぜ正しいのか――衆愚が集合知に変わるとき』（日経BP社）］.
［7］Scott E. Page (2007) op. cit..

[8] 世界銀行は、開発を促進するために情報とコミュニケーションの改善に携わる専任スタッフを200人擁している。各国政府単位でも、さまざまな取り組みがなされている。エジプトの通信・情報技術省は、地域社会レベルで情報・通信インフラを整備することにより、インターネット利用環境の拡大を精力的に推し進めている（http://www.mcit.gov.eg/news.aspx）.
[9] 知識に基盤を置く経済を築く狙いで、ルワンダ教育省は全土の子どもたちに合計10万台以上の低価格小型ノートパソコン「XOコンピュータ」を提供した。アフリカ諸国におけるこの種の政策としては、最も大規模なものである（http://www.globalpost.com/dispatch/education/100408/rwandas-schoolyard-tech）。国や地域によるインターネット利用率の差は、将来的に経済発展と生活水準に大きな違いをもたらすだろう。
[10] http://globaltechforum.eiu.com/index.asp?layout=rich_story&channelid=5&categoryid=15&doc_id=10370.
[11] http://www.ulib.org/ULIBAboutUs.htm.
[12] http://www.e-learningforkids.org/aboutus.html.
[13] http://www.facebook.com/note.php?note_id=76191543919.
[14] http://www.google.com/adplanner/static/top1000/.
[15] Economist Special Report, 1/30/2010, Vol. 394, Issue 8667.
[16] L. J. Shrum, R. S. Wyer Jr and T. C. O'Guinn (1998) The use of priming procedures to investigate psychological processes, *Journal of Consumer Research* 24(4): 447.
[17] R. Kubey (1990), Television and the quality of life, *Communication Quarterly*, London: Routledge.
[18] Shirky (2010), op. cit.
[19] P. Anderson (1972) *More is different*, *Science*, 177: 393?6.
[20] D. Tapscott and A.D. Williams (2010) *MacroWikinomics: Rebooting Business and the World*, London: Atlantic Books.
[21] T. Erickson (2010) *What's Next, Gen X: Keeping Up, Moving Ahead, and Getting the Career You Want*, Boston, Mass: Harvard Business School.
[22] この点は、次の文献で説得力豊かに論じられている。J. Rubin (2009) *Why Your World is About to Get a Whole Lot Smaller*, New York: Random House.
[23] 世界銀行の次のデータによる。World Bank —— World Development Indicators via Google Public Data.
[24] http://www.eia.doe.gov/oiaf/ieo/pdf/ieoreftab_1.pdf.
[25] もっとも、中国とインドの国民1人当たりのエネルギー消費量は、2010年の時点でアメリカやロシアよりはるかに少なく、今後数十年にわたり先進国より少ない水準にとどまると予測されている。2010年、平均的なアメリカ人は、平均的な中国人の5倍以上、平均的なインド人の15倍近くのエネルギーを消費している。

### ❖第６章

[1] J. Rifkin (2009) *The Empathic Civilization: The Race to Global Consciousness in a World in Crisis*. Cambridge: Polity Press.
[2] アメリカで学校に通わず在宅教育を受けている子どもの数は、1999～2007年の間に約75％増加した（http://www.usatoday.com/news/education/2009-01-04-homeschooling_N.htm）。子どもに在宅教育を受けさせる親のほとんどは、道徳上・宗教上の理由でそう

いう選択をしているが、家族の時間の確保、子どもの幸せ、一家の経済状態などを理由に、子どもに自宅で教育を受けさせる親も増えている。
［3］Women in Business Institute, London Business School (2009) *The Reflexive Generation: Young Professionals' Perspectives on Work, Career and Gender*, London: London Business School.
［4］A. Giddens (1991) *Modernity and Self-Identity: Self and Society in the Late Modern Age*, Stanford, CA: Stanford University Press［邦訳『親密性の変容――近代社会におけるセクシュアリティ、愛情、エロティシズム』（而立書房）］.
［5］Gail Sheehy (1976) *Passages*, New York: Dutton［邦訳『パッセージ――人生の危機』（プレジデント社）］.
［6］A. Comfort and S. Quilliam (2004) *The Joy of Sex*, London: Mitchell Beazley.［邦訳『ジョイ・オブ・セックス』（河出書房新社）］
［7］女性の就業問題について調べている非営利団体「カタリスト」によると、1995年、フォーチュン誌の上位500社に名を連ねるアメリカ企業のうちで女性CEOの割合は0.2%、取締役に占める女性の割合は10%だった。2009年でも、その割合はそれぞれ3%と15%にとどまっている。アメリカ以外の多くの国も、状況は似たり寄ったりだ。世界規模で見ても、2010年の女性CEOの割合は5%に満たない。
女性の就業に関しては、以下の資料が参考になる。Catalyst Research Catalyst, 2009; Catalyst Census: Fortune 500 Women Board Directors (2009); Catalyst Census: Fortune 500 Women Executive Officers and Top Earners (2009); Bureau of Labor Statistics, unpublished tabulations from the 2009 Current Population Survey (2010).
状況は、すぐには大きく変わりそうにない。たとえば、2009年にイギリス政府の平等・人権委員会がおこなった試算によると、いまのペースで状況の改善が進むとすると、ロンドン証券取引所の代表的な株価指数「FTSE100」に選ばれている100社の取締役会で男女の比率が等しくなるまでに70年かかるという（Equality and Human Rights Commission［2008］*Sex and Power Report*, p.4）。
［8］Third Bi-annual European PWN Board Women Monitor, 2008.
［9］A. Giddens (1992) *The Transformation of Intimacy: Sexuality, Love and Eroticism in Modern Societies*, Palo Alto, CA: Stanford University Press, p.60［邦訳『親密性の変容――近代社会におけるセクシュアリティ、愛情、エロティシズム』（而立書房）］.
［10］op. cit. p.111.

### ❖第７章

［1］http://www.alibaba.com.
［2］J. Hagel III, J. Seely Brown and L. Davison (2010) *The Power of Pull: How Small Moves, Smartly Made, Can Set Big Things in Motion*, New York: Basic Books［邦訳『「PULL」の哲学』（主婦の友社）］.
［3］J. Hagel III, J. Seely Brown and L. Davison (2009) *The Big Shift Index*, Deloitte Center for the Edge.
［4］T. Malone (2004) *The Future of Work: How the New Order of Business Will Shape Your Organization, Your Management Style, and Your Life*, Boston: Harvard Business School Press, p.81［邦訳『フューチャー・オブ・ワーク』（武田ランダムハウスジャパン）］.
［5］C. Leadbeater (2008) *We-Think: Mass Innovation Not Mass Production*, London: Profile Books, p.219.

[6] イェルツェンは、ノルウェーのラルビク出身の映像作家。映画制作は独学で学んだ。
[7]「見て、撮って、変えろ」がこの活動のキャッチフレーズだ。
[8] E. Brynjolfsson and A. Saunders (2010) *Wired for Innovation: How Information Technology Is Reshaping the Economy*. Cambridge, MA: MIT Press.
[9] W. Nordhaus (1997) Traditional productivity estimates are asleep at the (technological) switch, *Economic Journal*, Royal Economic Society, vol. 107(444), September: 1548?59.
[10] この2つの要素の組み合わせは、アップル、グーグル、ノキア、IBM、BMWなどの企業を成功に導いた成功のパターンだ。アップルは2010年6月、株式時価総額が2340億ドルに達するなど、世界で有数の企業価値を誇る企業となっている。イノベーションの生産性が高まるほど、企業価値に占める物的資産の比重は小さくなり、目に見えない資産の比重が大きくなる。
[11] たとえば、1987年に4000ドル払わなければ得られなかったコンピュータの処理能力が、2007年には38ドルで手に入るようになった。
[12] 国際的な世論調査である「ピュー・グローバル・アティテュード・プロジェクト」の2009年の調査によれば、「経済の状態はよいか、悪いか」という問いに対して、中国人の84%、インド人の66%が「よい」と答えた。この割合は、アメリカ、フランス、スペイン、イギリス、日本では、18%に満たない。
[13] A. Maddison (1998) *Chinese Economic Performance in the Long Run*, Paris: Organization for Economic Cooperation and Development.
[14] 中国人の貯蓄重視の傾向に強い影響を与えたのは、シンガポールの首相を長く務めたリー・クアンユーだ。1955年、リーは国民に貯蓄を強制する中央積立基金(CPF)制度を発足させ、給与の5%を基金の個人口座に拠出することを国民に義務づけた(雇用主も給与の一定割合を従業員の個人口座に拠出するものとした)。この拠出割合は段階的に引き上げられていった。CPF制度のもと、シンガポールの国民貯蓄率は何十年にもわたり、50%前後というきわめて高い水準で推移している。このモデルを模倣した中国でも貯蓄率が上昇し、それを原資として目覚ましい経済発展が実現した。
[15] G. A. Akerlof and R. J. Schiller (2009) *Animal Spirits: How Human Psychology Drives the Economy, and Why It Matters for Global Capitalism*, Princeton, New Jersey: Princeton University Press[邦訳『アニマルスピリット——人間の心理がマクロ経済を動かす』(東洋経済新報社)].
[16] フィナンシャル・タイムズ紙の調べによると、2010年の世界の企業の株式時価総額ランキング上位10社のなかに、中国の金融機関が2社ランクインしている(中国工商銀行と中国建設銀行)。
[17] 次第に価値の高い製品に移行する傾向は、中国の製造業全般で見て取れる。たとえば2008年に世界で最も多くの国際特許を出願した企業は、中国の通信会社、華為技術(ファーウェイ・テクノロジーズ)だった。中国で台頭しつつある知識経済に投資しているのは、中国企業だけではない。2010年、フォーチュン誌上位500社入りしている企業が中国に設けている研究開発施設は98カ所に上っている(ちなみに、インドは63カ所)。
[18] 中国の上位の10地域は、人口では国全体の16%を占めるにすぎないが、45%近くの大学の所在地であり、中国の技術的イノベーションの60%の発生地でもある(T. Li and R. Florida [2006] Talent, technology innovation and economic growth in China, *The*

*Martin Prosperity Institute*, University of Toronto. 次のウェブサイトで閲覧可能。www.creativeclass.com.)。
[19] インドと中国でマネジメント教育に関心が高まっていることを受けて、状況は変わりつつある。フィナンシャル・タイムズ紙が発表した世界のビジネススクールランキング（2011年までの3年間の平均順位）を見ると、上位20校のなかに新興国のビジネススクールが3つランクインしている。香港科技大学ビジネススクール、インド経営大学院、中欧国際工商学院（CEIBS）の3校である（http://rankings.ft.com/businessschoolrankings/global-mba-rankings）。
[20] コンサルティング大手マッキンゼーが2005年に発表したレポートによれば、インドの大学卒業生のうちで多国籍企業の採用基準に達する技能をもっている学生は、エンジニア系学部で25%、財務・会計系学部で15%、それ以外の専門性の乏しい学部では10%にすぎない。つまり現時点では、インドの大学教育の質は概して欧米に劣り、多国籍企業で要求されるレベルの人材を十分に送り出せていない。アスパイアリング・マインズ社が2010年に実施した調査によれば、インドのエンジニアのうちで、ソフトウェア開発企業で即戦力になりうる人材はたったの4%。半年間の研修を受けさせても、IT企業で採用されるレベルに達する人は18%にすぎないという（The engineering gap, *The Economist*, 00130613, 1/30/2010, 394 (866)）。
[21] A. L. Saxenian (1999) *Silicon Valley's Immigrant Entrepreneurs*, San Francisco, CA: Public Policy Institute of California.
[22] 2010年の時点で、ケニアでサファリコムが提供する送金サービス「エムペサ（M-PESA）」を利用している人は950万人以上。送金総額は、ケニアのGDPの11%相当に達する。
[23] また、新興国に研究開発拠点を設ける多国籍企業も増えている。ゼネラル・エレクトリック（GE）のヘルスケア部門は5000万ドル、シスコシステムズは10億ドル以上を費やしてインドのバンガロールに研究開発部門を設置した。北京にあるマイクロソフトの研究開発センターは、同社のアメリカ国外の研究開発施設で最大のものだ（'The world turned upside down: Economist special report on innovation in the emerging markets' April 17th 2010 —— see Economist.com/specialreports.)。
[24] P. F. Drucker (2008) *The Essential Drucker*. London: Harper Paperbacks［邦訳『はじめて読むドラッカー』シリーズ（ダイヤモンド社）］
[25] W. Sanderson and S. Scherbov (2008) *Rethinking Age and Aging*. Population Bulletin, December.
[26] 昔に比べて、高齢者は身体の不自由に悩まされなくなっている。しかも最近は、認知能力が衰える時期も遅くなっているという研究も発表されている。以下の資料を参照。University of California, Berkeley and Max Planck Institute for Demographic Research, Human Mortality Database (www.mortality.org and www.humanmortality.de, accessed 1 Feb. 2008). United Nations (UN), Department of Economic and Social Affairs, Population Division, World Population Prospects: The 2004 Revision(2005).
[27] R. Kurzweil (2006) *The Singularity is Near*, London: Gerald Duckworth & Co［邦訳『ポスト・ヒューマン誕生——コンピュータが人類の知性を超えるとき』（NHK出版）］.
[28] 2005年に世界規模で実施された調査によると、国による違いはあるものの、人々が高齢になっても働きたいと考える理由はおおむね5つある。収入を得たい、精神的な刺激を受け続けたい、肉体の健康を保ちたい、ほかの人たちとのつながりをなくしたく

ない、そして、自分の時間を使って意義あることをしたい、の5つである。世界全体で見ると、これらの5つの理由はほぼ同程度の比重をもっている（HSBC Insurance (2005) The Future of Retirement Study, HSBC.）。

### ❖第８章

［1］たとえばフォード自動車は、1911年にはじめてアメリカ国外に工場を開設。オランダのフィリップスは、1924年にブラジル、1927年にオーストラリア、1930年にインドに工場をオープンさせた。

［2］オンラインゲーム『ワールド・オブ・ウォークラフト』のプレーヤーたちがつくる「ギルド」はその典型だ。「プレーヤーたちは、ほかのプレーヤーとのコラボレーションを好むようになる。自分にはない強みをもっているプレーヤーの視点や経験に触れれば、技能を素早く高められると気づくのだ……協力し合うプレーヤーは、古い発想でゲームに臨むプレーヤーより概して好結果を得ている」

［3］David Bolchover (2010) *Pay Check: Are Top Earners Really Worth It?* London: Coptic.

［4］サッカー選手の例は、Bolchover (2010)op. cit. による。

［5］http://www.businessweek.com/technology/content/aug2010/tc2010082_406649.htm

［6］技能労働者不足に関する英産業連盟の報告書を参照。http:// www.cbi.org.uk/pdf/20091123-cbi-shape-of-business.pdf.

［7］http://www.deccanherald.com/content/84978/indian-bpo-facing-hugechurn.html.

［8］http://english.peopledaily.com.cn/90001/90778/90860/6857605.html.

［9］http://www.computerworld.com/s/article/9121385/U.S._agency_sees_robots_replacing_humans_in_service_jobs_by_2025.

［10］たとえば、イギリスの民間企業・技術革新・技能省の2010年の報告書*The Shape of Jobs to Come*を参照。この報告書では、20種類の「未来の職種」について分析している。

［11］市民運動が短期間で立ち上がり、支持を拡大するうえでは、オンライン上の署名集めサイト（http://petition.co.ukなど）やフェイスブックのようなSNSが大きな後押しになるだろう。

［12］D. Bornstein (2007) *How to Change the World: Social Entrepreneurs and the Power of New Ideas*, Oxford University Press USA［邦訳『世界を変える人たち――社会起業家たちの勇気とアイデアの力』（ダイヤモンド社）］; C. Leadbeater (1996) *The Rise of the Social Entrepreneur*, London: Demos.

［13］http://www.census.gov/epcd/www/smallbus.html.

［14］http://stats.bis.gov.uk/ed/sme/.

［15］たとえば、http://www.kickstarter.com/のようなソーシャル資金調達サイトがある。

［16］http://www.gototurkey.co.uk/health-and-spas.html.

［17］http://www.euromonitor.com/Industry_Trend_Hippocratic_holidays.

［18］たとえば、カリフォルニア州のベイエリア地区には、アメリカ国内のバイオメディカル系の雇用160万のうちの約6分の1が集中している。

［19］http://www.newscientist.com/article/dn19254-green-light-for-firstembryonic-stem-cell-treatment.html.

［20］http://business.timesonline.co.uk/tol/business/career_and_jobs/graduate_management/article5792471.ece.

［21］http://beta.thehindu.com/opinion/lead/article4752.ece?homepage=true.

［22］ http://www.upiasia.com/Society_Culture/2009/07/14/chinas_college_grad_employment_statistics/3617/.
［23］ R. Florida (2002) *The Rise of the Creative Class: And How It's Transforming Work, Leisure, Community and Everyday Life*, New York: Basic Books［邦訳『クリエイティブ資本論――新たな経済階級の台頭』（ダイヤモンド社）］.
［24］ Mathias Horx (2006) *How We Will Live: A Synthesis of Life in the Future*. London: Cyan Books.
［25］ Florida (2002)op. cit.
［26］「ホットスポット」という用語は、私が次の著書などで用いてきたものである。L. Gratton (2007) *Hot Spots: Why Some Teams, Workplaces and Organisations Buzz with Energy――and Others Don't*, Financial Times Prentice Hall (UK), Berrett Koehler (US).
［27］ この点は、技能と才能の違いによるものなのかもしれない。医師や弁護士は訓練を重ねることで仕事の質を高められるが、デザイナーや芸術家の場合は、それが格段に難しい。もって生まれた才能に左右される面が大きいからだ。時代の精神を吸い上げたり、次に流行するものを先読みしたりする能力は、ほかの専門分野の能力に比べて教えにくい。
［28］ R. Reich (2001) *The Future of Success: Working and Living in the New Economy*. New York: Vintage Books［邦訳『勝者の代償――ニューエコノミーの深淵と未来』（東洋経済新報社）］.
［29］ Horx, op. cit. p.121.
［30］ Horx, op. cit.
［31］ http://news.bbc.co.uk/1/hi/uk_politics/5273356.stm.
［32］ R. Sennet (2008) *The Craftsman*, London: Allen Lane.
［33］ S. Ghoshal and J. Nahapiet (1998) Social capital, intellectual capital and the organizational advantage, *Academy of Management Review*, 23(2): 242.
［34］ 1万時間という数字は、ダニエル・レヴィティンの次の著作による。Daniel Levitin (2007) *This Is Your Brain On Music*, London: Atlantic Books［邦訳『音楽好きな脳――人はなぜ音楽に夢中になるのか』（白揚社）］. このレヴィティンの指摘は、マルコム・グラッドウェルの次の著作でも紹介されている。Malcolm Gladwell (2008) *Outliers*, London: Little, Brown & Co［邦訳『天才！　成功する人々の法則』（講談社）］.
［35］ C. Mainemelis and S. Ronson (2006) On the nature of play: Ideas are born in fields of play――towards a theory of play and creativity in an organizational setting, *Research in Organizational Behavior*, 27: 81-131.
［36］ David J. Abramis (1990) Play in work: Childish hedonism or adult enthusiasm? *American Behavioural Scientist*, 33 (3) 353-373(p.364).
［37］ M. Csikszentmihalyi and J. LeFevre (1989) Optimal experience in work and leisure. *Journal of Personality and Social Psychology*, 56: 815-22; E. L. Deci and R. M. Ryan (1985) *Intrinsic Motivation and Self-Determination in Human Behaviour*, New York: Plenum; F. Massimini and A. Delle Fave (2000) *Individual development in a bio-cultural perspective*, *American Psychologist*, 55(1): 24.
［38］ M. Csikszentmihalyi (1997) *Creativity: Flow and the Psychology of Discovery and Invention*, New York: Harper Perennial.
［39］ J. Elster (1986), Self-realization in work and politics: the Marxist conception of the good

life, *Social Philosophy and Policy*, 3, pp. 97. http://journals.cambridge.org/action/displayAbstract?fromPage=online&aid=3093292
［40］J. P. Sartre (1943) *Being and Nothingness: A Phenomenological Essay on Ontology*, London: Routledge, p. 246［原典はフランス語。邦訳『存在と無――現象学的存在論の試み』（ちくま学芸文庫）］.
［41］H. Ibarra (2003) *Working Identity: Unconventional Strategies for Reinventing Your Career*. Boston: Harvard Business School Press［邦訳『ハーバード流　キャリア・チェンジ術』（翔泳社）］.
［42］イタリア語の題名は"Il Corpo delle Donne"である。
［43］L. Gratton and S. Ghoshal (2005) Beyond best practice. *Sloan Management Review*, 46(3): pp. 49-57.
［44］Y. Moon (2010) *Different: Escaping the Competitive Herd*. Crown Publishing Group: Random House Group［邦訳『ビジネスで一番、大切なこと――消費者のこころを学ぶ授業』（ダイヤモンド社）］.
［45］ロバート・トンプソンの家具工房は、イングランド北部のヨークシャーの荒野にある。
［46］http://www.dwheeler.com/sloc/redhat71-v1/redhat71sloc.html.
［47］http://catb.org/esr/writings/homesteading/cathedral-bazaar/［邦訳はhttp://cruel.org/freeware/cathedral.html#1、もしくは『伽藍とバザール――オープンソース・ソフトLinuxマニフェスト』（光芒社）］.
［48］T. Malone (2004) *The Future of Work: How the New Order of Business Will Shape Your Organization, Your Management Style, and Your Life*, Boston: Harvard Business School Press［邦訳『フューチャー・オブ・ワーク』（武田ランダムハウスジャパン）］.
［49］サーモは、2010年の時点でアメリカ最大の医師向けオンラインコミュニティである。
［50］ロー・リンクは、アメリカ有数の法律専門家向けオンラインコミュニティ。
［51］T. Malone, R. Laubacher and M. S. S. Morton (eds) (2003) *Inventing the Organizations of the 21st Century*, Cambridge, MA: MIT Press.
［52］イギリス政府の統計は、http://www.cdc.gov/nchs/hus.htmを参照。医学専門誌ランセットに発表された論文によると、現在のペースで寿命が延び続ければ、2000年以降に先進工業国で生まれた子どもの半分以上が100歳代まで生きる見通しだという（http://abcnews.go.com/Health/WellnessNews/half-todays-babies-expected-livepast-100/story?id=8724273.）。
［53］T. Erickson (2008) *Retire Retirement: Career Strategies for the Boomer Generation*, Boston: Harvard Business School Press, p. 79.
［54］http://news.bbc.co.uk/1/hi/magazine/7401326.stm.
［55］ボランティア活動に関して、フィナンシャル・タイムズ紙の記事The Bookend Generations(http://www.ft.com/cms/s/0/b147d61a-5b9e-11de-be3f-00144feabdc0.html)では、次の研究を引用している。https://www.worklifepolicy.org/index.php/action/PurchasePage/item/278.
［56］C. Christensen, M. Horn and C. Johnson (2008) *Disrupting Class: How Disruptive Innovation Will Change the Way the World Learns*. New York: McGraw Hill［邦訳『教育×破壊的イノベーション――教育現場を抜本的に変革する』（翔泳社）］.

[57] C. L. Waight and B. L. Stewart (2009) Exploring corporate e-learning research: what are the opportunities? *Impact: Journal of Applied Research in Workplace E-learning*, 1(1): 68-79; L. Tai (2008) *Corporate E-learning: An Inside View of IBM's Solutions*. Oxford: Oxford University Press.
[58] 米教育省の次の報告書を参照。US Department of Education, Office of Planning, Evaluation, and Policy Development, Washington, D.C. (2009) *Evaluation of Evidence-Based Practices in Online Learning; A Meta-Analysis and Review of Online Learning Studies* (http://www.ed.gov/rschstat/eval/tech/evidence-based-practices/finalreport.pdf).

### ❖第9章

[1] このような知的資本と人間関係資本の組み合わせに関して先駆的な研究としては、次の論文がある。Sumantra Ghoshal and Janine Nahapiet. S. Ghoshal and J. Nahapiet (1998) Social capital, intellectual capital and the organizational advantage, *Academy of Management Review*, 23(2): 242.
[2] ビッグアイデア・クラウドは、人々の参加の仕方が受け身的なものにとどまる場合でも大きな威力を発揮する場合がある。たとえば「リキャプチャ」というソフトウェアは、コンピュータプログラムがウェブサイトに自動的にアクセスするのを排除して、人間のユーザーだけを受け入れるための認証用ソフトウェアだ。その目的を達するために、ウェブサイトの画面上に歪んだ文字列を表示し、オンラインサービスを利用しようとするユーザーにそれを手作業で入力させる。世界中のユーザーが1日に解読している文字列は2億個に上る。実は、このソフトウェアには認証機能のほかにもう1つの役割がある。ユーザーの解読作業の積み重ねを通じて、歪んだ文字の読み取りデータを集めて、OCR（光学式文字読み取り）ソフトの文字認識能力を改善するために利用しているのだ。ユーザーは無意識のうちに、書籍や新聞のデジタル化作業に貢献しているのである（http://www.google.com/recaptcha/learnmore.）。
[3] L. Gratton (2009) *Glow —— Creating Energy and Innovation in Your Work*. Financial Times Prentice Hall (UK), Berrett Koehler (US).
[4] L. Gratton (2007) *Hot Spots: Why Some Teams, Workplaces and Organisations Buzz with Energy —— and Others Don't*. Financial Times Prentice Hall (UK), Berrett Koehler (US).
[5] http://www.horsesmouth.co.uk/.
[6] M. S. Granovetter (1973) The strength of weak ties, *American Journal of Sociology*, 78(6): 1360.
[7] S. E. Page (2007) *The Difference: How the Power of Diversity Creates Better Groups, Firms, Schools and Societies*. Princeton: Princeton University Press［邦訳『「多様な意見」はなぜ正しいのか――衆愚が集合知に変わるとき』（日経BP社）］.
[8] http://en.wikipedia.org/wiki/List_of_crowdsourcing_projects.
[9] L. Festinger (1950) Informal social communication. *Psychological Review*, 57: 271-82.
[10] M. Kilduff and W. Tsai (2003) *Social Networks and Organizations*. London: Sage.
[11] R.E. Lane (2000) *The Loss of Happiness in Market Democracies*, New Haven: Yale University Press.
[12] Richard Florida (2008) *Who's Your City?*, New York: Basic Books［邦訳『クリエイティブ都市論――創造性は居心地のよい場所を求める』（ダイヤモンド社）］.
[13] Cicero, translated by M. Grant (1971) *On the Good Life*, London: Penguin Books.

❖第10章

［1］私たちの研究チームは、ヨーロッパ各国の企業幹部を対象に仕事と生活について調べた。

［2］R. Florida (2010) *The Great Reset: How New Ways of Living and working Drive Post-Crash Prosperity*. New York: HarperCollins［邦訳『グレート・リセット――新しい経済と社会は大不況から生まれる』（早川書房）］.

［3］2010〜35年の間に、世界のエネルギー消費量は50％近く増加する見通しだ。その増加分の半分以上を占めるのは、途上国の消費である（http://www.eia.doe.gov/oiaf/ieo/highlights.html）。こうしてエネルギー消費が大幅に増加する結果、世界の二酸化炭素排出量は30％以上増える（http://www.oecd.org/dataoecd/45/29/42414080.pdf）。それにともない、世界の平均気温は10年ごとに約0.2度ずつ上昇するとみられている（http://www.ipcc.ch/publications_and_data/ar4/syr/en/mains3-2.html）。温暖化がこれほどまでに進行すれば、地域レベルと世界レベルの生態系と経済に明確で直接的な影響が及ぶだけでなく、中長期的には、健康への悪影響、食料不足の深刻化、森林火災の増加、旱魃の長期化などの問題が生じる（http://www.actoncopenhagen.decc.gov.uk/en/ambition/evidence/4-degrees-map/）。

　また、世界経済の成長により、水不足がきわめて深刻になり、水は現在の石油のような貴重な資源になる。減る一方の淡水資源の奪い合いが激化し、社会的・政治的な緊張が高まるだろう。2025年には、世界の人口の3分の2が水不足の土地で暮らすようになると予測されている（http://www.unep.org/dewa/vitalwater/index.html）。

［4］http://www.businessweek.com/news/2010-02-25/china-2009-private-carownership-jumps-34-to-26-million-units.html).

［5］A. Maslow (1954) *Motivation and Personality*. New York: Harper［邦訳『人間性の心理学――モチベーションとパーソナリティ』（産業能率大学出版部）］.

［6］実際、中国の工場労働者はすでに、生活環境の悪さと労働時間の長さに不満を表明しはじめている。

［7］S. Lebergott (1968) Labour force and employment trends. In E. Sheldon and W. Moore (eds), *Indicators of Social Change*. New York: Russell Sage, pp. 97-143.

［8］P. Brickman and D. T. Campbell (1971) Hedonic relativism and planning the good society. In M. H. Appley (ed.), *Adaptation-Level Theory: A Symposium*, New York: Academic Press, pp. 287-302.

［9］D. Kahneman and J. Snell (1992) Predicting a changing taste: Do people know what they will like?, *Journal of Behavioral Decision Making*, 5(3).

［10］R. Lane (1991) *The Market Experience*, Cambridge: Cambridge University Press, p. 309.

［11］Lane (1991), op. cit.

［12］op. cit., p. 149.

［13］T. Scitovsky (1977) *The Joyless Economy*. New York: Oxford University Press［邦訳『人間の喜びと経済的価値――経済学と心理学の接点を求めて』（日本経済新聞社）］.

［14］T. Kasser, R. Ryan, M. Zax and A. Sameroff (1995) The relations of material and social environments to late adolescents' materialistic and prosocial values, *Developmental Psychology*, 31: 907-14.

［15］D. J. Bem (1972) Self perception theory. In L. Berkowitz (eds), *Advances in Experimental Social Psychology*, Vol 6, New York: Academic Press.

［16］ Lane (1991), op. cit.（第6章）
［17］ ロンドン・ビジネススクールの同僚であるドミニク・ホールダーは、次の共著でこの点を説得力豊かに論じている。Kulananda and D. Houlder (2002) *Mindfulness and Money: The Buddhist Path to Abundance*. London: Broadway Books.
［18］ A. Campbell et al. (1976) *The Quality of American Life*, New York: Russell Sage.
［19］ Lane (1991) op. cit.（p. 96）
［20］ J. T. Mortimer and J. Lorence (1985) Work experience and occupational value socialization: a longitudinal study, *American Journal of Sociology*, 84: 1361?85.
［21］ P. Koestenbaum and P. Block (2001) *Freedom and Accountability at Work: Applying Philosophical Insight into the Real World*. San Francisco: Jossey-Bass Pfeiffer.
［22］ フロムはこの言葉を自著の題名に用いている。Erich Fromm (1941) *The Escape from Freedom*, New York: Rinehart［邦訳『自由からの逃走』（東京創元社）］.
［23］ R. Reich (2001) *The Future of Success*, New York: Alfred A. Knopf［邦訳『勝者の代償——ニューエコノミーの深淵と未来』（東洋経済新報社）］.
［24］ op. cit.
［25］ L. Gratton (2004) *The Democratic Enterprise: Liberating Your Business with Freedom, Flexibility and Commitment*, London: FT Prentice Hall.
［26］ D. Held (1996) *Models of Democracy*, Cambridge: Polity Press［邦訳『民主政の諸類型』（御茶の水書房）］.
［27］ もっとも、このような摩擦は、ロバート・レーンが言う「文化的遅滞」を浮き彫りにするだけなのかもしれない。「大半の人間は、自分に現在の素晴らしい立場をもたらした基本的前提を大切にし続ける。自分を育ててくれた文化に歯向かうことは不可能に等しい。しかも、既存のシステムのなかで活動すれば、目先のご褒美も手に入る。差し当たりもっとお金が入ってくると思えば、その報酬の説得力と魅力に屈し、自分がいる迷路の壁の外をのぞいてみようという気持ちが失せる」(Lane, 1991, p.60)
［28］ この点に関して、アメリカの文化人類学者アルフレッド・クローバーの指摘が示唆に富んでいる。クローバーによれば、文明はいくつかの段階を経て勃興から滅亡にいたる。偉大な文明は、繁栄の基盤となる特質をそれぞれ確立していくが、その特質がもつ潜在的可能性をすべて消費し尽くすと、繁栄は終わる。イノベーションや実験をおこなわずに同じことをひたすら繰り返すようになったとき、文明に死が訪れる。つまり、文明の死は、破滅的な大激変によって引き起こされるわけではなく、変化に適応せず、昔と同じことを単調に繰り返すようになる結果として起きると、クローバーは主張している。
［29］ Youngme Moon (2010) *Different: Escaping the Competitive Herd*, New York: Crown Publishing Group, Random House［邦訳『ビジネスで一番、大切なこと——消費者のこころを学ぶ授業（ダイヤモンド社）］.
［30］ リチャード・フロリダは、そのような変化を「グレート・リセット」と呼んでいる（Florida, 2010）。
［31］ シェルのシナリオは、同社のウェブサイトで閲覧できる。

◉著者略歴

リンダ・グラットン（Lynda Gratton）
ロンドンビジネススクール教授。経営組織論の世界的権威で、英タイムズ紙の選ぶ「世界のトップビジネス思想家15人」のひとり。英ファイナンシャルタイムズ紙では「今後10年で未来に最もインパクトを与えるビジネス理論家」と称され、英エコノミスト誌の「仕事の未来を予測する識者トップ200人」にも名を連ねる。組織におけるイノベーションを促進するホットスポットムーブメントの創始者。『HotSpots』『Glow』『Living Strategy』など7冊の著作は、計20カ国語以上に翻訳されている。人事、組織活性化のエキスパートとして欧米、アジアのグローバル企業に対してアドバイスを行っている。現在、シンガポール政府のヒューマンキャピタルアドバイザリーボードメンバー。

著者による「仕事の未来」ブログ: www.lyndagrattonfutureofwork.typepad.com
Hot Spotsのサイト:www.hotspotsmovement.com

◉訳者略歴

池村千秋（いけむら・ちあき）
翻訳者。『フリーエージェント社会の到来』（ダニエル・ピンク著、ダイヤモンド社）『グーグルネット覇者の真実』（共訳、スティーブン・レヴィ著、阪急コミュニケーションズ）、『マネジャーの実像』（ヘンリー・ミンツバーグ著、日経BP社）、『ホワイトスペース戦略』（マーク・ジョンソン著、阪急コミュニケーションズ）など訳書多数。

# ワーク・シフト

2012年8月5日　第1刷発行
2012年9月25日　第6刷発行

◉著　者　リンダ・グラットン
◉訳　者　池村千秋
◉発行者　長坂嘉昭
◉発行所　株式会社プレジデント社
〒102-8641　東京都千代田区平河町2-16-1
電話：編集（03）3237-3732
販売（03）3237-3731
◉編　集　三田真美（Chronicles）
◉装　丁　竹内雄二
◉制　作　関　結香
◉印刷・製本　凸版印刷株式会社

http://www.president.co.jp/book/


ISBN 978-4-8334-2016-7
Printed in Japan